Lord Jim

1900

〔英〕约瑟夫·康拉德◎著
梁遇春　朱一苇◎译

吉姆爷

北京理工大学出版社
BEIJING INSTITUTE OF TECHNOLOGY PRESS

阅读·时光
READING TIME

献给G.F.W.霍普夫妇，

感谢我们多年不变的深情厚谊。

当另一个灵魂相信它的那一刻，

我确信我的信念会无限地增强。

——诺瓦利斯

作者序言

这篇小说刚印书问世时，一般人纷纷议论，说我是跑野马，带不住了。有些评论家认为这部作品以短篇故事开场，结果却超过了作者驾驭的能力；还有一二位发现了内在的证据，这倒使他们觉得怪有趣似的。他们指出叙述体受限制的诸点。他们申说，无论要叫谁那样滔滔不绝地尽讲，让旁的人们倾听这么许久，怕是办不到的。这是不大可信的，他们说。

对于这一层，我差不多萦回思索了十六年的光景，还是不很以为然。我们知道，无论是在热带或是在温带，人们往往坐到深更半夜，“轮流着讲故事”。如今这不过是一个故事罢了，何况屡次打断了话头，多少可以让人松一松劲，养一养神哩；至于听众的耐性，那就不得不承认一个先决条件——这故事确是有趣。这是不可少的初步的假定。倘使我并不相信这确是有趣，我也绝不会动笔写了。单就精力能不能撑持这一点说，我们都知道，国会里有些演说辞发表时并不止三个钟头，倒几乎占了六个钟头呢；可是这本书里面马洛讲演的那一部分，我敢说到不了三个钟头就能高声念完了；再呢——虽然我把那些无关紧要的枝叶都绝不容情地删掉了——我们不妨假定，那一夜总该备些茶点的，不管什么矿泉水来一杯润润讲演人的嗓子。

可是正经说呢，实际的情形是，我最初的意思不过想把那条载送香客们参拜圣地的大船编一个短篇故事而已，此外别无奢望。那倒是嫡出的初胎。然而写了几页之后，不知怎么一来，我觉得不甚满意，便将写好的几页搁置了一些时候；直到去世不久的威廉·白勒克乌先生又为他的杂志向我索稿，我才从抽屉里取出那几页来。

那时候我才恍悟这条香客船的穿插，用于一个不羁的漂泊故事，倒是很好的开端；而且这也是件紧要的事变，让一个单纯而敏感的人物遇着，更能渲染全部"生存的情趣"，那是可以想象得出的。但是这一切写书前的心情和激奋情绪，当时却很模糊；如今过了这么许多年之后，我也并不觉得比当时清晰。

我搁置在一边的那寥寥几页，在主题的选择上，不无相当的重要；不过全部都是仔仔细细重新写过一道的。当我坐下执笔时，我明知这会是一部长书，虽则我并没预料到这会在白勒克乌先生的杂志上展拓了十三期的篇幅。

我有几回被人询问这是不是我最喜欢的我自己的一本书。我是个极端反对偏爱的人，无论在团体生活，或是在私人生活，甚至在一个作家和他的作品的微妙关系上都这样。照原则上讲，我并无所特别宠爱；但是假使有人对于我的《吉姆爷》表示特别好感，我也不至于觉得不快和生气。我绝不会说我"倒有点不明白……"。绝不会！可是有过一回，我不禁疑惑而且惊讶了。

我的一个朋友从意大利回来，他曾同那儿的一位妇人谈天，她不喜欢这本书。不消说这使我颇引为遗憾，但是使我讶然的是她不喜欢的理由。“你知道，”她说，“这完全是变态啊！”

这话给了我一个钟头苦思默索的资料。最后我得到这样的结论：纵使在某种程度上承认这主题本身对于女子们平常的感受性未免有点隔膜，可是这位女子绝不能算是意大利人。我诧异她到底是不是欧洲人呢？无论如何，拉丁气质的人民，见了旁人深刻地意识着失掉的荣誉，绝不会觉得是变态的。这样的意识也许是错误的，也许是正当的，也许不免有矫揉造作之嫌；或者不妨说，我的吉姆并不是十分通俗的典型。但是我能对我的读者们大胆保证，他不是从冷酷而牵强的思考里产生的；他也不是欧洲北部阴雾迷蒙的天地里的人物。一个晴朗的早晨，在东方海港的平常环境里，我看见他的形体打近边过去了——恳挚、凄切——深沉、奥妙——如在五里雾中——严守着缄默，该如此，便如此了。我尽了我所能有的同情，要替他的意义寻觅适当的字眼。他是“我们中间的一个”。

约·康

1917年6月

吉姆爷

第一章[1]

他的身材不到六英尺[2]，差一两英寸[3]样子，他的体格很结实。走路时候，他一直望着你冲来，两边肩膀微弯，头在前，眼睛是从眼皮底下瞥着你，活像一条来势汹汹的公牛。他的声音是沉重的，震耳的。他通常带种顽梗固执的态度，可是绝没有什么侵害人的意思；他仿佛是不得不如此，而且对自己似乎也像对别人一样顽梗。他穿的很干净，浑身雪白，从鞋子到帽子，你找不出一个污点。他靠替船货商拉生意过活，在东方许多码头上很能获得人们的好感。

一个水上兜买卖的伙计绝对用不着有什么特长，可是他必得是个所谓能干的人，而且办起事来真显得伶俐。他的工作是一碰到有船快抛锚，就跟其他这类伙计竞争，从船帆、蒸气、木桨底下赶快跑去，笑嘻嘻地向船主招呼，硬给他一张名片，上面印有船货商的店名；当船主第一次上岸时候，他就暗地里一直领他到一家山洞也似

---

① 第一章至第二十二章为梁遇春译，为保证译文原貌，故很少改动。

② 英尺：英美制长度单位，1 英尺≈ 30.48 厘米。

③ 英寸：英美制长度单位，1 英寸≈ 2.54 厘米。

的大铺子，里面满是船上吃喝的种种东西；在这铺子里面，你能买到船上的一切用品，使你的船可以漂洋过海，可以显得夺目，从锚缆上的一套钩链到贴船尾雕刻用的一本金叶；在这铺子里面，一个陌生的船货商会像亲兄弟一般款待船主；在这铺子里面，有一间阴凉的客厅，排有安乐椅、酒、雪茄、文具同一本海港规则。他们热烈的欢迎足够使航海人三个月海上生活在心里堆积的盐水都溶化掉。他们同船主这样开头的关系老是继续下去，全靠这位兜买卖的伙计天天到船上去拜访，一直等到这只船离开海港。这个伙计对于船主是诚实得像个好朋友，周到得像个孝顺儿子，有约伯那么忍耐，有女人那么专一无私，可是又像个酒友那么嘻嘻哈哈有兴致。末了他把总账送进去，就完事了。这真是个巧妙的、近乎人情的职业，所以好的水上拉生意的伙计是难得的。这样能干的伙计若使又兼有从小当过水手这个好处，那真值得雇主出很高的工钱，费很大劲去讨好。吉姆一向挣很高工钱，人们那样百般迁就他，就是魔鬼遇到了也会感恩；他却毫无良心，有时忽然间不干了，离开了。他所给的理由，他的雇主一看就知道无非是种托词。他一走开，他们立刻骂他“该死的傻瓜”！这是他们对于他感觉锐敏的心灵唯一的批评。

海边做生意的白种人和海船船主只知道他叫作吉姆。他当然还有个名字，可是他只怕人家说出。他这样把名字隐起来，并不是怕人家认识他，却是怕有一件事情会让人家知道；但是他这个匿名办法有点像筛箕，漏洞极多，那件事情终久又泄露了出来。那件事情一露出马脚，他立刻离开当时所待的港口，到另一个海港去谋生，常是望东迁移。他所以不离开海港，一则他是个从大海流配出来的航海人；二则他光是能干，只好做水上拉生意的伙计，不宜于干别种勾当。他总是井然有序地望太阳出来的方向退去，可是那件事情迟早又被发觉了，简直无法逃避。这样许多年来他陆续出现在孟买、加尔各答、仰光、槟榔屿、巴塔菲亚[①]；在每个驻足的地方，他只是水上拉生意的伙计吉姆。后来他那锐敏的眼光看出运命对于他是绝不宽容的，他只好永远离开港口同白种人们了，甚至于跑到蛮荒森林里去，捡个马来人住的林中乡村来埋没他这个可怜的本领。那里居民就在他这个简单名字之上添一个头衔，喊他做"土安"吉姆：仿佛我们喊吉姆爷一样。

他来自一个牧师的住宅。许多大商船的船主都来自这些虔敬恬静的家庭。吉姆的父亲对于宇宙神秘了解得这么多，足够训练茅舍居民，使他们有正直的性格，却不至于扰乱深宅大院里面先生们心里的安宁，他们该住好房子，这大概也是出于全知全能的上帝的旨意罢。那个小礼拜堂看去好像是从杂乱绿叶里露出来的生满了藓苔的一块灰色岩石，站在山冈上已经有好几百年了，不过四旁的树林也许还记得礼拜堂安基石；底下算是牧师住宅，房屋的红色正面在草地、花床、杉树当中显得鲜艳有生气；后面是一片果园，左边有一个铺石头的院子，是放马用的；还有花房倾斜着的玻璃附着另一面砖墙。这个牧师职属于他家里已经有好几代了，但是吉姆还有四个兄弟，所以他读了一些小孩子看的海洋文学，显露出对于海的兴趣之后，他家里人立刻把他送到"商船船员训练舰"去了。

在那里他学了一些三角，同怎样走过上桅机桁。大家都喜欢他。航海术他考了第三名，而且当第一只快艇的划手。他的职务是管前樯楼，头脑既清醒，体质又好，在那里的确很精明强干。他真像个注定

---

① 即雅加达。

在危险当中出色的好汉，俯视底下这一大群安静的屋顶（那是给棕色的潮水分成两大片的），心里很瞧不起。在这高楼上，他可以望见许多工厂烟囱零落地散布于平原远处，笔直站着，衬在龌龊的天空下，个个细得像一根铅笔，还喷出烟雾，好比火山一样；他又能够看见出港的大船，来往不停的宽边渡船，以及脚下浮动着的小舟。庄严的海景隐约涌现天边，他心里蕴有对于将来冒险生涯的无穷希望。

一到底下舱面，听见二百来个五方杂处的人们嘈杂的声音，他简直忘却自己了，幻想着自己是在亲身经历许多海洋故事中所描述的那种冒险生涯。他看见自己从将沉覆的船上救出受难的人们，在狂风暴雨里斫断船上的桅杆，游水穿过挤出一行白线的巨浪；或者是遇险后漂流着的一个孤零零的人，赤条条，打光脚，踏着露出来了的暗礁，找一些贝类来充饥；或者在热带海岸上碰到生番，在白浪如山的海上镇压水手暴动，或者在大海里一只小艇中鼓起失望的人们的勇气——总之，他可以做个忠于职守的好榜样，丝毫没有畏缩，像书里所说的水上英雄那样。

“发生什么事了。快来。”

他跳起来。许多水手涌上扶梯。他能听到上面有一大阵奔跑叫喊的声音；但是一挤出舱口，他就站着呆住了——好像糊涂了。

这是一个冬日的黄昏。暴风自中午后重新刮起，河上交通都停顿了，现在一阵一阵地“呼呼”价响，带有飓风的力量，“轰轰”的声音好似隔海大炮发出的礼炮。急雨斜飞着，一片片打来，时起时停。吉姆间或看到翻斤斗的怒潮里吓人的景物，比如混在一起、在岸旁颠簸的小船，飞雾里呆立不动的房屋，笨拙地对着铁锚颠扑的宽边渡船，起落不定、给浪花埋没了的埠头。第二阵狂风似乎把这些全吹掉了，到处都溅着浪花。暴风当中的确有一个目的，天翻地覆的无情纷乱里夹有一种愤怒的严肃，这又好似是专对着他而发的，叫他害怕得不敢出气。他呆站着，觉得自己给风吹得旋转了。

人们挤到他身上来了："快艇上赶快备人呀！"小孩子从他身旁跑过去。一只走内海的小商船驶进来躲风，冲撞了一只抛了锚的双帆船，这个出险给船上一位教师看见了。一群小孩子爬到栏杆上，围着吊艇架："碰船，刚在我们前头。赛梦兹先生亲眼瞧见的。"他们在后面一推，他站不住脚，摔到尾桅上，抓着一根绳子。这条系在碇泊所的练习舰浑身发抖，船头对着风轻轻点首，船上几根绳子用低沉的声音，喘不过气来的样子，唱出年轻时飘游海上之歌。"下水！"看到快艇坐好了人，迅速地由栏边落下，他就直跑过去，听见一声泼刺。"放手，把轴轳拿开！"他凭栏看去，旁边的河水吐出一线一线白沫，好像沸滚了。朦胧光景里快艇隐约可见，正给潮水和狂风的魔力抓住，跟大船并肩上下。艇里传来一个大声地疾呼，他模糊听到："你们要救人，就得好好划！你们这班小狗！好好划！"突然间快艇抬起船头，木桨高举，一下子跳过一个浪头，潮水同狂风拘束不住它了。

吉姆觉得有人重重地握他的肩膀。"太迟了，年轻人。"船主看见这个小孩子好像要跳出船，赶紧把他一把抓住。吉姆抬头望着他的时候，眼睛里有自知失败的苦痛神情。船主同情地微笑一下："希望你下次运气好些。这回教导你此后应该敏捷些。"

快艇回来，博得大声的喝彩欢迎。半船都是水，有两个累坏了的人在船底木板上漂着。吉姆现在觉得天风海涛的骚动同威吓只值得藐视，因此更后悔当初不该怕这个纸老虎的威吓。他仿佛一点儿也不怕狂风了，还能够对付更大的危险呢。他真干得出来，并且比谁都强，心里一丝的恐惧也没有；可是那天晚上他在独自默想，而快艇上划头桨的人——一个脸儿像女子、有一对灰色眼睛的小孩——却做了底下舱面的英雄。爱听新闻的人们都围着他探问。他说："我刚刚看见他的头露出，赶紧把钩篙插到水里去，勾着他的裤子了。我自己几乎摔了出去，幸亏赛梦兹这个老头儿丢开舵柄，来攫住我的大腿。船差不多要翻了。赛梦兹这个老头儿真不错，他对我们粗鲁些我并不在乎。他抓我大腿时候，老是咒骂我，这是他的办法，等于叫我不要放松钩篙。赛梦兹这老头儿总是一下子就冒火——对不对？我救的不是短小漂亮的那一个，不，却是有胡子的那个大汉。我们把他拖上来，他呻吟着，'呵，我的腿呀！呵，我的腿呀！'眼睛盯着我们。你们想一想，这么大的一个汉子像个小女子那样晕了过去！你们里面有谁给这钩篙刺一下就会晕过去吗？我是不会的。刺进他的大腿这么深。"他拿出钩篙，这是他故意带下来卖弄的，大家见了果然很惊奇，"别说傻话，不是他的腿抓着——却是他的裤子，不过血自然流出许多了。"

言姆认为这是无聊的虚荣心的表现。那阵狂风无非吓一吓人，并无实力，所促成的英雄举动当然难免是虚伪的。这阵海天骚扰使他生气，因为它是这样乘他的不备而来，无端挡住他慷慨冒险的决心。若使不是为了这个，他倒觉得高兴自己没有参加这次快艇的打救，这回的成就真是不大高明。而且说到增广见识，他觉得他的获益远在真真干打救工作的人们之上。他相信将来有一天当大家都畏缩的时候，只有他知道怎样去对付狂风大海的无谓的威吓；他懂得该怎么样看待这些。其实只要你心里不害怕，这些算不得什么。他自己心里是一丝恐惧念头也没有的，所以惊心动魄闹了一场的结果，是他更有把握，想到将来的冒险，觉得自己有了无往而不自得的勇气。

第二章

训练了两年，他到海上去了。走进了他从前整天梦想着的境界以后，说也奇怪，却碰不到一件冒险事情。他航行好几次，知道海连天里的古怪单调生活。他得忍受人们的指摘，大海的虐待，日常呆板的苦工，为的是混一口面包。这些工作真真的报酬是会给人们一种乐业的精神，这个好处他却没有到手。不过他不能回家里去了，因为海上生活起先有强烈的引诱力，后来虽然叫人失望，却已经使人们甘心当海上的奴隶了。大海的确具有这副本领，任何其他生活都赶不上；而且他前途很有望。他态度文雅，能耐劳，肯服从，又十分明白自己的职务；所以过了没有多久，虽然年纪还很轻，居然高升当一只大船的大副。他也没有经过危险事情的试验，这些事情在光天化日之下揭出一个人的价值、锐气同本质，宣布他抵抗的能力同实在的胆量，不但给别人知道，也让他自己晓得。

这些时候里，只有一次他又瞥见大海生气时所含的严肃意义。这条真理不像人们所想的那样常常显露出来。狂风暴浪的危险也有各种程度，只是偶然你会在事实的表面上看见恶毒的用意——那是一种无法描摹的可怕空气，迫使一个人在理智和感情两方面都相信这些不幸的纠纷、这种海天的剧怒，完全是对他而发的，带着恶意，带着无法拘束的大力，带着脱缰而驰的残酷，那是要从他身上扯去他一切的希望同恐惧，他的疲劳苦痛同他的憩息愿望；那是摔破、毁坏、灭绝他所看过的、晓得的、喜欢的、享受的、厌恶的——总之人生所必需的、再贵重不过的一切东西，比如阳光、记忆、将来；那是用了要他的命这件简单可怕的事实，来把整个世界从他眼前扫去得无影无踪。

有一星期风浪大极了，他那位苏格兰船主后来常说："汉子！我真不明白这只船怎么能够支持过去了！"这个星期开头，吉姆给一根倒下的桅杆压坏了，一连躺了好些日子，糊里糊涂的，没有一点希望，心里难过得好像在不安定的深渊底下。他绝不关心他会有怎样结果；心境清醒时，他还把自己的冷淡估计得太过分了。其实，看不见的危险正同人们心里的幻想一样模糊不清。恐惧在他心里渐渐淡化成影子了。他既没有受到刺激，也就昏沉沉的，懒得去胡思乱想了；胡思乱想才是一切恐惧的源泉，人类的大敌。吉姆什么也没有看到，只瞧见颠簸着的舱房的纷乱情形。他死板板地直躺在这小块残破的地方当中，暗自高兴现在用不着到舱面去做苦工了；不过有时一阵压不住的悲哀把他整个人抓住，使他在毡毯底下喘气扭动。那时他真是绝望了，要他作任何牺牲都行，只要他能够逃脱会带给他这种痛苦感觉的无谓、苛刻的生活。后来天气又晴朗起来，他也就不想这些了。

他的脚还是跛着。船驶到东方一个码头，他不得不进医院去。他复原很慢，船开走了，他还滞留在医院里。

白种人住的病房，除他外只有两个人：一个是炮舰的会计，从舱口跌下，把脚摔断了；一个是邻省铁路包工者之流，得了个莫名其妙的热带病，他把医生当作蠢货，自己私下吃便药吃得一塌糊涂，那是由他一个塔木尔仆人忠心不倦地常常替他偷送来的。他们互述彼此的生平，打一会儿牌，或者穿着睡衣，整天懒洋洋地躺在安乐椅上打呵欠，一声不响。医院在小山上，从几扇永远大大敞开着的窗子里，吹进一阵阵的和风，带着天空的柔美、大地的抑郁和水上迷人的气息，到这光溜溜的房间里。和风里面夹着香味，使人们想起永久的休息，给人们一个不断的梦的情调。吉姆天天从园里小丛林、城里的屋顶、岸边生长的棕树叶子上面望过去，一直看到泊船所，那是到东方去的康庄大道，美丽的小岛点缀四围，欢乐的阳光照耀着，那里的船只同玩意儿一样，那里灿烂活泼的气象好似假日的赛会，东方天空永久的恬静笼罩在上面，东方大海微笑的和平一直铺到天水交界的地方。

他一能够不靠拐杖走路，就下山到城市去找个回家的机会。那时不凑巧，他只好等候着；等的时候，自然跟海港同行的人们来往。这班人可以分做两类：极少数的人们，很难遇见的，过着神秘的生活，保存着不失本色的魄力，脾气有些像海盗，眼睛出神得像做梦的人们。他们好像是在一团迷雾也似的计划、希望、危险、企图当中过日子，跟文明世界隔绝了，躲到海角天涯去。他们这种怪诞生活里唯一有成功可能的事情大概只是他们的死罢。大多数是像他这样的人，碰上什么意外的不幸，偶然滞留在那里，后来就老在本地船上当船员了。他们现在怕到本国船上去服务，因为条件既然苛刻，对责任的要求又更严格，而且还有海洋波涛这个危险。他们跟东方海天永久的恬静已经弄得很和谐了。他们喜欢短距离的航行，舱面上舒服的坐椅，一大群本地的水手，同只有他们是白种人这个特色。他们一想到刻苦工作就怕得发抖，宁可过一种朝不保夕的舒服生活，总是将被解职，总是将得到差事，在中国人、阿刺伯人[1]、杂种人底下服务——甚至于肯替魔鬼做事，只要他能够使他们过得很舒服。他们整天不说别的，光谈论运气好坏；说某人带一只走中国海的船——一桩好差事；这个人在日本某处轮船上谋到优缺，那个人在缅甸海军里混得很不错。总而言之，从他们一切谈话里，他们一切行动、神情、态度里，你都可以瞧见那个弱点，那个腐化的地方，那个打算好安安逸逸过此一生的决心。

吉姆起先觉得这班闲谈的人们真不配说是航海的人，简直还不如影子；但是末了他反喜欢看见这班人，觉得他们的生活很有味，只有这么一点儿的工作同危险，居然过得很满意。过了相当时候，他从前的藐视完全变做另一回事了；忽然间他抛弃回家这个念头，去就帕特那这条船的大副职。

帕特那是一条本地轮船，同那里的小山一样古，瘦得像猎狗，满身的锈，通常扔在一边不用的水槽还没有锈得那么厉害。这条船是属于一个中国人的，给一个阿刺伯人租雇了。带船的是个逃到新南威尔斯[2]去的德国人，他专爱在人面前咒骂他的祖国；但是他实在是依赖俾斯麦[3]胜利的政策，虐待一切他所不怕的人们，拿出一副“铁血主义”的面孔。他还有一个紫色的鼻子同一撇红色的上唇须。这条船外面油漆好，里面涂白后，就靠拢一个木头码头，冒着烟。有

---

① 即阿拉伯人。

② 也译作“新南威尔士”，澳大利亚的一个州。

③ 德意志帝国宰相，因信奉“只有通过铁与血才能达到目的”被称为“铁血宰相”。

八百个拜谒圣地者望里面冲去。

受着信仰同天堂希望的驱使，他们从三个舷门涌上船来，他们的光脚不断地践踏移动着，没有一句闲话，没有半声怨言，也没有向后面瞧一下。他们离开舱面四围的栏杆，向前后流散，由张开大口的舱口望下淌去，直到船里面最偏僻的所在，像水流进水池一样，像水填满罅隙小孔一样，像水默默地平平上升一样。八百个男女带了信仰同希望，情感同记忆，从天南地北，从东方的极端，聚会在这儿；他们走过森林中的道路，顺着河下来，坐马来人的小船沿着浅滩，乘独木舟渡过许多小岛，身经灾难，眼见奇物，给古怪恐惧盘绕着的心儿始终只靠一个希望支持着。他们来自旷野的茅舍，人烟稠密的大院，滨海的乡村。他们一听到一个观念的呼唤，立刻离开他们的森林，他们的开拓地，他们管理者的保护，他们的富庶或贫穷，他们年轻时的环境同他们祖先的坟墓。他们来时满身是风尘、汗滴、污垢、破布——强壮的人们在前头领带家族，瘦削的老人一步步向前追赶，没有还乡的希望了；男孩子大胆的眼睛好奇地到处探望，羞答答的女孩子头发披散下来；胆小的女人盖着面巾，用肮脏头巾的松散一头裹住正睡着的孩子，紧紧抱在怀里，这些小孩也可以说是这个苛刻信仰之下的不自觉的参拜圣地者。

“你看这群牲口。”德国船主对他新聘的大副说。

这次虔敬旅行的领袖，一个阿剌伯人，最后走上来了。他慢慢上船，穿件白长衫，缚一条大头巾，的确很庄严伟丽，一串仆人跟在他后面，抬他的行李。帕特那立刻开驶，离码头了。

这条船朝着两小岛之间驶去，斜斜地走过帆船下锚处，在山影底下兜半个圈，然后驶近吐出白沫的暗礁。站在船尾的那个阿剌伯领袖大声背诵海上旅客的祈祷文。他恳求天帝使这次旅行顺利，请他保佑他们的勤劳同他们心内的目的。轮船在黄昏里拍着海峡的静水前进。这条满载参谒圣地者的船只后面远处有个螺旋桩形的灯塔，那是不信教的人们筑在一个危险的浅滩上的，发出的火光好像在对这条船眨眼，嘲笑这次虔敬的差事。

这条船走出海峡，渡过海湾，继续向前驶去，罗盘上总是一度，一直望着红海前进。上面是燥热的、晴朗无云的天空，阳光艳丽地把整个船包围住，叫人们失掉思想的能力，只觉心里闷得难过，一切生机同魄力全枯萎了。在这含有恶意的灿烂天空之下，蔚蓝色的深海丝毫不动，没有一丝水波，没有一条花纹——是胶住了的、停滞的一片死水。帕特那微微“嗞”了一声，滑过这一大片光溜溜的水面，在天上画出一道黑烟，在海上留下一道白沫，那白沫立即消失，好像一只幻船在死海上画的一道幻影。

太阳一面旋转着，一面好像追赶这班拜谒圣地的人们，每天清晨默默地大放光芒，跟船尾总是离这么远；中午赶上了，把火一般热的光线集中着向这班虔敬的人们射去；落下时溜到前头，跟船首总是保持同样的距离，每晚总是神秘地沉到海里去了。五个白种人住在船的中部，跟这一堆人货隔离开来。白船篷从船头搭到船尾，把舱面全遮住了，只有一些“轰轰”声，一些愁闷的低声暗示火焰般的海洋上有这么一群人。白天总是这么酷热、静寂、沉闷，一天天消逝于过去里面，好像船走过后有个深渊把这些日子吞进去了。一缕黑烟下的孤舟坚决前进，在明晃晃的一大片广漠里，是冒着烟的漆黑一团，好像给天上残酷地扔下的火焰烧焦了似的。

夜的来临有如一声祝福。

第三章

整个世界沉默无声，真是奇怪。天上繁星射出明朗的光辉，好像传给人间一个永久安全的消息。新月反弯着，低低躺在西边，像是由一根黄金杆子刨出来的一片刨花。眼前的阿刺伯海平滑清冷，有如一片冰川，海面远接那漆黑的、画着全圆的水平线。船的暗轮悄悄地自由转动，简直可算做这个安全宇宙里的天然分子。水上闪着微光，没有一线波纹，不过船的两旁各有两道深折，阴沉沉的，永远不变；深折里有几行分叉的直线浪脊；浪脊之间有一些发出轻微"呲"声破碎的涡卷，一些小浪花，一些涟漪的微波，一些起伏的浪涌。船一走过，留下一些波涛，海面稍微颤动一下，低低溅拍一两声，也就消沉了，终于凑进圆穹也似的海天的寂默里。移动着的船身是永远留在海面中心的一个黑点。

站在望台上的吉姆看到大自然的静止形态，深深感到里面含有无限安全、无限和平的情调，好像看到一个母亲脸上安详亲挚的神气，可以信得过她心头有一种慈母的痴心。船篷底下，让白种人的智慧同勇敢来料理一切。依赖没有信仰的人们的本领同他们火轮船的铁壳，这班在苛刻信仰底下的拜谒圣地者睡着了，睡在席子上，睡在毡毯上，睡在光板上。舱面和黑暗的犄角满是一群一群躺着的人，染色的布包着，腌臜的衣服盖着，有的头靠着小包袱，有的脸压着弯在面前的前臂；男、女、小孩，挤在一起；老的少的，残废衰弱的，血气方刚的——在睡眠里都是一样的了，正如在死神面前——死神同睡眠本来就是哥儿俩呀！

船走得很快，引起一阵风迎头吹来，不断地吹过高高的船舷中间那一长片黑暗舱面，吹过这样一行行平卧着的躯体。梁木下面，这儿那儿零零落落地用短链子挂着几盏地球形的灯，火焰闪烁着，模糊的灯光一团一团照到舱面，颤动着，因为船身是不停地摇摆着。这些灯光底下你可以瞧见一个朝天的下巴，或者一对紧闭的眼睛，或者一只带有银戒指的深棕色的手，或者穿着破碎衣服的瘦削肢体，或者向后弯着的头，或者一只赤脚，或者是光露的、伸直的、好像让刀子来割的颈项。富实的人们拿重箱同旧席来遮围他们的家庭；穷人们紧挨着睡觉，他们所有的家私用破布捆起当枕头；孤零零的老年人两腿拱起，睡在他们祈祷用的地毡上，两手抱着耳朵，两臂夹着脸儿；有一个做父亲的双肩驼起，膝盖拿来安置额头，衰颓地睡在他儿子身旁，那是个头发乱七八糟的小孩子，一只臂膀发命令的样子指着，朝天酣睡；一个女人从头到脚盖着一块白被单，有些像死尸，两边胳肢窝里都有个赤身婴孩。这些阿剌伯人的行李堆在船后，俨然一个小山，高低不齐，上头有一盏货舱灯在摇曳，后头隐隐约约有许多东西东倒西歪着，可以瞧见大肚皮的铜壶，舱面椅子的踏脚，长矛的锋口，靠在一堆枕头上的古剑的直鞘，锡咖啡罐的罐嘴。船尾栏杆上的特制速率表过了一定时候，就“叮当”一声，告诉我们这回神圣的旅程又走一英里[1]了。这群睡着的人们有时发出微弱悠远的叹声，传出噩梦的消息；船里深处突然发出的短促“铿”声，铁锹粗糙的摩擦声，火炉门猛力闭上时“砰”的一声，这些声音残酷地冲出，仿佛在底下使用这类神秘的东西的人们心里充满了暴怒；可是苗条的高高船身正在平滑地望前进，光露的桅杆一丝也不摇动，在这不可即的晴朗天空之下，继续劈开大海的平静。

吉姆向两边船舷踱来踱去。这么广漠的寂寞里，他的脚步声自己听起来很响亮，好像是繁星发出的回响。他眼睛向水平线溜，如饥如渴地凝视着那永远走不到的境地，而且也看不见前途的影子。海上唯一的影子是烟囱里密密地喷出的黑烟的影子，那黑烟像是一根巨大的飘带，它的末端总在大气里溶化。两个马来人，静默的，几乎是不动弹的，各在舵轮的一边把舵，舵轮的钢缘偶然有一段闪光，那是给罗盘针箱射出的椭圆形光圈照到了。有时一只手在灯光照到的部分出现，黑手指抓着舵轮周围转动的把柄，随又放开了。轮链在轮轴凹线里“轧轧”地大响起来。吉姆看一下罗盘，望一下那不可即的水平线，悠闲地扭一扭身体，伸伸懒腰，等到骨节都响起来了，真觉得幸福极了。这个永远不会破裂的和平空气有点叫他大胆了，他简直觉得这一生里无论碰到什么事都会是不在乎的。有时他随便看一看舵机箱后面三条腿桌上四粒图钉钉着的一幅地图，这张纸指出海的深度；绑在木桩上的牛眼灯照在上面，一片光亮平滑，好像闪着微光的水面。纸上放有平行尺同两脚规，一个小黑十字标出今天中午时船的位置；一条铅笔画的直线，一直画到丕林，指出船的

① 英里：英制长度单位，1 英里≈ 1.61 千米。

航路——也就是到圣地去，到获救的希望去，到永生酬报的道路去。一支铅笔躺在那里，尖端指着索马利海岸，一动不动地像浮在安全内港里的一根光滑船桅。“这条船走得多么平稳呀！”吉姆心里纳罕，有些感谢海天这种无限的和平。这样时候，他一心一意想起许多勇敢行为；他喜欢这类好梦，爱幻想这类成功，它们是人生最可宝贵的经验，的确是人生的神秘真理，也就是人生真正的本来面目；它们具有壮伟的气概，憧憬的情趣，好像大踏步从他面前走过，把他灵魂一同带走，使他觉得什么都敢试一试，使他沉醉于“极端自信”这杯圣酒里。想到这里，他快乐得微笑，眼睛还是照例了望着；偶然回头一瞧，他看见船底在水面所留的一条白痕正同图上铅笔所画的黑线一样直。

灰色的吊桶跳荡着，碰到火舱气筒时“叮当”地响；这个锡桶的“噼啪”声提醒了他，叫他想起现在快有人来接他的班了。他乐意地叹一口气，又有些惋惜，因为他就要离开这些养成他狂梦的恬静景物了。他有一点儿瞌睡，懒洋洋地，遍体酥软，好像身里的血脉都变成温暖的牛奶了。他的船主穿着睡衣，不声不响地走上来，上面的短衫敞开着，露出了胸膛。他脸色红红的，还未十分清醒，左眼半闭着，右眼圆睁着，可是迟钝无光。他垂着大头颅，对着地图，半睡半醒地搔他的肋骨。他那露出的肉体带一点儿淫猥的气味；光溜溜的胸膛闪着亮光，软绵绵的、油腻腻的样子，好像在睡梦里他的脂肪都流出来了。他说了一句专门术语，声音粗糙迟钝，好像一把铁锉磨着木板边沿时发出的“嚓嚓”声。他那双重的下巴垂着，像是一个用细线系在牙床上的小袋子。吉姆吓了一跳，非常恭敬地回答；但是他仿佛这回是第一次才把这可憎的痴肥形象认清，印象特别深刻。从此以后，他老觉得这个人简直是如此可爱的世界里一切丑恶下流东西的化身；而且凡是丑恶下流的气息，都可以拿他来做代表，不管那些气息是伏在我们相信可以使我们得救的心儿里，还是伏在我们四围的人们里，我们耳目所接触的事物里，或者是我们肺里所呼吸的空气里。

金片也似的月儿慢慢下沉，消失在黑沉沉的水面上了。天空好像没有那么辽远不可即了。星光更亮了，半透明的苍穹盖着这块圆板般的暗淡大海，里面阴沉沉的夜色也更深了。船是这么平滑地动着，人们简直无法感觉到，好像这条船是一颗满布着生物的星儿，跟许多恒星同飞过漆黑的天空，在这可怕的默默孤寂里，等候上帝再来创造世界。“底下热得说不出什么样子了。”有一个人喊起来。

吉姆微笑着，并不回过头去。船主拿背朝着那个人，分毫不动。这个坏东西有这套把戏，故意装作不知道天下有你这么一个人；等到他乐意了，才转过来睁圆眼睛对着你，然后发出一大阵南腔北调的、满口白沫的怒骂，像阴沟里的脏水一气迸出来似的。现在他只是含怒地嚎一声。副机车手站在望台梯子上，两只湿手掌搓捏着一块腌臜的破手巾，一点儿也不怕难为情，还是继续说他的埋怨话。水手待在这上面真惬意，他们这班人有什么用处？他真不晓得，打死他也不知道。可怜的机车手总得使船往前走，其他事情他们也干得来。天呀，他们——“闭嘴！”德国人呆板地哼了一声。“啊，是的！闭嘴——出了什么糟糕事情，你又要跑来找我们了，是不是？”那个人接着说道。他觉得自己差不多都快煮熟了；现在他也不在乎自己是多么罪大恶极了，因为这三天他待的那个地方，热得就像坏人死后去的地狱，他已经训练得很好了——天呀，他真尝过地狱的味道了——还有下面"轰轰"的嘈杂声也叫他变成十足的聋子了。那副修补过的、杂凑的、腐烂的、挤成一片的零碎机器,"乒乓乒乓"地响,好像舱面上破旧的绞车,不过更厉害一些罢了。他把上帝创造的生命拿来,放在这快断的、斜成五十七度的残破桅杆旁边日夜冒险,他自己也不知道为了什么。他必定生来就是不怕死的。天呀!他……"你从哪里弄到酒喝的?"德国人很野蛮地问他,还是一动不动,在罗盘箱的灯光映照下,他活像一块猪油雕成的笨拙人形。吉姆还是对着向后退的水平线微笑,满心是慷慨的感情,默想着他自己是多么高尚。"喝酒!"副机车手含讥带讽地重述这两字,一面双手扶着栏杆,身体像个阴影,两脚软绵绵的。"总不会从你那里得来,船主。你是太卑鄙了。你宁愿让一个好人死去,也不肯给他一滴酒,这就是你们德国人说的经济罢。只知道一便士、两便士地计较,整镑的反让人骗去了。"他动起感情来了。机车长十点左右给了他一点儿酒喝——"只是一点儿,愿上帝保佑我!"——机车长这个老头儿为人真不错;但是要想把他床箱里的陈酒弄出来,就说有五吨的超重机也办不到。不成,今天晚上无论如何是不成的。他像个小孩子似的睡得很熟,一瓶上好的白兰地放在枕头下面。船主厚厚的喉咙里咯咯作响,"猪"这个字的声音在里面上下浮动,像微风里飘荡着的一叶羽毛。他同机车长当伙伴已经有好几年了——同在一个狡猾的、有兴致的中国老人手下做事。这个中国人戴一副明角大眼镜,他那可敬的花白辫子用红丝线扎着。帕特那原泊的码头上的人们都相信这两个人最会不要脸地侵吞公款,真是"凡是你想得到的,他俩差不多都合伙干出来了"。外表看起来,他们两个很不合适:这一个眼光迟钝,样子凶狠,满身的软肉都是曲线;那一个瘦骨嶙峋,到处是窟窿，头同马头一样的瘦，一样的都是骨头，嘴巴陷进去，额头陷进去，眼睛也陷进去，两眼无精打采，玻璃也似的。这位机车长从前在东方某处沉了一次船——在广州，在上海，也许在横滨；他大概不大想记起出事的确切地点，也不想记起沉船的原因了。人家可怜他年轻，暗暗把他开除就算了，这是二十多年前的事。他回忆起这段事，一点悲哀痕迹也没有，这无非使他更堕落了。后来东方海面的航业渐见发达，起初他们这行人很稀罕，他也就混进去了。他总是急欲用种悲哀的低声告诉陌生人他也是这行的“老手”。他一走动，好像有一架骷髅在他衣服里松松地摇摆着。他走路总是飘飘然的，喜欢在机器间天窗旁边这样飘飘然打转，衔一管四尺长的樱桃木铜嘴烟斗，虽然尝不出味来，却老抽着那不纯的烟丝，傻傻地出神，仿佛是一个哲学家正要从朦胧的真理里引出一个系统来。他绝不是很慷慨的，会随便拿酒请人喝；可是那天晚上却破了这个老例。这个意外的款待，再加上酒力的强烈，于是就使这位副机车手，窝品泽地方来的一个笨孩子，变得高兴、无耻同多话了。逃到新南威尔斯去的德国人气极了，像一根放气管那样直喘气。吉姆觉得这出戏还有意思，可是心里却很焦急，恨不得时间快些过去，好让他到下面去；最后十分钟的守望叫他难过得好像放了枪，却看不见子弹立刻点燃冲出去一样。这班人不属于他那个英雄冒险的世界，可是他们也并不坏。就说那位船主……不过，他喉咙里觉得难受，一看到这一大堆喘不过气的肥肉，发出“呼呼”的低声同流水般一串胡说的瞎话；可是他遍体酥软得太适意了，不会鼓起劲去恨这个或者任何一个。这班人的气质是无关紧要的；他同他们天天接触，但是他们不能丝毫损害他；他跟他们呼吸同样的空气，却和他们两样……船主会动手打那个副机车手吗……这种生活真舒服，他自己却很有把握……很有把握，用不着……他有些入睡了，冥想同站着偷睡的分界线要比蜘蛛网的丝还细哩。

副机车手很容易联想起他的经济情形同他的胆量。

“谁喝醉了？我？不对，不对，船主！那是不行的。你早该知道机车长连灌醉一只麻雀用的那么多酒都舍不得给人的。天呀！我一生就没有喝糊涂过，要我醉的酒还没有人会做哩。我能够拿火酒来陪你喝威士忌酒，一桶一桶对喝；还会冷静得像个胡瓜。假使我看出自己醉了，我一定跳到船外面去了——不要这条命了，天呀！我真肯立刻跳出去！我此刻不高兴离开望台。这么一个晚上，你叫我到哪里去呼吸新鲜空气，喂？到舱面跟那班虫子在一起吗？难道真是跑到他们当中去吗！而且我又不怕你会拿出什么手段来。”

德国人伸出两只大拳，稍微摆动一下，一声不响。

“我向来不晓得什么叫作害怕，”副机车手往下说，心里十分自信，高兴极了，“我不怕在这条烂船上干这许多血淋淋的勾当。天呀！你们真走运，天生下我们这班不怕死的人们，要不然，你们真不知道要滚到哪里去了——你们同这条老船，船身的包铁薄得像棕色纸片——棕色的纸片，老天爷保佑我罢！你们当然很上算——不管怎样，总会挣到一大堆洋钱；我怎么样哩——我混到什么？一月就是这么一点儿一百五十块钱，找你的妈去。我要好好地问你——听着，好好地——谁不愿扔开这么一个该诅咒的差事？简直是卖命，简直是卖命，老天爷保佑我罢！可是我是个什么也不怕的好汉……”

他放开手，不靠栏杆了，东指西抹，好像在空中画出他勇气的形象同范围；他那刺刺不休的细声飞到海上去；他用脚尖踱来踱去，为的是使他说话更有劲些。忽然间他摔个跟头，好像有人从后面打了他一棒。他滚下去时叫道："该死。"接着一下子静默。吉姆同船主不约而同地立不住脚向前倒，自己又站稳了，死板板地呆望着那一平如镜的海面，心里怪纳罕；后来他们抬起头望天上的繁星。

什么事情发生了呢？机器咻喘的"砰砰"声还在继续下去。难道地球给什么东西挡住不走了吗？他们不能了解，这样子一丝不动的平静的大海同无云的天空，忽然间好像不安全得可怕，好像是站在张开大嘴的毁灭深渊的峭壁上头。副机车手跳起来，笔直站着，又瘫下去成了一堆暗淡的东西，非常悲哀地闷声说道："怎么一回事？"一阵隐约的"隆隆"声，好似雷声，好似极远处的雷声，简直够不上说是声响，差不多只好说是颤动，慢腾腾地过去了。轮船应声震摇一下，那阵雷声好像是发自海里的深处。舵轮旁边那两个马来人眼睛发光，望着白种人，但是他们棕黑色的手还是抓着攀手。望前进的尖头船身好像从头到尾接连着抬高几英寸，仿佛整条船是柔韧的，然后回复本来的状态，规规矩矩地去劈开这片平滑的海面。船身不颤动了，隐约的雷声也立刻停止了，好像这条船刚才驶过狭狭一条颤动着的水同发出"嗡嗡"声的空气。

第四章

过了一个月左右，吉姆回答法庭的诘问，想老实说出这回事变的真相。讲到那条船时候，他说："不管那条船滑过什么东西，我只觉得船很容易就溜过去了，好像一条长虫爬过一根竹竿。"这个比喻的确很合适。审问的目的是要找出事实，审问的地点是东方一个港口的警察厅。他高高地站在证人席里。在这所清冷宽爽的房子里，他双颊却烧得通红。上头有风扇的大架高挂着，慢慢地摇来摇去，底下有许多眼睛盯着他，从黑色的脸，从白色的脸，从红色的脸，从注意得出了神的脸上望出来，好像这班坐在窄凳子上一行一行排得很整齐的人们都给他的声音迷住了。他说话很大声，自己听到也有一点儿惊奇，觉得这是世上唯一听得到的声音，大概因为那些要他回答的明明白白的问话好像聚到他心头，叫他苦痛难堪——默默地、锐利地戳刺他的心儿，好像是他自己良心的可怕责问。法庭外面，太阳照耀着——法庭里面，大风扇的凉风使你战栗，羞耻之心使你发烧，聚精会神的目光像利刃一样刺着你。法庭庭长脸上刮得很干净，丝毫不动感情的样子，夹在两个航事顾问的红脸中间，显得像死人一样的灰白，尽望着他。天花板底下，有一扇宽阔的窗子从上面射下光来，一直射到这三个人的头上同肩膀上，使这三个人在这光线不足的大法庭里面形状清晰得可怕；相形之下，听众只好算做睁着眼睛的一群影子了。这三个人要知道事实。事实！他们要他说出事实，好像事实就能够解释一切事情！

“你认为碰到漂着的什么东西了，就说是一条舱里满是水，横浮水面像根木头的破船罢，船主叫你到前头去看有什么损害，你估量那个碰击的力量，有没有料到会有什么大损失呢？”坐在左边的那位顾问问道。他有马蹄式的小胡子，凸出的颊骨，两个胳膊肘撑在桌上，皴裂的双手紧握着放在面前，用沉思的蓝眼睛瞧着吉姆；另一位顾问是一个躯体笨重、性情骄傲的人，他身子倒在椅子上，左臂全伸了出来，指尖细腻地敲着吸墨水的垫子；庭长直着腰杆坐在中间那把大圈手椅子里，头稍微向肩膀倾斜，双臂叉在胸前，墨水壶旁边的玻璃瓶子里插了几朵鲜花。

“我没有料到，”吉姆说，“船主嘱咐我不要去喊谁，也不要叫出去，怕的是大家会惊慌起来。我想这样预防是应当的。我就提一盏挂在船篷底下的灯，到前头去。我揭开船首舱的盖舱板，听见下面有溅泼的声响。我就把那盏灯尽灯上系的绳子那么长落下去，看见船首舱一大半已经都是水了。我那时就晓得水线底下必定有个大窟窿。”他停住不说了。

“啊！”身体庞大的那位顾问吐出这一声，对着吸墨水的垫子露出梦幻般的微笑；他的手指不停地、无声无响地敲着那张纸。

“我那时没有想到危险。这些事发生得这么悄悄地，这么突然地，我也许有一点儿吓住了。我知道船首舱同前舱只隔着碰坏了的这个间壁，中间再也没有别的间壁了。我回去报告船主，遇着副机车手正从望台梯子底下往上爬。他好像糊涂了，对我说他觉得他的左臂折断了；因为我在前头的时候，他下来时脚一滑，从顶高的那一级摔了下来。他喊：‘我的天呀！那扇腐烂的间壁再过一秒钟就挡不住了，这条该诅咒的东西将像一块铅板带着我们沉没了。’他用右臂把我推开，先我跑上梯子，一面爬，一面叫喊；他的左臂垂在一边。我跟上去，正赶上看见船主向他冲去，一拳把他打倒在地，平平躺着。他不再打他了，只弯下身子，对他站着，生气地、可是声音非常低地向他理论。我猜他大概问他为什么在这上面鬼混瞎闹，为什么不下去把机器停了。我听他说：‘起来！跑，飞跑！’他还咒骂他几句。副机车手由右舷上的梯子滚下去，飞跑过天窗，一直到左舷上的机器间覆盖。他一面跑，一面呻吟着……”

他说得很慢，但他的记忆却来得很快，很清楚；他简直能够模仿那个副机车手的呻吟声，一点不差，跟回响一样，让这班要晓得事实的人们知道得更明白些。他起先有一种反感，后来一想，要把这可怕事情后面真正的恐怖传达出来，大概只有细细地描述经过情形这个办法。其实他们这样焦急地想知道的事实，本来是看得见的，摸得着的，可以拿知觉去认识的，它们在空间与时间上都占有位置，发生变化还得要一艘一千四百吨的汽船同二十七分钟的时间；这些东西凑起来成了整个的经验，有特别的形象，有一定分寸的神气，是一瞧就会记着的一件复杂事情，而且还带了一个特色，那是一个看不见的、住在里面指挥一切的毁灭之神，像个可恶身体里的凶鬼。他急欲把这一点说清。这不是一件通常的事情，里面个个细节都是极重要的，幸好他全能记得。他想老说下去，为着真理的缘故，也许是为着自己的缘故。他这样有把握地叙述一切经过，他的心却在这一圈密密围着的事实里兜圈子，那些事实从他四面涌来，把他同其余人们隔断了。他好像是只给人家囚在高高木橛子编成的围栏里面的野兽，黑夜里什么也瞧不见，到处冲撞，想找一个弱点，一个罅隙，一个可以攀上去的地方，一个可以挤出去偷跑的门路。这种可怕的烦杂心绪使他说话有时踌躇一下……

"船主老在望台上走来走去，样子还冷静，不过他摔了好几次；有一回我向他说话，他竟一直冲撞过来，好像两只眼睛已经完全瞎了。他对我问的话没有具体的答复。他低声向自己说话，我只听到几个字，有些像'倒霉的蒸气'、'地狱里的蒸气'——总之是一些关于蒸气的话。我想……"

他说到不相干的话了；一句诘问打断了他的话头，好像使他哪里疼了一下，他觉得失望极了，疲累极了。他正要说到那一件事，他正要说到那一件事——现在给人家这样残酷地打断，他只好答是同不是。他简简单单忠实地答道："是的，我私自逃生了。"他面孔漂亮，体格壮伟，年轻的眼睛有些黯淡，两边肩膀直着露出证人席外面，那时他的灵魂却在里面苦痛得扭成一团。他又答了一句极无聊的诘问，就等候着。他的嘴干燥得一点味道也没有，好像吃了灰尘，后来又觉得咸苦，好像喝了海水。他抹了一抹潮湿的额头，润了一润干燥的嘴唇，好似有一股冷水从背上浇下。那位躯体庞大的顾问落下眼皮，不留意的样子，悲哀地、无声地敲着吸墨水的那个垫子；另一位顾问呢，太阳晒黑了的双手紧握着放在面前，两只眼睛从手上望出来，好像发出慈爱的光辉；庭长身体稍微向前倾斜，惨淡的脸接近花朵，然后头向椅子靠手垂下，手掌托着额头。风扇的风盘旋下来，吹到人们脸上，吹到用大幅布圈着身子的、脸色棕黑的本地人身上，吹到坐在一起、热得难受、穿件合身得像他的外皮的制服、膝盖上放顶拿破仑式的白帽的欧洲人身上。沿着四墙有许多法警，白色的长制服扣得很紧，围着一条红腰带，系着一条红头巾，打着光脚飞快地溜来溜去，同鬼一样没有声响，同猎狗一样机警。

吉姆的眼睛在答话中间有时向四处张望，看见了一个独自坐在一处的白种人，脸上现出疲倦的神气，像愁云盖着也似的；但是这个人恬静的眼睛却是清朗地、有趣味地直望着。吉姆又答了一句话，很想喊道："这种盘问有什么用处，这有什么用处！"他轻轻用鞋底叩地，咬着自己的嘴唇，从许多人头上望过去。他跟那个白种人直目相视了，跟他对看的那双眼睛不像别人那样呆望着，却是含有明白的意志的。在两次诘问中间，吉姆出神得居然有闲工夫可以私自想一下。他这样想：这个汉子看着我，好像他能够看出我肩膀后面的什么人或者什么东西。他从前见过这个人——也许是在街上。他相信他从来没有同他谈过话。他没有同人们说话已经有几天了，有好几天了，只对着自己做静默的、不连贯的、没完没了的谈话，像监牢里的囚人或者旷野中迷路的一个行路人。此刻他在回答一些不相干的话，虽然这些诘问是有一个目的的。他怀疑这一生里他会不会再痛快地说话。他自己这个诚实的报告更坚定了他那个沉思过很久的信仰，语言此后对于他是没有用的了。坐在那儿的那个人好像懂得这个使他绝望的困难。吉姆望着他，然后坚决地回过头来，像同人作了永别一样。

此后，马洛在世界各处偏僻的地方，常常愿意记起吉姆来，把他的事情详详细细、从头到尾讲出来给人们听。

他细述这段长故事，也许是在大家用过晚餐的时候。凉台让不动的枝叶密密遮住，还有香花点缀着，苍茫的暮色里只见到几点燃着的雪茄头的火光。每张长藤椅上安置了一个倾耳细听的人。有时一点红光猝然动一下，火光展开，照出一个疲累的手指，极安闲的脸盘的一部分，或者射出一道红光，照到平静的额头底下一双在凝神沉思的眼睛里。马洛一开口说这个长故事，他那个静躺着的躯体就一动不动了，好像他的精神已飞回到过去的时光里了，好像过去的时光借他的嘴唇说出了下面这许多话。

第五章

“啊，是的，我那一次到法庭去旁听，”马洛总是这样子开头，“一直到此刻我还是莫名其妙我为什么要去。我愿意承认我们每个人都有个保护神；可是要你们这班人先让步，肯承认我们每个人还有个随身的魔鬼。我要你们承认这一点，为的是我总不愿意觉得自己是个与众不同的古怪东西，明知道他——我指的是魔鬼——的确在我身旁。我当然没有亲眼见过他，但是从他的种种伎俩，我能够证明他真是死跟着我。他既是那样凶狠，当然要把我陷到那类事情里去了。你们会问，哪一类的事情呢？还有什么别的，就是那回审问的事情，那只黄狗闹的事情——你们绝不会想到人们会让一只遍身长了癣疥的本地恶狗跑到法庭的凉廊上去把人摔倒，你们难道会想到吗？——魔鬼却总是用这种拐弯抹角的、预料不到的、十分鬼鬼祟祟的手段，使我碰到身里有腐化分子的、有僵化分子的、有看不见的瘟疫分子的人们。天呀！还叫这班人一瞧见我就滑了舌头，把他们心里的黑暗秘密全盘告诉我；好像我自己真的没有什么秘密事情——老天爷保佑我罢——好像我自己的秘密事情还不够使我的灵魂烦恼，一直烦恼到我注定命终的日子。我干了什么，配受人们这样另眼看待？我自己也不晓得。我敢说我的私事并不比街上任何人少，我的记忆力又不比人生这路程上一般行人强得多少，所以你看我并不什么特别合适做人们体己话的储藏室。那么，为什么单要拣出我呢？谁知道——除非是预备着做这类晚餐后的消遣材料。查利，我的好朋友，你的菜真不错，弄得这班人吃得太饱了，不想动弹，连静静地斗纸牌都觉得太费劲了。他们躺在你这几把舒服的椅子上，心里想：'谁肯去卖力气？让马洛说故事罢。'

"说故事！好罢。饱饱地吃了一顿，躺在离海面二百英尺的地方，手边放了一匣上等的雪茄，谈起吉姆伙计来，这是件很容易的事；而且今夜满天的星，空气又新鲜，就是我们里面最明白的人也会忘记我们不过是暂时寄身在这个世界上，也会忘记我们此后还得在这所迷园里自己找出一条路子，每秒宝贵的时光都得当心，每走一步都不能退转去，也会相信我们居然会弄个好结果下台——其实，哪里能有这么大的把握呢——我们千万不要希冀能从跟我们肘碰肘的人们那里得到多少帮助呀！固然，世上有一班人无忧无虑过了一生，好像全是餐后衔一枝雪茄的情调。他们过个快乐的、空虚的舒服生活，也许找些奋斗的幻影来助兴；可是那个幻影早已忘却了，奋斗的结果还未实现——奋斗的结果还未实现——假使说偶然真有个结果的话。

"审问时候，我第一次跟吉姆直目相视。你们一定知道，凡是跟大海有一点儿关系的人，那天都到场了，因为这几天人人都晓得这回事了；自从亚丁来了那封神秘的无线电报，叫我们大家都叽叽喳喳谈起来了。我说神秘，因为在某种意义之下，这回事的确有点神秘，虽然里面包含的事实是很明白的，天下事不能够比这再明白、再丑了。

水边所有的人们不谈别的，光说这个。清早起来，我在官舱里穿衣服，就听见我的仆人帕栖人杜巴士在隔壁伙食房里一面喝人家给他的茶，一面用土话跟厨子说起帕特那。一走上岸，我碰到的熟人第一句话总是：'你听见过比这更奇怪的事情吗？' 那个人或者冷笑一声，或者露出悲哀的神情，或者咒骂一两句，这自然也得看那个人的心情是怎么样的。陌生人为着彼此要吐露对于这段新闻的意见，会亲切地攀谈起来；每个可恶的游手好闲的汉子跑到别人家里，报告了这个消息，就混到不少酒喝。你到处都可以听见人家谈论着，在港口海关，在每家船舶掮客的铺子里，在你的代办处，从白种人嘴里，从本地人嘴里，从杂种人嘴里，甚至于从你上岸时看见的半裸体、蹲在石阶上的船夫嘴里——天呀！你们知道，有些人因此生气，有不少人拿它来做开玩笑资料，大家都在胡猜那班航海人现在变得怎么样了，谈个不休。这样子有两星期光景，大家意见渐趋一致，以为不管里面的神秘成分是什么，这回事总免不了是很悲惨的。一天晴朗的早上，我正站在海关台阶阴影里，瞧见四个人顺着码头向我走来。我纳罕一下，这班怪头怪脑的人从哪里跑出来的呢？忽然间我明白了，可以说向自己喝一声：'他们现在到了！'

"他们的确到了。三个人身体平常，一个人的腰围却大得不堪，活在世上的人总不该有那么大的腰围罢。这四个人刚刚饱饱地用了一顿早餐，他们坐的那条得尔轮船公司走外洋的汽船是在太阳出来后一点钟进口的。他们必定是帕特那船船员，绝对不会错；我一眼看过去，立刻认出那个嘻嘻哈哈的帕特那船船主。他是我们这颗老地球上整个要不得的热带里最大的胖子。而且，大约九个月以前，我还在三宝垄遇见过他，他带的汽船那时泊在码头装货。他老是痛骂德国的专制制度，天天从早到晚在得准几酒店后面把整个人浸在啤酒里；得准几连眼都不眨一眨，每瓶要他一块荷兰国币；可是他也弄得不耐烦极了，曾经招我到一边，他那副好像是皮革制的小脸孔全皱了起来，很亲热地对我说：'船主，生意管生意，但是这个人，他真叫我恶心极了。啐！'

"我从阴影里看他。他匆匆忙忙地走着，赶在别人前头，太阳光射到他身上，把他的躯干照得特别吓人。他使我想起一只驯熟了的小象用后脚站起来走路。他一身打扮辉煌得出奇——披一件有鲜绿色同深橘色直条的腌臜睡衣，赤脚上拖一双破碎的草鞋，戴一顶别人不要的拿破仑式帽子，全是油垢，比他的头小两号，用麻绳扎在他的大头上。你们知道一个人处他这样地位，要向人们借衣服，总是不会成功的。好罢，他火急走来，也不向左右看，跟我只隔三尺，从我面前走过去了。他很天真地'哗啦哗啦'走上楼梯，到港口办事处去受开除处分，去报告经过情形。你们爱怎么说，就怎么说罢。

"后来我们才知道他开头就向船务主任说话。船务主任亚基·刺司汾鲁刚走进来，据他自己说，正打算把他底下的秘书教训一番，算做那天勤谨工作的开始。你们也许认得他——一个很客气的杂种葡萄牙人，小身材，颈项光剩一层皮，真瘦得可怜，总在活动着，要各船船主给他一些吃的——一块腌猪肉，一袋饼干，几颗马铃薯，或者其他杂碎东西。我记得有一回航行后我赏他一只活羊，那是船上粮食剩下来的。我并不是要他帮我什么忙——你们知道，他没有这个本领——却是看到他那样天真地相信他有这个神圣特权，使我很为动心。他那种坚持到底的态度差不多含有一点伟大气味，这大概是由于他那个种族的民族性——其实该说，那两个种族的民族性合并起来——再加上那里的气候——不用说罢，我知道谁是我的终身朋友。

“好罢，刺司汾鲁正在狠狠地教训他——我想是关于奉公守职这一点——抽过身子来看见——他是这样说——一个庞大的圆形东西，像个条子纹棉织法兰绒包着的、一千六百磅重的大糖桶，倒放在办事处大块地板中间。他说他大为错愕，有好多工夫不明白这个东西是活的，只是呆坐着，心里纳闷他们为什么要把这个糖桶运到他桌子面前来；而且怎么运来的呢？通到前屋去的拱门口黑压压地挤满了许多人，有拉风扇的人、扫地的人、法庭里的巡警、港口小汽船的艇长同水手，大家都伸长颈项，差不多都爬在彼此背上，真是一团纷乱。这时候那个胖子已经设法把帽子拉扯下来，稍微鞠躬，向刺司汾鲁走来。他告诉我看到这样子，他心里非常难受；有好些时候他完全不懂得这个鬼怪到底要什么，他只是静听着。那个胖子说话声音粗糙沉重，毫无畏惧的神气。亚基慢慢明白了，这是帕特那这件案子的新发展。他说，他一知道站在他面前的人是谁，心里就觉得很不舒服——亚基是极富于同情心的，一下子方寸就乱了——但是他只好下个猛劲，喊道：‘停住！我不能听你的话。你得去见总办。我真不能听你的话。你该去见厄力奥特船主。’他跳起来，跑过那张长柜台，拉着胖子往前推。那个胖船主起先很服从，听他调度，只是显得有点惊奇；到了厄力奥特的办公室门口，一种自卫的本能却使那胖子退后，像只阉牛那样喷出鼻气，喊道：‘听我说！什么事？放手！听我说！’亚基也不敲门，一下子把门打开。‘帕特那船主在这里，先生，’他大声喊，‘进去，船主。’他看见那个老头子正在写字，他的头抬得这么快，连夹鼻眼镜都掉下来了。他‘砰’的一声将门关好，逃到自己的写字台边，那里还有几张纸等着他签字哩；但是那边吵闹得那么凶，他说有一会儿他简直糊涂得连自己的名字怎么拼都记不起来了。亚基是全球上神经最锐敏的船务主任，他说他好像把一个人活活地扔给了一只饿狮。那边的声响的确不小，连我在底下都听到了，我相信广场上全能听见，一直到那音乐棚子。厄力奥特这位老公公总有一大串话要说，又能够大声呼喊，而且不管在他面前的是谁，他连总督都敢当面骂。他常对我说：‘我的地位已经高到不能再高了，我的养老金是不成问题的，我也积下了几镑钱。假使他们不赞成我的责任观念，那么我率性回老家去罢。我是个老人，爱说实话。现在我唯一关心的事，是在我死去之前将我几个女儿嫁出去。’他在这一点上有些颠头颠脑。其实他那几位小姐都是怪好的，虽然像他像得出奇。有几个早上，他醒来对于她们婚姻的前途很抱悲观，那些办事处人员都可以从他眼神里看出来，他们就怕得发抖。据说他必定要抓一两个人痛骂一顿，算做他的早餐；但是那天早上，他却没有把这个逃到外国的德国人吃了，却是——假使我还可以用那个比喻的话——将他嚼成顶细的小块，然后——呀！又吐了出来。

“所以过了一会儿，我看见他这个庞大躯体又匆匆忙忙走下，站在外头台阶上。他停在我身旁，为的是要默想一下子。他紫色的大脸盘颤动着，一面咬着他自己的大拇指，过些时候用焦急的眼光斜瞟我。跟他一同上岸的那三个汉子聚在一起，站在稍远的地方等着。一个脸带黄色，样子很卑鄙，一只手用吊腕带吊起；另一个穿件蓝法兰绒衣服，高身量儿，同木屑一样的干燥，并不比扫帚胖，有几根下垂的灰色胡子，他拿眼四望，显出逍遥自在的傻神气；第三个是个笔直站着的宽肩青年，手插在衣袋里，背朝着那两个人。他们大概正在专心谈话，他却望着这片空旷的广场。一辆斜欹的马车，到处都是百叶窗，浑身的灰尘，刚停在这一群人对面，赶车的把右脚搁在左腿上，一心一意细瞧自己的足趾。那个年轻人分毫不动，连头也不摇一下，光是望着阳光。这是我第一次看见吉姆，他这种不在乎的、拒人于千里之外的神气，只有年轻人才做得出。他站在那儿，脸和手脚都很干净，稳稳地站着，太阳光真没有照到过一个比他更有望的青年了。我看见他，知道了他所知道的，而且还比他多晓得一点儿，心里非常生气，好像窥破他在掉什么枪花，想把我的什么东西弄到手。他不该显得这么自得的样子，我心里暗自忖度——假使像他这种人也会干私自逃生那个下流勾当，那还了得……我好像痛心得能够把我的帽子掷到地面，跳上去践踏。有一次我就看见一位意大利船主这样干过，因为他的饭桶大副在一个满是船只的码头上临时抛锚时，把锚弄得乱七八糟了。我看见他分明这么自在，就自问道——难道他是个傻子吗？是个麻木不仁的人吗？他好像快要撮唇吹出一个调子来。你们看，那两个人的行动我丝毫也没有留意，为的是他们卑鄙的样子有点儿跟大家都知道的、将来法庭要追究的那件丢脸的事相称。'楼上那个疯子，那个老滑头，居然骂我是狗！'帕特那的船主说。我不知道他认得不认得我——我倒想他是认得的；但是无论如何，我们的视线碰着了。他圆睁眼睛——我微笑着，想起从那扇打开的窗子传到我耳鼓中的许多诅骂话里，狗可算是最轻的一种了。'他真的这样骂了吗？'真古怪，我竟压不住我自己的舌头。他点点头，又咬着他的大拇指，放低声气咒骂。忽然间他抬起头来，一派悻悻的、凶猛的无礼神气——'呸！太平洋大着哩，我的朋友！你们这班该死的英国人，让你们尽量凶狠罢；我知道像我这样的人有的是地方去，我又可以过得很好了，在亚比亚，在檀香山……’他想得远了，就住嘴不说。那时我心里很容易画出将来跟他一起的是哪一类人；我老实告诉你们，我也常跟那一类人在一起过。有时一个人迫不得已，只好装作跟谁一起都是有意思的，我尝过这个味道；我此刻也不拿出道学家的脸孔，埋怨这些不得已的情形。其实这班坏人有些因为没有道德——道德——我怎么说才好呢——道德架子，或者因为其他同样不容易看出的理由，反是双倍地叫人增广见识，二十倍地有趣，比起你们宴饮的那班体面的奸商——你们倒并不是非请他们不可，只是因为受习惯支配，因为怕得罪人，因为你们是好好先生，以及其他一百个下流的、不充足的理由。

“‘你们英国人都是流氓。’我们这位爱国的、逃到法林斯堡或者斯德丁去的澳大利亚人往下说。我现在真记不清波罗的海哪个好好的小口岸做了这个宝贝的巢窝，给他玷污了。‘你们吵什么？呃？你们告诉我吗？你们并不比别人强，那个老滑头拼命跟我大闹一阵。’他那两条腿粗得像一对柱石，他那副大尸体就架在上面，索索发抖，‘你们英国人向来是这样，看到我不是生长在你们那个该倒霉的国家里，只要有一点儿小事，就闹个——闹个天翻地覆。把我的证状拿去罢，拿去，我不要这证状了。像我这么一个人用不着你们这张废纸，我要拿来吐口水了。’他啐了一口，‘我要去做美国人了。’他喊起来，气冲冲的，两脚移来移去，好像不肯让个看不见的、莫名其妙的东西把他的踝骨抓住，弄得他不能离开那个地点。他气得发热，弹丸一般小的头顶真是冒烟了。其实并没有什么神秘东西叫我舍不得走开，只是出于那最显著的好奇心，要待在那儿看他的详细报告对于那个手插在衣袋里、背朝着人行道的年轻人会有什么影响。他直着眼睛从广场草地望过去，看着那家马拉巴旅馆的黄门廊，那种闲暇神气，活像等朋友预备好了一块儿出去散步的样子。这是他的态度，的确有点碍眼。我等着要看他惊慌得不知所措了，像给长针戳穿心儿那样痛苦，像给人们用桩钉住的甲虫那样扭动——可是我又有点怕看他会这样，这种心境我说不出，只好让读者去体会罢。真的，天下最可怕的事，不是看一个人犯罪被人发觉了，却是看一个人有个比犯罪还下流的毛病给人窥破了。要避免当个法律上的罪人是很容易的，只要有最普通的毅力就行了；但是我们恐怕谁也不敢担保说自己不会犯那些虽然看不见，却也许已经疑虑到的毛病，好比世界上有些地方你总疑心每丛灌木里都藏有毒蛇——那些躲在你心坎里、半生以来你注意着的，或者绝没有留神过的、祈祷上帝把他压下去的，或者像个男子汉根本瞧不上眼的、暗地里遏制了的，或者不去理会的毛病。犯罪是不要紧的。我们受迷惑了，干出挨骂的勾当，干出上绞刑架的勾当，但是我们的精神不死——人们怒骂之后，我们的精神还是完好的；我敢说，上了绞刑架之后，我们的精神还是完好的；可是有些毛病——有时看起来好像是很细微的——却把我们整个人毁了，真是万劫不复。现在我看见那个年轻人在那儿，我喜欢他的样子，从他的神气里我晓得他的性情是怎么样。他是打好地方来的，又是咱们这样的人。他真可以代表这样人的血统，可以代表世上一种男女，他们绝不是聪明的、有风趣的——可是他们生活的基础是筑在诚实的信仰同勇敢的本能上面。我并不是指战场上的勇敢、公务上的勇敢，或者任何一种特别勇敢；我只是指那种天生的胆量，敢睁大眼睛来看清诱惑——一种勇往直前的神气，说灵巧是够不上的，天晓得，但是一点装模作样的痕迹也没有——一种抵抗的能力，你们知道吗？要说不漂亮当然可以，却是极有价值的——那是对于外界和心里的恐吓，对于自然的威力和人们的诱惑都持着盲目的、可是极可宝贵的强硬态度——还有个坚定的信仰来做后盾。这个信仰绝不屈服于现状，绝不屈服于坏榜样的传染，绝不屈服于抽象观念的恳求。抽象观念都死完罢！抽象观念都是流氓，都是无赖汉，敲你们心儿的后门，个个偷去一点儿你的生命力，个个拿去一小块你的单纯信仰。这几条单纯信仰你必得抓着不放手，假使你们想过着干净的一生，落个好好的收场的话！

“这些话跟吉姆自然没有直接关系，我说出来为的是他的样子很可以代表那班有作为的傻家伙。我们总喜欢觉得一生里身边有这类人。他们绝不会因为自己太聪明了，或者——我们就说是因为神经错乱罢，反弄得糊涂了。他这种人，你只要一看到那副脸相，就肯全盘都交给他——船上的罗盘也好，其他的事情也好。我说我肯，我总该知道罢。我从前难道不是训练出许多年轻人，去红旗底下服务，去海上干事情？那种职业的成功秘诀只要一句话就可以道破；可是你必得天天重新叫年轻人牢牢记住，一直等到他们清醒时候没有一个想头不带上那个色彩——一直等到他们睡眠时候没有一个年轻好梦不带上那个色彩！大海待我真不错，但是我一记起我手下训练出来的这许多孩子们，有的现在长大成人了，有的已经淹死了，不过都是海上的好角色；我想我也对得住大海了。我敢打赌，假使明天我回国去，不出两天，一定有些脸给太阳晒黑了的年轻大副在一两处船坞门口赶上我，用嘹亮的声音从我头上问我：‘您记得我吗，先生？哈哈！某某那个小孩子，某某那条船。那是我第一次的航行。’我就会记起一个失了魂魄也似的小么儿，跟这张椅子的背差不多高，有个母亲或者大姊站在码头上，看到大船从两旁码头里慢慢驶出去，虽然没有哭出声，已经心里难过得不能挥手帕了；也许有个都还体面的中年父亲清早同他儿子到船上去，说要亲自送他儿子走，可是他分明看上了绞车，整个早上舍不得离开舱面，待得太久了，末了只好爬上岸，连一声再见都来不及说了。船尾楼上的内港艄工拉长声气向我喊：‘用制缰把船拉住一会儿罢，大副。有一位先生要上岸去——你上去罢，先生。几乎把你带到塔尔卡瓦诺去了，是不是？现在可以爬上去了。慢慢的，不忙……好了，到前头就松手罢。’几条拖船冒着地狱烈火一股的烟，勾上大船了，把这条老河搅个浪花乱飞。那位先生到了岸上，揩去膝盖上的灰尘——仁爱的茶房追上，把他的伞扔下给他。什么事情都妥当了；他也有一点儿牺牲献给大海了，现在可以回转家去，假装作完全忘却那一回事了。那个自愿当水手的小孩子还不到第二天早晨已经晕船了。他渐渐学会了这行职业里种种小神秘同那个大秘诀；那时大海叫他活也好，叫他死也好，他总是合适的。人们跑到海上去，同大海赌个输赢，每掷一次骰子，总是大海胜利，这真是一场傻赌；可是当了赌徒的人却喜欢有只年轻沉重的手，把他的背重重拍一下，听到年轻水手的一种愉快声音：‘您记得我吗，先生？我就是某某小孩子。’

“我告诉你这是件好事，这使你知道你一生里至少有一次干得不错。我给人们这样拍过，我也向后退缩，那一拍可不轻呀！不过这个痛快的一掌却使我整天高兴，晚上睡觉，也觉得世界不再那么寂寞了。我难道不记得那个小某某吗？我告诉你我总该知道哪一种脸儿是对的。我一瞥眼看过去，就敢把舱面付托这个年轻人，睡下的时候双眼都——哎呀！这可不十分安全。他不是曾经在破船时候私自逃生了吗？想到这里，我真是恐慌万分。看起来，他跟一块新银币同样的纯净，但是他性格上也许杂了顶下流的成分。杂了多少呢？极少的——极少的一滴稀淡的下流成分，极少的一滴！但是他使你——他站在那儿带着绞死也不在乎的神气——他使你怀疑也许他全是用铜假铸的罢。

“我真不能相信他就麻木到这样地步了。我那时真要看他为着海员的名誉难过得身子直扭。那两个可有可无的汉子瞧见他们的船主了，就慢慢地向我们走来。他们一面踱步，一面闲谈。我简直把他们当作肉眼看不见的东西。他们相对狞笑——也许正在说笑话哩，谁知道。我看出一个有一只手臂断了；至于那个有灰色上髭的高个儿，他是个机车长，在好几方面都可算个恶名昭彰的人物。在我眼里，他们等于没有人。他们走近来，船主的眼睛死板板地向自己两腿之间注视。他仿佛肿得不成样子了，好像害了什么可怕的毛病，或者身里有种莫名其妙的毒药发作了。他抬起头来，看见面前这两个人等候着，他就张开嘴，那副膨胀的脸盘歪成古怪的藐视样子了——我想他是打算向他们说话罢——那时好像忽然来了个新念头，他那双微紫色的厚嘴唇又合拢了，不发一声。他下了决心样子，摇摇摆摆走向马车，这么盲目凶狠、这么不耐烦地推着车门的把手。我心里想，恐怕整个东西连车带马都会翻倒了。赶马车的给他这一推，也不默想他的脚底了，登时恐慌万状，双手紧紧抓着缰，从他的座位转过头来看这个胖子要冲进他的车子。这辆小车颠簸震动得很厉害。船主低下的颈项的朱红颈背，一副使着劲的巨腿，龌龊的、有橘色绿色条纹的、隆起成一大团的背，一个油腻花包袱望里钻滚的神情，使人觉得这些事是天下不会有，觉得既可笑又可怕，好像热病时所见的那种既吓人又迷人的分明的怪诞幻象。他走了。我心里一半料定车顶会裂成两片，车轮上的车厢会像一颗熟棉荚那样爆开——但是只听见压扁的弹簧的‘搭’一声，忽然间一扇百叶窗‘戛戛’作响落下了。他的肩膀又呈现出来，堵住了这个小口；他的头探了出来，好像涨大了，像一个给人抓到的氢气球那样晃动着。他满头大汗，生气得乱吐口水。他凶狠地挥出一只像生肉的红胖拳头，去打那个马车夫。他吆喝他快点出发，快点前进。到哪里去呢？也许是到太平洋去。赶马车的鞭声一响，小马鼻子喷出气来，提起前脚，用后脚站一下子，立即溜蹄飞跑着去了。到哪里去呢？到亚比亚？到檀香山？六千英里的热带也够他耍一耍，我也再没有听到他的确实行踪。这只鼻子喷气的小马一霎眼攫他到‘永生’里去了，此后我再也没有看见他了；而且自从他坐上这辆旧马车，在一阵灰尘中从我面前拐个弯逃走后，我就不知道有谁再瞥见他过。他走了，不见了，消失得无影无踪了，深深躲起来了。说也奇怪，看起来好像他将这辆马车也带走了；从他走后，我就绝没有再碰到过这么一匹耳朵裂了的黄褐色小马同这么一个害脚病的、无精打采的赶马车的塔木尔人。太平洋真够大呀！可是不管他在太平洋上有没有找个施展他本领的地方，我们总知道他已飞到空间去了，同一个女巫骑帚柄飞走一样。手臂吊起来的那个小鬼追赶着那辆马车，怪可怜地喊：‘船主！我说，船主！我——说！’——但是跑几步也就歇下了，垂下了头回转身慢慢走着。听到车轮‘辚辚’地响，那个年轻人扭过身来，还是站在那儿。他再也不动了，没有摆什么手势，也没有别的表示；马车摇摇摆摆走了，看不见了，他还是朝这个新方向望着。

“这些事情接连发生还用不了我叙述起来这么久的时间，因为我是用迟缓的言语将当时目击的印象一一说出来的。船主走后，就有一个杂种书记奉亚基的命令来照顾帕特那船上这班可怜的漂流人。他连帽子都来不及戴，很热心地跑出来，向两边探望，一心都放在这个使命上。不幸得很，主要人物已经走了；这一点虽然失败，他还是忙碌万分、气焰十足地走近其他几个人，差不多立刻跟手臂吊起来的那个小鬼大吵起来，这个小鬼正要寻人吵架哩。小鬼说他不能随便听人调度——'我绝不肯，妈的。'这么一个使笔尖的骄傲小杂种，说出成堆的谎话，是吓不倒他的；他是不受'这种东西'欺凌的——就说这东西讲的话'完全是真的'！他大声喊出他的欲望，他的希冀，他的决心，那是到床铺上去睡觉。我听他喊：'假使你不是上帝所唾弃的葡萄牙人，你就该知道医院对于我是最适当的所在了。'他那只完好的手臂握着拳头，伸到那个人的鼻子下面，旁边渐渐聚集了一群人；杂种人虽然很狼狈，还是极力想摆出尊严神气，想解释他的来意。我不等看到这场吵闹的结果，先走开了。

"我船上那时刚好有个水手病倒医院里，开庭前一天我去探望他。在白种人病室我又见到那个小鬼了，躺在床上翻腾着，手臂拦在夹板里，很浮躁的样子。最使我惊奇的，是那个有下垂白髭的高个儿居然也躲到那儿去了。我记得当大家正吵架的时候，我还看见他半跳半走地偷偷溜开，却极力想装出不害怕的神气。他对于这个港口好像很熟悉，这样窘迫的时候也能够急步走到市场旁边马利安尼开的那家弹子房同酒店。马利安尼这个一言难尽的恶棍从前认得他，在一两处帮他做过坏事，看见他就恭敬得了不得，简直可以说是向他叩头，就将他藏在他那所下流小屋楼上的一间屋子里，供给他许多瓶酒喝。他大概糊里糊涂，有点担心自己生命的安全，想躲避起来。

马利安尼后来（那是过了许久了，那天他来船上向我的茶房硬要几根雪茄的钱）却对我说，他一字不问肯帮他更大的忙，为的是酬报好几年以前他给他的一个好处，总是一些龌龊的事情罢——这是我从他口气里猜出来的。他一再用拳打自己壮健的胸膛，一对黑白分明的大眼睛转动着，挂着闪光的泪珠：'安东尼阿绝不会忘恩——安东尼阿绝不会忘恩！'这个高个儿从前成就了这位老板什么不道德的事情，我绝不知道；但是不管是什么事，他现在有种种的方便了，可以自己关在房里，有一把椅子，一张桌子，墙角上一铺被褥，地板上堆了掉下的灰泥，心里怀着无理的愤怒，靠马利安尼给他的酒来振作精神。这样子一直到第三天的黄昏，他发出几声可怕的叫喊，不得不赶紧跑出来，躲开一大队蜈蚣的进攻。他劈开房门，逃命也似的一跳，跳下这个摇摇不定的小楼梯，整个人压在马利安尼肚子上，自己站起来，走兔一般飞快跑到街上去了。第二天清早，巡警从垃圾堆里把他掏了出来。起先他以为他们要抬他去上绞刑架去，挣扎着想恢复自由，好比一个英雄；但是我坐在他床边的时候，他已经安静了两天了。他的瘦头儿好像镀了黄铜，再加上了白髭，放在枕头上很安详精美的样子，仿佛是个具有童心的老兵的头。可惜他的眼神渺茫发光，隐含有疑神疑鬼的恐慌，好像一块玻璃后面悄悄地躲着的一个不伦不类的怪物。他是这么极端安详，使我生出一个古怪希望，想听到他怎样替这回有名事件辩护解释。其实这件事与我没什么相干，不过因为我们同属于这行卖力气挣不到光荣的职业，共同忠于一种行为的标准罢了。我为什么尽想把这些可怜的细节一一发掘出来呢？连我自己也不明白。你们可以认为这是变态的好奇心，你们要这样说当然可以；但是我很知道我是想找出一些新事实。也许不自觉地我希望会找出新事实来，一些使人见谅的深刻原因，一些宽宏大量的解释同洗白，一些叫人相信的借口的影子。我现在看清楚了，那时我所希望的事情是绝不会实现的——我所希望的是要压下人们自己造出的那个最强横的鬼，那是一种疑虑，起来像一阵雾，暗暗地咬啮你像一条虫子，比‘人皆有死’这句话更令人寒心——也就是对于一切正直行为的神圣原动力的怀疑。这个疑虑是个顶硬的东西，你一碰到就得绊倒，吓得大声喊叫，而且还使你暗地里干出零碎的下流勾当，这真可算做灾祸的真正引子。我以前虽然没有会过这个年轻人，可是我总想为他找出一点儿口实来，替他辩护；因为单是他的神情已足够叫我动心了，觉得我们年轻时节都像他这样，假使连他这种人也会无缘无故干出私自逃生那件丢脸的事，那岂不是太古怪了吗？太可怕了吗？好像是给我们一个暗示，告诉我们将来也都不免有危险。这么一说，我关心他，也可以说是为着我自己的缘故了。我恐怕我的多方打听，都是出于这个隐晦的动机。我的确希望这回事含有个神妙莫测的成分。我难道不是相信会有个神妙莫测的成分吗？我这样热烈希望着，难道不是为着自己的缘故吗？隔了这么久了，此刻回想起来，唯一神妙莫测的事是我会傻到那样地步。我简直希望从这个腐败倒霉的病人嘴里得个符咒，赶走那个疑虑。我大概是焦急得不顾一切了，随便说几句寒暄，听到了他无生气地顺口回答，像普通规规矩矩的病人那样，我立刻提起帕特那，把这个名字放在一句委婉的问话里，好像包在一把茧丝里。我只是这么轻轻点一下，也是出于自私，无非是不愿意看他吓了，做出怪样子来。其实我并不关心他，我既不为着他生气，也不可怜他；我觉得他的经验于我是无关紧要的，他的人格得救与否于我是没有意义的。他已经干了许多小的坏事，也老了，不能引起人们的厌恶或者怜悯。他用问话口气也重说‘帕特那’这个字，好像费劲回想一下，就说道：‘不错，我是那里的老手。我看着那只船沉下去。’我听到这句愚蠢的谎话，正要出一口怒气，他却轻轻地说道：‘那条船上满是爬虫。’

“我因此停住不说了。他到底是什么意思呢？那个动摇不定的怪物在他那对玻璃也似的眼睛里也似乎站住了，热烈地望着我的眼睛。‘他们在午夜守望时候把我从床架喊醒，叫我出去看大船沉下。’他慢慢地继续说，好像正在默想。他的声音响亮得可怕，我真追悔我自己太傻了，不该盘问他。病室里连一个在远处急步走着的、戴雪白羽翼式头巾的看护妇也瞧不见。那边有一长排空铁床，中间一张坐了一个憔悴病人，棕色脸孔，他是偶然摔坏了，他的船还泊在码头上。他额头上横扎了一条白绷带。跟我对谈的那个病人忽然间伸出一只瘦得像触须的手，抓住我的肩膀：‘只有我这样的眼力才能看出那条船沉下了，我素来以眼力过人出名。我想他们喊醒我也是为了这个缘故罢。他们的眼力都赶不上我，没有一个能够看出这条船是真的沉了，还以为是走得顶好呢！大家合唱起来——这样唱！’一阵狼嗥般的喊声穿进我的灵魂深处。‘啊！叫他闭嘴，’那个偶然摔坏的人生气了，有点泪意低声说，‘我想你大概不相信我，’那个人用无法可以描写的骄傲神情继续说，‘我告诉你在波斯湾这一边，再也找不出第二个像我这样的眼睛了。你向床下看一下。’

“我自然立刻弯下身子，我敢说无论谁都会立刻听他的话。‘你看到什么没有？’他问。‘什么也没有。’我非常难为情地答道。他仔细观察我的脸，那种野蛮的鄙视神情，简直会使一个人枯萎了。

‘这是在意料之中的，’他说，‘但是假使我去看，我就能够看见——天下真找不到像我这样好的眼睛，我告诉你，’他又抓着我，急于将心里话说给我听，把我拖弯下身子了，‘我能够看见百万个粉红虾蟆。天下真找不到像我这样好的眼睛，整整百万个粉红虾蟆。真难看，倒不如看一条船沉下去。我看着一条船沉下去，一面还能够整天抽烟斗。他们为什么不把我的烟斗还给我呢？我看管这班虾蟆时非抽烟斗不可。满船的虾蟆总得有人看管，你知道。’他滑稽地向我丢个眼风。我头上冒出来的冷汗滴到他身上，我的制服贴着我潮湿的背；下午的凉风猛烈地吹过那一排空床，铜条架着的帐幕的硬折就垂直地颤动起来了，床上的盖被给吹得离开光地板挨得很近，也无声无响地波动起来，我的冷战一直透到骨髓里去了。热带的和风在这空旷的病室里飞舞着，真是荒凉，同故乡旧仓廪里冬天的狂风一样。‘别让他再嚷起来，先生。’那一个病人生气焦急极了，从远处向我大声喊，他的声音通过这所空房，像一个颤动的呼唤通过一条隧道。他那只紧抓着的手扯我的肩膀，他很奸猾的样子瞟着我。‘满船都是虾蟆，你知道，我们都要悄悄地立刻退出去。’他极快地向我耳语，‘全是粉红色的，全是粉色的——有看门狗那么大，头顶有一只眼睛，难看的嘴四围都是脚爪。喔！喔！’他身上急促的痉挛，通了电流也似的，使人们看出平铺的盖被下面颤动的瘦削脚腿的形状；他放松我的肩膀，仿佛向空中取点什么东西；他全身紧张地发抖，好像刚松下的琴弦；我向下看时，只见他眼里那个怪物冲出他玻璃般的眼睛了。我亲眼看见他这副老军人的脸同高尚冷静的形象立刻消灭了，是给小偷般的狡猾、可恶的谨慎同绝望了的恐惧弄坏了。他好像想喊，但自己止住了。‘嘘！他们这会儿在底下干什么呢？’他问，手指着地板，说话声音同姿势都小心得出奇。我顿然有点明白他的意思了，他是怕船里搭客会知道船快沉了，闹起来弄得他无法逃生；想到这里，我真讨厌自己这下聪明。‘他们都睡着了。’我答道，仔细看他会有什么反应。果然，这是他最想听的话，只有这句话能够使他安静下去。他叹了口长气：‘嘘！安静，平稳。我在这儿是个老手，我知道他们这班畜生。谁先动，我先把谁的头捣烂。他们人数太多了，这只船不能再支持十分钟。’他又喘气，‘快些，’他忽然喊，随着用一样大的声音接连呼号着，‘他们都醒了——有一百万人。他们践踏我！等一下！啊，等一下！我要把他们打成一堆一堆，跟苍蝇一样。等我！救命呀！救——命呀！’一阵持久不断的哀号完成了我的绝望。我看见远处那一个病人沉痛的样子举起双手，扶着他那个绷带缚着的头儿；一个包扎伤口的医生出现在病房的远处，胸前的白围巾一直碰到下巴，看过去人非常小，好像是从望远镜细小那一头望过去似的。我自认完全失败了，也不再去找麻烦了，跳出一个长窗户，逃到外边走廊上去了。那阵哀号还是追着我，简直同报仇一样。我转进一处没有人的楼梯顶，忽然间四围一丝声息也没有了。我走下那个没有地毡的光亮楼梯的时候，那里的寂默真可以助我把散乱的思想冷静下去。在下面我碰到一位住院的外科医生，他正走过院子，请我停住。‘来望你的水手吗，船主？我想明天我们可以让他出院；可是，这帮蠢材简直不晓得怎样料理自己。我说，到圣地去的人们坐的那条船的机车长也来我们这里了。一个奇怪的症候，最厉害的酒精中毒。他在那家希腊人或者意大利人开的酒店痛饮了三整天。你能料到会有别的结果吗？我听说每天喝四瓶那种白兰地。若是真的这样，那可奇怪了，我想他胃肠该是锅铁铸成的。头脑，呵！头脑自然是糊涂了，奇怪的是他发狂好像有他的一条线索。我要想找出这里面的真相，罕见极了——这么一类疯癫也有一种逻辑线索。照向来例子，他该看见有许多蛇在身旁，但是他却没有。老例现在也得打折扣了。唉！他的——呃——他的幻象是两栖动物。哈！哈！不，说句实在的话，我真不记得我对于中酒麻痹症曾经这样感到兴趣过。你知道吗？经过这么一场狂欢滥饮之后，照道理他应当死了。啊！他的确是个结实东西，在热带又待了二十四年。你真该去偷看他一下，那么一个气概轩昂的老酒鬼。我从来没有遇见过这样出色的人——自然是指从医学的眼光看。你去瞧一下吗？'

"我一听到他讲这段故事，只好照常装出觉得很有趣的样子；现在听他这样说，就拿出惋惜的神气，低声说没有空工夫，赶紧跟他握手作别。'我说，'我走后，他喊道，'他不能上法庭受审。你想他的证据是必需的吗？'

"'绝对用不着。'我从门口大声回答他。"

第六章

“官府的意见分明是同我一样，审判并没有延期举行，还是在预定那一天开庭，来了结法律上的手续。旁听的人很多，一定是因为大家都对它感兴趣，事实已经是绝无可疑的了——我指的是他们独自逃生那件重要事实。至于帕特那怎么样受伤，那是无法探究的，法庭既不希望知道，旁听的也没有一个关心。可是，我不是告诉过你们，港里的海员都来了，海上形形色色的人们全在那儿？他们自己也许不觉得，其实吸引他们来的，纯粹是一些心理原因——希望能够窥见人类感情的强度、力量同凶狠到底到了什么程度，结果他们自然没有窥见这些东西。法官审问那个唯一能够到场、唯一情愿受审的人的时候，老是无聊地盘问大家都知道了的那个事实，翻来复去的诘难真是毫无用处，好像想知道一只铁箱里藏的是什么东西，却老拿铁锤子敲箱子外头。但是，正式审问怎么能够不是这样呢？正式审问的目的不在于那个基本的‘他们为什么独自逃生’，却在于那个肤浅的‘他们怎么样独自逃生’。

“那个年轻人的确能够告诉他们他为什么独自逃生了；虽然这正

是旁听的人们感到兴趣的，法庭的诘问却免不了带他离开这个据我看来唯一值得知道的事实。你们不能希望这班官府会去查问一个人的精神状态——也许只是他的肝火情形。他们的职务只是抓到表面的事实，而且说句老实话，一个临时审判官同两个航事顾问也不能够干别的什么。我没有影射他们是傻子的意思，审判官是很有耐性的。一位顾问是个帆船船主，胡子略带红色，十分虔敬，还有一个就是白力厄利了。白力厄利这个大胖子，你们里面一定有人听说过白力厄利这个大胖子吧——蓝星轮船公司第一流汽船的船主，他们说的就是这个人。

“他背上这个荣耀的职务，好像觉得非常无聊。他一生没有做过一回错事，绝没有遇到过出险，绝没有尝到过灾祸，绝没有碰到过什么钉子，总是一路高升；他好像是那种走运的人，根本不晓得什么叫作迟疑不决，更不知道什么叫作失掉自信的能力。总而言之，三十二岁他就带领东方商船里顶好的那种船——他自己因此也自命不凡了，世上再也找不出第二个像他这样的人。我想假使你老老实实问他，他一定会回答，据他看来，世上没有第二个像他这样的船主，人们拣他来带那条船，真是找到了一个最恰当的人；至于其他没有带他这条一点钟走十六浬[①]的钢铁汽船奥萨的人们只好算做无用的可怜家伙了。他在海上救了许多人命，把许多船从危急中打救出来；保险商赠他一只金表，外国政府赠他一副双眼望远镜，上面刻有称赞的话，纪念他这些功劳。他牢牢记住自己的长处同得到的奖品，真可说念念不忘。我很喜欢他，虽然我有几个熟人——也是和蔼可

① 海里的旧称。1 海里≈1.85 千米。

亲的人们——无论如何，绝不能容忍他那种态度。我极相信他自认为比我高明得多——真的，就说你是统一了东西两半球的大皇帝，你在他面前也会觉得不如他——但是我没有真正对他感到不快。他并不是为着我有什么自甘堕落的地方所以瞧不起我，并不是为着我有什么——你们能够会意吗？他所以把我当作一个可以轻视的东西，只是因为我不是世上一个走运的人，不是带奥萨的梦塔究·白力厄利，没有得到刻了字的金表同证明了我航海本领同不可当的勇气的镶银双眼望远镜，没有念念不忘地牢牢记住我自己的长处同得到的奖品，而且没有博得一只最奇怪不过的黑猎狗的爱护同崇拜——天下从来没有一个这么奇怪的人给一个这么奇怪的狗爱过。这些毛病全压到你身上，当然足够叫你生气；但是我一想起天下有十二万万大概可以算做人类的人跟我同处于这些要命的、不利的情形之下，我觉得为着那个人性格上的一些说不出来的可爱成分，也就能够忍受他这副好意的、藐视的哀怜了。我从来没有弄清楚他这些可爱成分到底是什么，但是有时候我真羡慕他。人生的荆棘不能刺伤他那派自满的神情，好比小针不能刮破岩石的光滑表面一样，这真值得羡慕。我看见他坐在那个脸色暗淡、态度谦虚的庭长旁边；他对于世人同我所显出的那种自得神气，真是像花岗石一样的坚牢。可是，过不多久，他就自杀了。

“吉姆这个案子自然叫他很不耐烦。我一想到他是多么轻视这个受审判的年轻人，心里有点儿害怕；可是那时他也许正在暗地里审问他自己呢。他必定判定他自己犯了个绝不能减刑的大罪。不过，他一跳海，那些秘密证据也就无从查考了。你们假使认为我稍微懂得人们的心理，那么请你们相信，横梗在他心中的那件事情必定是非常重要的；也可说只是一些细节，不过会引起许多念头——提醒不少意思，不惯有这些思想的人们却会因此觉得无法活下去了。我很知道他，敢说他的自杀不是因为欠债，也不是喝醉了，也不是为个女人的缘故。他跳海刚在审判结束后一个星期，他带的那条望外洋走着的船离海港还不到三天；好像是到了大海中间的那一个地点，他忽然看见阴间的大门在敞开着迎接他。

“但是，他的自杀也不是出于一时突然的冲动。他那位头发斑白的大副——一个最好不过的海员，对待生人可算个极有礼貌的老头子，但是我从来没有看见一个大副对船主像他那样不恭敬——说那段故事时会满眼都是眼泪。那天早上当他到舱面来，白力厄利好像正在地图室写字。‘那时还欠十分四点，’他说，‘中夜那一班守望的人们还没有下班。他听见我在舰桥上跟二副说话，叫我进去。我不愿意去，马洛船主，说句真话，我一看见可怜的白力厄利船主，心里总是不舒服。说起来真惭愧，我们绝不晓得一个人的性情到底是怎么样。他高升得太快了，许多老资格的人都赶不上他，更不要提到我了；他有个该死的臭架子，使你觉得地位不如他；他虽然没有讲什么，单是说“早安”时的神气就够你受了。我从来没有同他说过话，除非是为着公事，那时我要费尽力气，才能把自己克制住，没有骂出口。’（这一点他太恭维自己了。我常常纳罕白力厄利怎么能够忍受他这种态度，不说多久，就说一半的航程。）‘我有一个老婆，许多孩子，’他接着说，‘我在公司里服务已经十年了，总是希望下次有船主空缺出来会补我——我真是个傻子呀。他说，这样子说，“请进来，琼斯先生，”用他那种骄傲的声气，“请进来，琼斯先生。”我进去了。“我们把船的位置写下罢。”他说，身子向地图弯着，手里拿了一把两脚规。照通常规矩，下班的海员去休息时会干这件事；但是我也不说什么，看他在地图里当时船的位置上画了一个小十字，写下日期同时刻。我此刻好像还看见他写着他那种干净的字，八月十七日上午四时；年代是用红墨水写在地图楣头的。他从来没有把一张图用过一年，白力厄利船主从来没有过。我现在还保存着那张地图。他画完后，站着看他所做的标记，自己微笑了一下，然后望着我。"这样子再走三十二浬，"他说，"我们走上平坦的海路了，那时你可以将航行的方向改到南二十度。"

"'那次航行我们走过赫克忒河岸。我说，"是的，先生，"心里奇怪他焦急什么，因为要是更改航行方向，我总得先通知他。那时船上刚好打八下钟，我们走出来，到舰桥上，二副在要去休息之前照例说道，"速度表上七十一浬。"白力厄利船主看一下罗盘，然后向四方瞭望。黑夜的天空却很清澈，星群朗朗照着，像寒带霜夜的景况。忽然间他好像微叹一下，说道，"我现在到船尾去把速度表拨回零度，那么就不会有错了。再走三十二浬，你们就安全了。让我们算一算——拨回速度表后要多算百分之六的浬数，那么我们可以说照表上再走三十浬，你们可以立刻向右舷转二十度。白走了是没有用的——是不是？"我从来没有听到他一口气说过这么多话，而且我觉得他这些话是无谓的。我不说什么。他走下扶梯，那条狗不管他到哪里去，昼夜不离他的脚跟，也就鼻子向前跟他溜下去。我听到他鞋底后跟在后舱面践踏的声响，然后他停住，向那条狗喊道，"回去，罗佛。到舰桥去，孩子！走——回去。"然后他从黑暗里向我喊道，"把那条狗关在地图室里，琼斯先生——可以吗？"

"'这是我最后一次听到他的声音。这几句话也就是人们最后听他说的话了，先生。’说到这里那个老头子声音颤动得很厉害，‘他怕那条可怜的畜生会跟着跳下水，你知道吗？’他声音有些抖了接着说，‘是的，马洛船主，他替我们把速度表拨回零度——你肯相信吗——他还添上一滴油，油瓶他就搁在旁边。五点半时候副水手长把水龙软管拖到船尾去洗，没有过多久，他就停止工作，跑上舰桥。“您到船尾来一下好吗？琼斯先生，”他说，“有一件怪东西，我不想动他。”他说的是白力厄利船主的金表，用表链仔细地挂在栏杆上。

“‘我眼睛一见到这个，心里疼了一下，就明白了，先生。我的腿软了起来，好像我亲眼看见他跳下水；我能说出他此刻在后头跟这条船离多远了。船尾栏上的速度表指出十八又四分之三浬。大桅旁边不见了四枚缠索铁针，我猜想大概是他放在衣袋里帮他沉下去；但是，天呀！四粒铁针比起白力厄利船主这么壮健的一个人，中什么用呢？也许在最后那一刹那他有点信不过自己了。我想他一生里只有这次显得狼狈；但是我要替他辩护，他一跳下水，绝不会游泳，连试一下都不会，正如假使是偶然失足，他会有勇气抱着万一的希望整天支持着在水面。是的，先生，他的确是比谁都强——他自己不是也曾说过吗？我有一回亲耳听到过。当那一班人午夜里正在守望的时候，他写了两封信，一封给公司，一封给我。他告诉我许多话，关于怎么样驶船——可是我到商船上做事时，他还没有毕业哩——还有许多暗示，教我怎么样对付上海那一方面的人们，为的是我将来可以带领奥萨这条船。他写信的口气好像是父亲写给他最疼不过的孩子，马洛船主；可是我还比他大二十八岁，我尝海水的时候，他还没有穿好长裤哩。给公司的那封信——他故意没有封上让我看——他说他一向好好地服务——一直到最后一分钟——就说现在他也没有辜负他们的付托，因为他把船交给了一个天下找不出再合适的船员手里——他指的是我，先生，指的是我！他对他们说，若使他最后这个举动并没有叫他们完全不相信他，那么当他们要补这个船主空缺的时候，请他们想起我一向忠实的服务同他此刻热烈的推荐；还有许多这类的话，我简直信不过我自己的眼睛，这些话使我浑身难受。'那个老头子非常不安宁地说着，用一只有碾药刀那么宽的大拇指，把眼角上一些眼泪挤去，'你会想，先生，他跳海，只为的是给一个倒霉的人最后一次高升的机会。看到船主这样可怕地、鲁莽地自杀了，再想到这么一来我岂不是个成功的人了吗？一惊一喜，把我弄糊涂了整整一个礼拜。但是不碍事，皮力温的船主已经调到奥萨来了——在上海时候走上船来——一个光会打扮的小子，先生，穿一套灰色花衣服，头发中间分着："哦——我是——哦——你的新船主,琼——琼——哦——琼斯先生。"他整个人浸在香水里——浑身是油腻的香味，马洛船主。我敢说因为我那样看他一眼，所以他结巴着说不出话了。他含糊地说我自然会失望——可是他还是立刻告诉我好些，他的大副升做皮力温船的船主了——这当然不是他弄出来的——公司大概总是明白的——对不住……我说，"你别理琼斯这个老头子，先生；管他妈的，他也失望惯了。"我立刻看出他那副文雅的耳朵听到粗话，很不自在。我们第一次同用午餐的时候，他就开始用一种惹人讨厌的样子说船上这事不对，那事不对。我从来没有听见过这么一种声音，除非是在傀儡戏场里。我咬定牙关，眼睛胶住盘子似的，极力镇静；但是我后来不能不说几句怒话。他立刻跳起来，用脚尖走路，他那些漂亮的翅膀全鼓了出来，像个争斗着的小鸡，"你要知道我是跟最近过世的白力厄利船主不同的，你将来就会知道了，你得当心些。”“我已经知道了。”我说，心里非常不高兴，假装作忙于吃牛排。“你是个老流氓，琼——哦——琼斯先生；而且公司里也晓得你是个老流氓。”他尖声向我说。那班厨下洗酒瓶的该死小子站在一旁听着，他们的嘴笑得都咧到两边耳朵了。“我也许是个不可救药的人，”我答道，“但是我还没有坏得能容忍看见你坐在白力厄利船主的椅子上。”说了这话，我放下刀叉。“你自己想坐在这里——你的痛心是为了这个。”他冷笑一声。我离开客厅，把我的破衣服捆起来；脚夫还没有去干别的事情，我已经在码头上了，我随身的行李全在脚旁。是的，失业了，漂流着——留在岸上——十年服务的结果——六千浬外还有个可怜的女人同四个孩子，他们吃的全靠我留下赡家的那一半薪水。是的，先生！我宁可吃这口苦，不愿听人家骂白力厄利船主。他的夜用望远镜留下了给我——这就是；他希望我照顾他的狗——他也在这儿。喂，罗佛，可怜的孩子。船主到哪里去了，罗佛？那一条狗拿一副悲哀的黄眼睛望着我们，凄凉地叫一声，爬到桌下去了。’

“这番谈话，是二年后在一只叫作火后的旧船上进行的。琼斯碰到一个古怪的机会，当了这条船的船主——是马得生请他来的——就是他们通常喊做疯子的那个马得生——你们知道这个马得生没有找到差事的时候，常在海丰码头上住宿。那个老头子带些鼻音接着说：

“‘是的，先生，就说天下人都忘却了白力厄利船主，至少这里会记得起他。我写一封详详细细的信报告他父亲，却没有得到一字回答——既没有一句谢谢，也没有骂一句滚蛋！什么也没有！也许他们不愿意听到这个消息罢。’

“看到这个眼泪汪汪的老头子琼斯拿一条线织红手帕揩他的秃

头，听到那条狗凄凉的吠声，看到天下唯一记得起他的地方，这间小船室苍蝇乱飞，污秽不堪，使我回想起白力厄利船主的形状时，觉得有一层说不出的、下流的哀感情调笼罩着；这也许是‘命运’给他的报应罢，因为他一生总是那么相信自己的光荣高尚，他的生活几乎没有尝过人们共有的恐惧。几乎！也许完全没有！谁知道他这回自杀时心里有什么样得意的想法？

“‘他为什么干这件鲁莽的事呢？马洛船主——你想得出来吗？’琼斯合起双掌问我，‘为什么呢？我真想不出来！为什么呢？’他打着自己那个满是皱纹的低平额头，‘假使他是个穷人，老头子，或者欠了债——或者从来没有体面过——或者是疯了；但是他这样人怎么会疯呢？绝不会疯，你可以相信我。一位船主有什么性格他大副不晓得，那也不值得知道了。他年轻，身体好，境遇好，没有忧虑……我有时坐在这儿尽想，简直想到头里“嗡嗡”叫起来。总得有点理由罢！’

“‘你可以相信，琼斯船主，’我说，‘他致命的原因，总不会是个能打动你我的心的事情。’我说，然后好像一道光明射到他那个乱纷纷一团的脑子里，这个可怜的老头子末了说出一句深刻得出奇的话来。他擤一擤鼻涕，抑郁地向我点头：‘是的，是的！先生，你我都没有像他那样自命不凡。’

“我最后一次同白力厄利谈话的回忆，当然不免给这件紧接着发生的事烘染了。我最后一次同他谈话是在开庭那天第一次休会后，他和我一同走上大街；看见他有点烦恼的样子，我觉得很奇怪，因为通常他肯赏脸同人们谈话的时候，他的神气总是十分冷静的，稍微带些玩世的容忍态度，好像天下会有同他对谈的这么一个人倒是件好笑的事。‘他们抓了我来当法庭顾问，你看，’他开始说，于是就诉了一大阵苦，说天天来到法庭是多么不方便，‘只有天知道这个案子要多久才能了结。最少也得三天罢，我想。’我不说话，听他讲完，心里想这也是摆架子的一个好法子。‘这有什么用处？你想不出一个再傻的办法。’他生气地接着说。我说既然派定他，他是不能不干的。他拦住我，好像关住的怨气全喷出来了：‘我坐在那儿好像是个傻子。’我惊愕得抬起头来望他，这绝不像白力厄利说的话，更不像当他谈到自己的时候。他停住，轻轻拉一拉我的衣襟。‘我们为什么糟蹋那个年轻人？’他问。这句话刚好打中我心上的一个意思，我想起那个失踪了的德国人，立刻答道：‘你要我的命，我也不知道；除非是因为他让你们来糟蹋。’这句话应当只是暗暗指出来，我这样明白说出，他也不反对；我真奇怪。他也怒汹汹说道：‘哎呀，是的。他难道不晓得他那个下流船主已经脱逃了吗？他还能够希望会有什么好事呢？无论什么事都不能够救他了，他总算毁了。’我们都不做声，同走几步路。‘为什么他待在这儿吃下这许多霉气呢？’他喊，带了东方人说话时的蛮劲——子午线以东五十度的地方，恐怕也只能够在说话上显出蛮劲，其他举动总免不了懒洋洋的。我很纳罕他怎么会这样想，现在我却十分相信他的确应当这样想，因为那时可怜的白力厄利实在是想着他自己的生活。我指出给他看，据说帕特那的船主括了不少钱，随便在哪儿都能够设法脱逃。吉姆的情形却大不同了，政府暂时把他留在‘水手收容所’里面，也许他袋里连有一个便士的福气都没有。逃走也得有点钱罢！‘真的吗？不见得罢。’他冷笑一声，我回答了一句，他就说道，‘好罢，那么他尽可以爬到坟墓中间，待在里头！我敢向天赌咒，若使是我，我一定要这样干。’

我不知道为什么他的语气激怒了我，我说道：

‘像他这样来受审倒也是一种胆量，他明知道自己逃走了，也不会有人肯去追他。’‘什么胆量！’白力厄利咆哮起来，‘这种不能叫人直起腰杆来的胆量，我是绝不去理会的。假使你现在要说这是一种胆小，一种柔弱，那倒可以。我告诉你我要怎么办，我肯出二百个卢比，若使你也肯出一百卢比，还愿意去叫这个穷光蛋明天清早逃走。那个汉子要不肯受这种法庭的侮辱，才算得一个有廉耻的人——他是会懂得的。他必得走开！这样子让大家睁大眼睛看着，简直是地狱里的惨事，我太看不过眼了。他坐在那儿，那班可恶的本地人、小船员、水夫、舵工做出怪样子来，足够使一个人羞得遍身灼热，化成灰了。这真太可怕了。哎呀，马洛，你难道没有想到，没有觉得这是可怕的吗？你难道现在——来罢——救一个同行的人！他一走开，这些事立刻都会停下了。’白力厄利非常有劲的样子说出这句话，好像立即要把他的皮夹子拿出来。我止住他，冷冷地说：‘据我看来，这四个人的卑鄙行为并没有这样了不得的重要。’‘我想，你还说你自己是个海员。’他生气地说道。我说我是这样称呼自己的，也希望我的确可以算做海员。他听我说完，他的大手臂一摆，好像将我的个性取消了，把我推到大众里面去了。‘最坏不过的，’他说，‘是你们这帮东西都缺乏身份观念，你们没有看清你们的地位是多么高尚。’

“我们慢慢走着，这时候在海港办公处的对面站住了。我一看见这个地点，想起帕特那那位胖船主就是从这里失踪的，简直像一小片羽毛给狂气吹得无影无踪，我免不了微笑一下。白力厄利接着说：‘这真丢脸。我们海员里现在什么人都有了——有些是十足的流氓；

但是，管他怎么样，我们必得保全这一行职业的名誉，否则我们快要变成一群流落四方的笨家伙了。人们是相信我们的，你知道吗——相信的。老实说起来，我绝不喜欢那班从亚洲出来、到圣地去的一切人们；但是一个高尚的人就说对满船一袋一袋的破布也不肯这样干。我们不是有组织的一群人，唯一使我们团结起来的东西就是这个廉耻观念。这么一件事情会动摇我们的信仰力。一个人也许过了一生海上的生涯，没有碰到一回有下个决心的必要；但是当那个必要时候来了……阿哈！……假使我……'

“他停住，用另外一种口气说：'我现在交你两百卢比，马洛，请你去同那个汉子谈一谈。他真可恶！我希望他根本没有到这儿来。我想我家里人认得他家里人。他的老父是个牧师，我还记得去年我住在厄色克斯我的亲戚家里的时候，我还见过他一面。我大概没有记错，那个老头子好像很喜欢他这个当海员的儿子。真可怕，我自己不能跟他谈——但是你……'

“这样子，为着吉姆的事情，我看见了白力厄利的真面目了；过几天他就把他的真假面目全都付给大海去保藏了，我自然不愿插手进去。最后这句'但是你'（可怜的白力厄利抑制不住自己的骄傲了）好像含有我是同虫子一样的没有人会注意到的意思，因此我听到这个提议很觉愤慨。为着这句触怒的话，或者其他理由，我变得很坚决地相信，这回审问对于那个吉姆可算做一个严重的责罚；他来受审——实在说起来完全出于他自己愿意——可说是这个可怕案件里一个补救的办法。我以前还没有这么十分相信。白力厄利生气地走开了，那时我对于他的心境没有像现在知道得这么清楚。

“第二天我到法庭太迟，就独自坐在一个地方。我自然不会忘记前天同白力厄利谈的话，现在他们两人都在我眼前了。吉姆的态度带着沉闷的无礼神气，白力厄利的态度带着鄙视的无聊样子；可是这两种神气恐怕都是装出来的。白力厄利一点也不觉得无聊，他是气不过的；那么吉姆也许不是无礼罢。据我分析起来，他并不是。我想他是绝望了。那时我们彼此直目相视，彼此望一眼，他的眼神仿佛阻止我不要想同他谈话。无论那个假定是不是对的——无礼也好，绝望也好——我觉得我不能帮他什么忙。这是审问第二天的情形。我们互相注视后不久，审问就停了，等第三天再开庭。白种人立刻成群走出。前些时候，法官叫吉姆退堂，所以他能够同第一批人一齐出去。门口的光线射进来，我看见他的头同宽肩照得格外分明了。我慢慢走出来，一面同一个人说话——一个偶然向我开口的陌生人。我从法庭里可以看见他双肘倚在凉廊栏杆上，背朝着这一群'滴答'走下几级台阶的人们。那时有些低声说话同鞋子曳行声。

"第二个案子我想是一个放债人受人凌辱殴打的事情。那个被告——村里面一个前辈，白胡子直垂胸前——坐在一片凉席上，紧挨着门外头，他的儿子、媳妇、女儿、女婿，我想以及村里面差不多一半的人口都围在他身旁，站着或者蹲着。一个瘦削的黑女人，她背脊的一部分同一只黑手臂全裸露着，鼻子上穿了一只薄薄的金环子，忽然间用泼妇的高声调说起话来。跟我说话的那个人自然抬头望她一下，那时我们正走过大门，打暴躁的吉姆背后经过。

"我不知道是不是村里人把那只黄狗带来的；总之，那儿有一条狗，在人们腿下穿来穿去，那样悄悄地溜着，只有本地狗才会那样子。跟我说话的那个人踩着它了，那条狗却一声不响，跳开去了。那个人慢慢笑一声，稍微提高声气说：'你看那条可怜的狗。'当时有一群人冲来，我们也就分手了。我背靠墙站一会儿，那个陌生人挤下台阶了。我看见吉姆转过身子，向前抢一步，挡住我的路头。那时只有我们两个人，他睁圆眼睛，下了顽梗的决心的样子，两眼盯着我。我才知道我可说是给人'剪径'了，好比在大森林中间。那时凉廊是空的，法庭里的声响同行动也停止了；这一座房子给一片静寂笼罩着，可是里面深处有个东方口音卑鄙地哀哭着。那条狗正要躲进大门的时候，忽然间一下坐下，去捉跳蚤了。

"'你向我说话吗？'吉姆非常低声问，弯下身子，不是对着我，却好像是向我瞄准的样子，这种情形你们只好自己去体会罢。我立刻答道：'没有。'他那种冷静的口吻却含有一种成分，叫我不能不小心。我注视着他，这活像大森林里碰到剪径，不过结果是比那个更不定些；因为他也许既不要我的钱，也不要我的命——他不是要我能够爽爽快快给他或者保护住的东西。'你说你没有，'他很惨淡地说，'但是我可听见了。''恐怕是一些错误罢。'我申明，完全抓不到眉目，睁眼老是盯着他。看他的脸色，就好像看打霹雳之前越来越黑的天空，乌云在不知不觉中层层凝聚，一阵狂风暴雨正酝酿着；此刻虽还静默，不过阴沉的空气已经紧张得出奇了。

"'我敢说，我没有在你听闻所及的地方开过口。'我十分真实地说。看到这个争执的无谓，我也有点生气了。现在我才想起我生平只有那一回真是快要打人了——我不是说笑，我的确要拿出拳头来打人了，我想我有点模糊地感到这种拳脚交加的空气了。其实他并没有怎样活动威吓我；而且，他还带着奇怪的容忍态度——你们知道吗？但是他弯下身子，虽然不是个特别魁伟的大汉，看起来好像是足够把一扇墙压扁了；可是有个现象最使我放心，那是我看他有一种笨重的踌躇神气，我认为这要归功于我态度同口吻的诚恳，那是一看就知道的。我们两个脸对着脸。法庭里，正在审理那个殴击案。我零零落落地听见几个字：'是的——水牛——棍子——我怕得……'

"'你整个早上盯着我是何居心？'吉姆末了问我。他抬头一望，又垂下了。'你以为因为你神经锐敏，我们都得坐着尽瞧地面吗？'我严厉地反驳他。我是不肯服帖地让他这样对我胡闹的。他又张大眼睛，这回老望着我的脸。'不，盯着我是没有什么关系的，'他慢悠悠地说，好像自己在仔细想着这句话对不对，'盯着我是没有什么关系的，这个我可以忍受到底。不过，'他这时说得快些了，'我不让谁在这个法庭之外骂我。你有一个同伴，你同他说话——啊，对的，我知道，你是同他说话，那是你的自由；但是你的意思是要我听见……'

"我请他相信他必定有个古怪的误会，我真不知道这个误会是怎么生出来的。'你以为我是敢怒不敢言吗？'他说，还只是稍微露一些怒意。我是非常注意的，连他一丝的表情也看得出来，但是我还是那样莫名其妙；可是，不知道为了这几个字里的什么成分，也许只是为着他说这句话时的口吻，我忽然能够完全原谅他了。我看见这个意外的困难境地，也不觉得烦恼了。这一场事情一定是由于哪方面的误会，他把什么弄错了；我的直觉又相信那个误会必定是很不幸的，很可恶的。我为着信义起见，急欲把这个僵局面结束，好像一个人急欲打断别人无端地向他说出的讨厌体己话。最可笑的是我一面想这些高尚的思想，一面自己觉得有点怕这个对抗形势结果会——很有可能——弄出一场说不清的、使我当个笑柄的下流吵架。我并不希望接连三天当个被帕特那船大副打青眼睛的名人，或者其他这类的事情。他大概不管他自己会干出什么来，或者无论如何，总觉得自己行动是十分有理由的。他为着某事十分生气，这用不着魔术家才看得出，虽然他的态度很安详，甚至于有点不灵活。我承认假使我知道怎么样才可以平下他的气，不管多大牺牲，我都愿意干；但是我真不晓得，这是你可以猜到的。那简直是个不透一丝光的黑暗。我们默默相对站着，他总是要发作的样子；经过了十五秒钟，他走近一步，我已预备好招架来拳，虽然我一条筋也没有动。'假使你有人们两倍大，六倍强，'他轻轻说，'我也要你晓得我把你当作什么东西。你……''停住！'我喊，这使他停了一秒钟，'在你告诉我你把我当作什么东西之前，'我很快说道，'你可以讲给我听，我到底说了或者干了什么吗？'接着大家都不出声。他愤愤不平地打量我，我也用尽记忆力去回忆到底说过了什么话。那时法庭里一个东方口音正在滔滔不绝地、愤慨地反驳扯谎这个罪名，我因此有时不能用心了；然后我们差不多同时候说话。'我要指出给你看我不是你说的那个东西。'他说，带着危机已到了的口气。'我声明我根本不晓得是怎么一回事。'我同时诚恳地宣布。他想用他藐视的眼神来把我压倒。'现在你看我不害怕，你就想偷偷地溜出去了，'他说，'那么，谁是个可怜的狗——哼？'于是，最后我明白了。

"他仔细瞧我的脸，好像要找个地方来栽他的拳头。'我绝不让任何人。'他低声威吓。这真是可怕的误会，他完全不能自持了。我无法告诉你，我是多么震骇。我想他从我脸上也看出我的一些情感，因为他的表情也变了一点儿。'老天呀！'我结巴着说，'你难道以为我……''但是我敢说我听见了。'他坚持着。自从这场不幸的事件开始，到此刻他才提高声气，然后有点儿瞧不起的样子。他说：'那么，不是你说的吗？好的，我要去找那个人。’‘别当个傻子，’我气极了，‘完全不是那么一回事。’‘我亲耳听见。’他又说，忧郁地抱着十分决心的样子。

“也许有人会笑他的固执。我是不会的。啊，我绝不会！我从来没有看见人这样残酷地给自己的本能冲动糟蹋过。一个字就够将他的谨慎剥光了——那个谨慎是我们的灵魂体面所必需的，比我们肉体得穿一套衣服还来得重要。‘别当个傻子，’我重说。‘但是那个人说了，你并不否认这句话吗？’他清清楚楚地说出一个个字来，看着我的脸，一点退缩的神气也没有。‘不，我并没有否认。’我说，我的眼睛也回答他的注视。末了，他的眼睛跟着我那个指点着的手指向下看。他起先不懂得，后来糊涂了，最后吓住了，好像一条狗是一只怪物，他生平绝未看见过：‘谁也不想侮辱你。’

“他细看这条可怜的畜生。那条狗同石像一样地不动，双耳直耸着，蹲在那儿，尖嘴指着门口，忽然捕捉一只苍蝇，像一架机器也似的。

“我望着他。他那个给太阳晒黑了的漂亮脸盘鬓毛底下绯红了；接着他的额头也红了，一直扩张到他鬈发的发根了。他的耳朵红得非常厉害，连他那副深蓝色的眼睛都因为血液跑到头上，变暗淡得多了。他的嘴唇稍微撅着，好像他快哭出眼泪了。我看他是羞得说不出一个字来了，也许因为失望罢——谁知道？也许他正希望把我打一顿可以恢复他的地位，可以平下他自己的气？谁能说他从这么偶然一吵希望可以得到多大的安慰呢？他是太纯朴了，会希望一切不可能的事情实现；但是他这一下却没有闹出好结果来。他对自己的确很坦白——更不用说对我——怀着热狂的希望，想这样子直截爽快地替自己辩白；可是天上星辰故意同他开玩笑，偏不凑巧。他喉咙

‘咯咯’一响，好像一个人头上给人打了一下，还未完全失掉知觉。看起来真可怜呀！

“我一直到大门口才追上他。末了，我还得快跑一下子；但是当我气喘吁吁地站在他肘旁，笑着说他是想逃跑的时候，他就说：‘绝不会。’立刻站住，面向着我。我解释我绝不是说他怕我所以跑了。‘不会为着怕谁——不会为着怕世上任何人。’他板起脸说道。我不愿点出给他看，就是天下最勇敢的人分明也有个例外，我想他自己不久也会明白的。他静静等着，我正想找些话说，马上又想不起来，他又往前走了。我追赶他，心里怕又要看不见他了，赶紧说我不愿意他把我认错，以为我——以为我——我结巴着说不出来了。我正想把那句话讲完，忽然觉得那句话真傻，自己很不高兴；但是一句话的力量跟里面的意思同逻辑的层次是不相干的，我这句低声傻话好像反使他高兴。他打断我的话，很和平客气的样子，从这一点可见他有极大的自制力，否则他的精神定有惊人的弹性——‘全是我的错。’他这么随便说，仿佛是指一两件小事，真叫我怪纳罕。难道他没有看出这句话所含的可怜意思吗？‘你很可以原谅我，’他接着说，有些发脾气的样子，‘法庭里面那班睁大眼睛的人好像都是傻子——也许真会有我刚才所想的那回事。’

“这句话忽然使我对于他的性格有了新认识，我很惊叹。我好奇地望着他，跟他那个不显羞愧、不可探测的眼睛对视。‘我不能忍受这类事情，’他很直爽地说，‘我也不打算忍受。在法庭里那是另一回事，我不得不挨那个苦——我也能够挨。’

“我并不自称能够了解他。他露出给我看的一些性格是像密雾里偶然的裂缝露出的风光——几块鲜明的、但是一眨眼就消失了的零碎景物，不能够叫人对于那个地方有个完整的概念。这样东一块、西一块，无非引起人们的好奇心，却不能使人们满意；拿来做定方向用是更不行了。总之，他的态度容易叫人误会。这是我对于他的概括批评。天快黑时候他离开我了。我那时在马拉巴旅馆住了几天，经我恳切的邀请，他就到那里和我一同用晚餐。”

第七章

“一条走外洋的邮船那天下午到了，旅馆的大饭厅有大半间屋子满是口袋里有一张一百镑的环游世界的船票的人们。这班人有的是夫妇，虽然在旅途中，已经好像过家常日子一样，彼此厌烦起来了；有的是几个人一组，有的是一大群人一组，还有些孤单单的人独自郑重地用餐，或者高声嚷着，大吃一顿，可是大家都好像在自己家里那样随便想想、谈谈．说笑话，或者摆出生气的样子。他们对于新印象就像他们放在楼上的铁箱那么晓得接受。此后他们可以挂出走过某地某地的牌子了，他们的行李也正是如此。他们将牢牢记住他们的这个特色，好好保存他们手提包上胶水黏着的行李票，算做一个证据，恐怕也就是他们这次增广见识的盛举所留下来的唯一的永久痕迹罢。黑脸的伙计们没有声响地轻轻走过这片光滑的大地板。有时我们听到小姑娘清脆的笑声，同她们的心一样的天真，一样的空虚；或者当杯盘声忽然沉寂的时候，听到某一位滑稽家故意拖长声气说的几个字，他正在铺张船上最近可笑的风流新闻，来替满桌子露齿微笑的人们解闷。两位四海飘零的老处女打扮得整整齐齐，预备勾住男人的灵魂，毫不留情地把一盘一盘菜吃个精光，用暗淡的嘴唇彼此耳语，两张呆脸孔煞是古怪，仿佛是两个衣服华丽的稻草人。吉姆喝了一些酒，心花开了，舌头也滑了；我看他的胃口的确也不差。他好像把我们开头认识时那段情节忘却了，埋在什么地方了，好像那件事在这个世界上已经是不成问题了。这些时候始终出现在我眼前的是这双小孩子般、跟我对望着的蓝色眼睛，这副年轻的面貌，这对有劲的肩膀，这个在美丽丛发底下透出一线白痕的黄铜色宽额，这副使我一见就生出无限同情的形象；这种坦白的外表，这种天真的微笑，这种年轻人的认真态度。他的确是一条好汉，是咱们这样的人。他平心静气说话，带一种泰然的直率口气，还有个安详的神情，那也许是由于男子汉自制的本领，也许是由于脸皮厚，也许是由于铁石心肠，也许是由于极大的麻木，也许是由于惊人的欺骗，谁知道！我们的语气是那么不在乎的样子，简直好像说的是另外一个人的事，是某一次的足球比赛，或者是去年的天气。我的心飘游在种种推测上面，等到话头凑巧，我能够不得罪他而向他提起这次审问。我说，总的看起来，这回审问一定叫他很难受。他突然隔着桌布伸出一只手臂，紧紧抓住我那只放在盘子旁边的手。他眼睛死盯着我，射出光辉，我真是吓愣了。我给他这个热烈到无法说出的情感的表现弄糊涂了，只好结巴着说：'那一定是极难堪的。''简直是——在地狱里头受罪。'他含糊地说出来了。

"这个举动同这几个字把隔壁桌旁两位收拾得很干净的踏遍全球的人吓得抬起头来了，他们正吃着冰过的布丁。我站起来，我们就走到前面走廊上喝咖啡、抽雪茄烟去了。

"八角形的小桌子安了玻璃球，里面点着蜡烛；一丛一丛硬叶子的花木把一套一套舒适的柳条椅子隔开了。一排好几对粉红色的柱子把从高窗子射进来的光线留在上面，闪着星光的阴沉沉夜色夹在中间，好像一幅华丽的帘帷。轮船夜里点的灯在远处霎眼，仿佛是一群将没的星儿；对面的小山有点像锁在那里、快打出雷声的黑漆云团。

"'我不能逃走，'吉姆开始说，'船主逃走了——这于他个人是很好的。我却不能逃走，也不愿意逃走。他们总是设法逃走了，但是这在我是不行的。'

"我聚精会神听着，坐在椅子上，分毫不敢动。我想知道——一直到今天我还是不知道，只好暗自猜想罢。他很忧郁，同时又很有把握的样子，好像信得过自己本来的纯洁，因此就把在他身里一下一下绞扭着的真理压抑下去了。他开头用人们承认不能跳过二十尺高墙那么一种绝望的口气说，他现在绝不能回家去了。这句话使我记起白力厄利所说的话，'厄色克斯地方那位老牧师好像很喜欢他这个当海员的儿子。'

"我不能告诉你们吉姆知道不知道他是他父亲特别'喜欢'的儿子，但是当他提到'我的爸'时候，他的口气是要我晓得自有世界以来有大家庭负担的苦恼的人们里，从来没有一个像这位仁爱的乡下老牧师那么慈善。这虽然没有道破，却含在口气里；而且他很担心，只怕人家误会了，这种态度真是诚实可爱，但是却给这个故事里其他不相干的成分加上深切的人生意味了。'此刻他已经在家乡报纸上看到这回事的详细情形了，'吉姆说，'我绝不能再见这位可怜的老头子的面了。'听到这句话，我不敢抬起眼睛，一直等到听他说：'我绝不能够解释清楚，他一定不会了解。'那时我才抬起眼睛。他正在抽烟，沉思默想着；过一会儿，振作一下精神，又说话了。他立刻表示他的一个希望：我不要把他跟——我们就说——他的同谋犯混起来看。他不是他们那种人，他完全是另外一类的。我并没有表示反对的意思。我并不想为着枯燥的真理的缘故，抢去他能得到手的一点儿极小的安慰；我却不晓得他到底是不是十分相信他自己说的那句话，我也不知道他要的是什么枪花——假使他是要枪花的话——我想恐怕他自己也不了然；我相信没有一个人会看透为着躲避内疚那个可怕影子自己所弄出来的狡猾遁词。我一声不则，他那时正在踌躇等‘这个无聊的审问完结了’的时候，他到底干什么好。

“他分明是同白力厄利一样很瞧不起这些法定的手续，他自认他不知道到哪儿去好。他的神气显然是自言自语，不像跟我谈话的样子。证书已经不生效力了，一生的事业也毁了，要到别的地方既没有路费，留在这里又看不出能有什么工做。回家也许能够想些办法；但是总免不了要靠他家里人帮忙，这件事又是他所不愿意的。他真看不出会有什么办法，除非是当水手——也许能够得到汽船上舵工的位置。当个舵工大概总行罢……‘你以为行吗？’我忍心问他。他跳起来，走近石栏杆，望着夜色；过一会儿他又回来，耸立在我的椅旁。他硬压下自己的愤慨，觉得很痛心，所以年轻的脸上还有些愁闷神气。他很知道我不会怀疑他驶船的本领。他声音稍微颤动着问我：‘为什么说那句话？我从前对于他是“极能原谅的”。就是在……’说到这里，他声音含糊起来了，‘那个误会，你知道，使我变成一个傻瓜的时候，我也没有笑他。’我还热烈地打住他的话头，说道：‘据我看来，那么一个误会并不是件好笑的事情。’他坐下来喝咖啡，慢慢想着，把那一小杯全喝干了。‘我绝没有承认我那回干的是傻事。’他明明白白宣布。‘不是吗？’我问。‘不是，’他有把握的样子冷冷地答道，‘假使你碰到这类事情，你会怎么办呢，你知道吗？你知道吗？你会承认你自己……’他咽下一口气，‘你会承认你自己是一条——一条——狗吗？’

“说了这句话——骗你我不是人！——他抬头望着我，带着探问的神气。那么，这是一句问话了——一句实实在在的问话！可是，他也不等我回答。我还没有恢复常态，他又接着往下说了。他的眼睛直望着前面，好像夜色里写了一些话，他就看着念出来：‘最要紧的是打好主意，我却没有，没有——那时还没有。我不是想替自己辩护，可是我想解释——我希望有些人能够了解我的情形——有些人——至少一个人！就是你！为什么你不可以？’

“这些话是很严肃的，但是也带点可笑的色彩，他这类的奋斗向来是如此。他要从火里打救出他对于自己性格的信仰，可是同时又十分尊重习俗的意见——这些意见虽然只是人生这场把戏里的一个规则，却有极可怕的势力；因为人们的本能都非常相信这些意见，谁不服从，谁就得挨大家厉害的责罚。他开始安详地谈起他的故事。一只救生船载了他们四个人漂流着，在微茫的夕阳中给德尔轮船公司那条汽船捡起来了。他们一到大船上，胖船主就编出一段故事来；其他人们都不做声，人家起先也都还相信他的话。你既然有那种好运气把可怜的漂流人从假使不是惨死、最少也是惨痛里救出，你当然不会去盘问他们。过了一天，阿奉德尔船上的船员有工夫去慢慢想，也许忽然会疑心这件故事里面‘有些可疑的地方’，因此都瞧不起他们了；但是这班人自然也只是狐疑，不说出口。他们救了沉到海底的帕特那汽船的船主、大副、两个机车手，照道理说，他们晓得这么多也就很够了。我没有问吉姆，他在那条船上待了十天，当时心里的情绪是怎么样；从他叙述那段经过时的口气，我可以推测他一面是给这个新发现弄晕了——发现了自己是这么一个人——一面必定是正在努力想对天下唯一能够完全了解这件事的重大意义的那一个人解释他那个不得已的苦衷。你们要知道他并没有把这回事认为是一件小事，这一点我是很有把握的，他跟其他人们的不同也就在这一点；至于上岸后，听到这场遇险——那时他干出了这么丢脸的事——有那么一个预料不到的结果，他到底作何感想，他分毫也没有告诉我，我也无法去推测了。我真不知道他有没有觉得站不住脚了，我真不知道他有没有这样感觉；但是过了一会儿，他一定设法又找到一个新立脚点了。他上岸后就在水手收容所待了两个礼拜等候着，那时有六七个人也住在那儿，所以我能够打听出一些他的情形。他们糊里糊涂的意思好像是他不单有许多短处，而且是个坏脾气的畜生。这些日子里他整天埋在走廊上一张长椅子里面，只当用餐时候才离开那个坟墓；或者深夜里独自跑到码头上漫游，跟他的环境漠不相关的样子，默默地彷徨着，像个无家可归的怨鬼。'我想那些日子里我没有对一个活人说过三个字。'他说。我真替他伤心，他立刻接着说道，'这班人一定有一两个会信口说出我立下决心不肯忍受的话，可是当时我又不想跟人们吵架。不！那时我倒不想。我是太——太……我就没有那个心情。''那扇间壁终于挡住海水了？'我高兴的样子问他。'是的，'他低声答道：'终于挡住了。但是我肯向你立誓，当我手摸着时候，我觉得那扇间壁鼓起来了。''真奇怪，旧铁板有时真有劲，无论怎么冲都不碍事。'我说。他躺在椅子深处，双脚呆板板地伸出来，两臂垂着，稍微点几下头。你们绝对想不出一个再悲哀的形象了。

忽然间他抬头坐起来，用劲打自己的大腿。‘唉！多么好的一个机会丢了！我的天呀！多么好的一个机会丢了！’他冲口喊出，但是最后这两个字‘丢了’的声音好像是给苦痛绞出来的哀号。

“他又不做声了，现出一种向远处望着的静默眼神，心里热烈恋慕着这个失掉了的光荣；他的鼻孔一时也张开了，闻一闻徒然的好机会那种醉人的气味。假使你们以为我会纳罕或者吓了，那么你们真把我这个人看错了，错得很厉害，不止一端！唉，他是个画饼充饥、拿幻想来过瘾的人！他会一下子不能自制了，整个人给幻想占住了。我从他那副端相着夜色的眼神能够看出他整个精神都飞驰了，满心是不顾死活的英雄壮举，头在前冲到幻想国土里去了；他也没有闲情去惋惜那次失掉了的机会，他已经是这么自然地一心一意细想他所没有得到手的那件好事。我虽然同他只隔三尺，我的眼睛还注视着他，其实他跟我已离得很远了；每分钟他都是更望浪漫事业那块莫须有的国土里钻去。末了，他的精神跟那场幻梦默契了！一种古怪的喜色涌到他脸上，放在我们中间的那条点着的蜡烛一照，他的眼睛闪出光辉了，他的确微笑了！他的精神跟那场幻梦打成一片了——打成一片了。那是一种狂欢的微笑，你们的脸上——或者我的脸上——所绝不会有的，我亲爱的孩子们呀！我想把他打回头来，就说道：‘假使你始终留在船上，那是多么好呀！你想的是这个吗？’

“他转过身子来向着我，忽然现出惊奇的眼色，十分沉痛的样子，脸上有种迷乱、慌张、苦痛的神气，好像他是从一颗明星上跌下来的；你我都绝不会这样望着人。他浑身震颤，好像有个冰冷的指尖触着他的心儿。末了，他叹一口气。

“那时我的心情不大慈悲。他这样不小心自相矛盾的确能够激怒人。‘真不幸，你没有预知会有这样结果！’我带着十分残酷的用意说道；可是这一条毒矢却不生效力——落到他脚旁，好比是一条气力已尽的箭矢，他连捡起来都不想，也许竟没有瞧见。过不多久，他舒舒服服躺着，说道：‘管他妈的！我告诉你那扇间壁鼓起来了。我在下舱面山形铁旁边提着灯，看见一片像我手掌那么大的铁锈从铁板上自动地落下来。’他手摸着额头，‘那片铁锈动着，跳下来，像个活的东西，我亲眼看见的。’‘这使你很不安了？’我随便插一句。‘你以为，’他说，‘我是想着自己吗？我背后单是前中舱里就已经有一百六十人了，都是睡得顶熟的——船尾还有，舱面还有——睡着的——一点也不知道——救生船也只能够容纳三分之一，就说是来得及的话。我预料就当我站在那里的时候，铁板会破开，海水会冲过他们身上，他们却还在那里躺着……我能够干什么呢——什么呢？’

“我很容易想象出他的处境，那块洞窟也似的小地方黑压压地挤满了人，球形灯的灯光照出间壁的一小部分，那面却有整个大海的力量压着；他耳朵听见的又是那班熟睡到不知人事的搭客的呼吸声。我能够想象出他圆睁着眼睛望着那块铁板，给掉下来的铁锈吓住了，明知死就在眼前，心里闷得不能出气了。我想这是在船主第二次派他到前头去的时候，我看船主的意思是要支使他离开舰桥。他告诉我他头一个冲动是要大声呐喊，立刻把那班人从睡梦里叫醒，弄得跳起来恐慌万状；但是他深深感到自己的无能，好像背了一个重担，简直喊不出声来。我想人们说的‘舌头粘着上颚’恐怕就是这样罢。‘嘴里太干燥了。’这是他提到这种状态时用的简洁字句。他只好不做声，又从一号舱口爬上舱面去。一面装在那儿的招风帆偶然摆过来，碰到他脸上，他还记得，虽然只是轻轻擦他一下，却差不多把他打下舱口的梯子了。

“他自认一走到前舱面，看见另一群熟睡着的人们，他双膝就发抖得很厉害了。此刻机器已经停止，汽笛也叫起来了，那种深沉的‘呜呜’声使夜里的海天颤动得像一条低声的琴弦；船身跟着也震动了。

“他看见这儿那儿有人从席子上抬起头来；或者一个模糊的身体坐起来，睡眼蒙眬地听一会儿，又躺下去，重新凑近箱子、汽管、通风筒那些波涛起伏般的乱东西堆里去了。他知道这群虔信的蠢货不大懂事，还不能明白那个怪声响的意义。在他们眼里，铁板做的大船，白脸孔的海员，他们在大船上所闻所见的，总之，船上一切东西都是同样生疏的。他们非常信得过，以为绝不会有危险，正好像他们永远不能了解这些东西。那时他忽然想幸亏是这样子，这种念头真是太可怕了。

“你们得记住他也正同处在他那种地位的任何人一样，十分相信那条船随时都有沉下的危险；那些凸出来的、铁锈侵蚀的铁板虽然挡着大海，可是好比一条根基已坏的堤坝，终于突然地抵不住了，就放进来一阵汹涌的怒潮。他站着不动，望着这些横着的躯体，可说是一个晓得了自己命运的死囚看到默默无声的已死伴侣。他们可算是‘已经死去了’！绝不能得救的！救生船也许足够他们一半人用，可是时间已经来不及了。来不及了！来不及了！好像值不得去开口，值不得去动手动脚。也许他还没有喊出三个字或者走上三步，自己已经在波涛中跳着了，人们拼命地奋斗已经把大海搅成难看的白沫了，到处是苦楚的呼救声。真是没有办法，他能够十分明白地幻想出眼前快发生的事情；他分毫不动，站在舱口，手提着灯，心里已经看清那场惨事的始末了——连极细微的折磨人的细节都没有忽略。我想当他对我说出这些他不能向法庭说的话，他心里必定又看了一遍那场惨事的始末。

"'我看得很明白，正同我现在看见你一样，我不能够干什么。我的四肢仿佛一点气力也没有了，我想我很可以就站在那儿，等候着；我想也不会有多少时候……'汽笛忽然不响了。他说，那个声音虽然叫他精神错乱，可是寂寞立刻叫他闷得难堪了。

"'我想我会先闷得出不了气，然后才淹死。'他说。

"他声明他没有打算救他自己的命。他脑子里唯一的念头，忽然消失，忽然重现的，是八百人、七条救生船，八百人、七条救生船。

"'好像有人在我脑子里大声说话，'他有点发狂的样子说道，'八百人，七条救生船——时间又来不及，你试想一想。'他全身靠着桌面，脸对着我，我只好设法避开他的眼锋。'你以为我怕死吗？'他用一种凶猛的低声问我。他把张开的手'砰'的一声打到桌面，咖啡杯子都跳起来了，'我肯发誓我不怕——我不怕……天呀——我绝对不怕！'他把身子拉直，双手横叉着，他的下巴垂到胸前。

"杯盘相碰的低声从高窗子隐隐传到我们耳里。忽然来了一阵谈笑声，几个人兴高采烈地走到长廊上。他们笑哈哈谈起开罗地方的驴子。一个红脸儿、昂步走着的踏遍世界的人正在嘲笑一个灰白色脸孔、轻轻走着、样子很焦急的长腿少年，说他在市场里买东西上当了。'不，的确没有——你想我受骗到那样地步吗？'他十分严肃、十分认真地追问着。这一队人走开了，陆续坐到椅子上；接着火柴闪出光芒，照见连表情的影子都没有的脸儿同白衬衫前部的平滑光面；一秒钟之内光芒又消灭了，于是狼吞虎咽里杂着闲谈的"嗡嗡"声，我听着觉得很荒谬，好像跟我隔得无限远了。

“‘有些水手睡在一号舱口，我伸手就可以摸到。’吉姆说。

“你们要晓得那条船采用热带水手守夜的办法，船上所有的水手都去睡个通夜，舵工同守望者接班时有人来叫唤。吉姆很想抓着身旁本地水手的肩膀，把他推醒；但是他也没有干，他的手臂好像给什么东西捏着了，垂在两旁，举不起来。他不是害怕——啊，不是！光是举不起来——此外没有别的。他也许不怕死，但是我要告诉你们，他怕的是突然的骚乱。他那个该死的想象替他描摹出大家惊慌时的种种恐怖，比如互相践踏着往前冲去，可怜的哀号，打翻了的救生船——他曾经听到的水上遇险时一切可怕的情境。他也许肯死去，但是我想他大概要安安静静死去，没有增加了什么别的恐怖，好像在一种恬适的失魂里长逝了。某种程度的不怕毁灭并不是什么特别稀罕的事；可是你很少遇见一个人，他的灵魂披上了‘决心’这副刀火不能穿的盔甲，虽然拼到一场明知终久必败的奋斗，还肯一直周旋到底。通常人们在希望渐渐消沉的时候，求安静的心就渐渐强起来了，弄得末了连生的意志都被压倒了。我们里面谁没有看见过或者自己感觉过这种情绪——这种极疲倦的心境，这种深觉努力的无用，这种渴望休息的希冀？跟不讲道理的大力搏斗过的人们最懂得这种滋味——大船破了、在救生船里漂流着的人们，沙漠上迷路的步行者，以及跟无知无识的自然力或者群众的盲目兽性决斗的人们。”

第八章

“他站在舱口旁边，暗自预料随时会感觉到大船从他脚下沉去，海水打他背后冲来，把他像一片木屑那样漂起。他这样站着到底有多久时光呢？我也说不清，总不会很久罢——也许两分钟。有两个人，他瞧不见的，朦胧地谈起天来；此外还有人们移步的怪声，他也不知道是从哪儿来的。在这些声响上面，就罩着大难将临之前的那种可怕的寂寞，快要‘砰’的一声毁了之前的那种磨人的寂寞；那时他忽然想起，也许他还来得及跑到前头去，把绑住救生船的短索弄断，那么大船沉下时，救生船也会浮起来了。

“帕特那的舰桥很长，所有的救生船都挂在上头，一边四条，一边三条——最小的那一条放在左舷旁，差不多跟舵轮并排着。他请我相信——他分明很焦急，只怕我不信——他向来是十分小心，才把救生船收拾得随时立刻可以使用，他懂得他的职务。我敢说在这一方面他的确是个上好的船员。‘我一向相信有备无患这句话。’他说，眼睛很不安的样子盯着我。我对于这个健全的原则点头赞成；我的视线却移开去，躲避这个人身里那种微妙的不健全成分。

“他摇摆不稳地往前跑去。他得踏过人们的腿子，才免得踩着人们的头。忽然有一个人打下面抓住他的衣服，从他肘下传来个苦楚的声音。他右手提的灯的灯光照出一个仰望着的黑脸儿，脸上显出恳求的表情，正同他的声音一样。吉姆学会了一些土话，懂得他话里有水这个字，重复说了好几遍，用的是一种坚持的、祈祷的、差不多是绝望的口吻。他赶紧推一下，正要抽身走开，却觉得有一只手臂抱着他的大腿。

“‘那个叫花子死缠着我，不肯放手，像个快沉下去的人。’他激动地说，‘水，水！他说水字到底有什么用意呢？他晓得什么呢？我极力保持镇静，叫他立刻松手。他正挡着我的路头，时机已经是很紧急了，搭客们也转动起来了；我需要的是时间——需要时间去把救生船的绳子割断，使救生船可以漂起来。他现在把住了我的手，我觉他快要喊出声来了。我突然明白他这么一喊，就会使大家惊慌；因此我用那一只自由的手来摆脱自己，手里的灯打到他脸上了。玻璃“当朗”响一下，灯光也灭了；可是这么一碰，却使他松了手，我就跑开了——我要到救生船那里去，我要到救生船那里去。他从我背后袭来，我回过身子，他绝不肯安静，总是要呼喊；我几乎把他勒死，才弄明白他要的是什么。他要一些水——喝的水，你知道他们喝水是受严格限制的；他却带了一个男孩子，我起先已经注意好几回了。他的孩子病着——口干。他一看见我走过去，赶紧求我给他一些水，就是这么一回事。我们正在舰桥底下，黑暗中。他总是想拉住我的手腕，真是无法将他打发走。我只好奔到自己的床位，攫起我的水壶，塞到他手里，他就不见了；那时我才知道我自己是多么需要水喝。’他一只肘搁在桌上，手掌罩着眼睛，身体斜倚着。

“他这些话里有个古怪的意味，因此我整个背脊从头到底觉着一阵寒冷。遮着他眉毛的那只手的手指稍微颤动，他又开口打破这个暂时的静默了。

“‘这类事情一个人一生里也只会碰到一回……唉！好罢！当我末了走上舰桥，那班叫花子正在将一条救生船从垫木上取下。一条救生船！当我走上扶梯时，却有一个沉重的打击降临到我的肩膀，刚好没有打中我的头；可是这也没使我停步，于是这个动手打我的机车长——那时他们已经把他从床架上叫醒了——又把挡脚板举起。我却绝没有慌张的意思，这些事情好像都是自然的——可怕的——可怕的。我一闪身避开这个可怜的疯子，将他从舱面提起，仿佛他不过是个小孩子，他就在我手臂里向我耳语，“不要这样！不要这样！我起先当你是那班黑鬼。”我把他扔开，他滑过舰桥，撞倒了那个小鬼——二副——的腿上，使他也站不住脚了。船主正忙着弄救生船，向四面一望，垂头朝我走来，像一只野兽咆哮着。我跟石头一样毫不退缩，结结实实站在那儿，好像这个。’他用指节轻敲椅旁的墙，‘快要发生的那些惨事我好像全听到了，全看见了，亲身尝过二十次了。我不怕他们。我缩回拳头，他停住脚步含糊说道：

“‘吓！是你。快来帮忙。’

“‘这是他说的话。快！好像谁还能够快到来得及。我问，“你想干些事情吗？”“是的。逃走。”他回过头悻悻说道。’

“‘我想那时我大概不明白他的意思。机车长同二副已经爬起来了，望救生船奔去。他们喘息着，互相推，互相践踏，诅骂大船，诅骂救生船，彼此诅骂——还诅骂我。大家都在互相埋怨。我不动，也不说话，守望着船身倾斜。大船是平静得好像放在干船坞里面的架子上——不过船身是这样子。'他举起手，手掌朝地，指尖向下弯着，'这样子，'他又说，'我看得见前面的水平线，正在船头上，清楚得像一架钟；我还能够看见那边远处的水，黑黝黝的，发着光，而且很平静——像湖水那么平静，像死水那么平静，大海是从来没有这么平静过的——真是平静得叫我不忍看了。一条船头朝下漂着的船，靠一片腐烂到经不起撑的旧铁板挡着海水。你看过没有？你看过没有？啊，是的，撑起来，我连这个办法都想到了——天下所有的办法我全想到了；但是，你能在五分钟之内把那扇间壁撑起来吗——或者就说五十分钟罢？我到哪里找得出肯到下面去的人们呢？还得要木料——木料！而且看着那扇间壁，你会有勇气动手去挥一挥木槌吗？不要说你有，你是没有目击那一回事的：其实谁也不会有那种勇气，真是窘极了——要干那件事，你总得有个成功的希望，千分之一的希望也好，最少总该有一线希望的影子；可是你是绝不会有的，谁也不会有。你当我是一条狗，白站在那儿；可是换做你，你会怎么办呢？怎么办呢？恐怕你自己也说不清——谁也说不清。一个人要做什么事情，最少总得有个回身的时候。你要我怎么办呢？把这班搭客吓疯了，那有什么好处呢？明知道我独手不能救他们——真是没有法子可以救他们！你听！那是件千真万确的事实，正像我坐在你面前那样真实……'

"他每说几个字，就急急吐几口气，飞快地瞟我几眼，好像他在苦痛里想看一看这些话对于我会有什么影响。其实他不是对着我说话，只好算做在我面前跟他自己辩论，也可以说是同另外一个肉眼看不见的人辩论；那个人跟他对抗，守着他寸步不离，也占了他的灵府。这场微妙的重要争论是审判厅所不能处理的，因为争的是他的真性格到底是怎么样；那是用不着一个法官来判决的。他所需要的是一个同盟者，一个帮手，一个共谋犯。我觉得很危险，恐怕会被他欺骗、蒙蔽、引诱、威吓，弄到卷入旋涡，去参加这场辩论；其实这场争论是无法解决的，假使我们对于各方面都得公平——对于振振有词的善良方面同对于别具苦衷的不善良方面。你们没有亲眼看见，只是间接听到他的话，无论我怎么解释，总不能了解我的复杂情绪。他好像要我了解一个'不可思议的东西'——这种感觉叫我烦闷极了，我不知道拿什么来打比才好；他要我看出天下真理都含了三分偏见，天下坏事都带了纯粹诚恳的成分；他要我自己性格的各方面——向来让阳光照着的光明方面同永远偷偷地在黑暗中过活，像月球那一半一样、只是有时从边缘露出些可怕的暗淡光辉的卑鄙方面——对他都生出同情。他真能够操纵我；我自己承认，并且我也让他操纵。那回事变固然是件不显著的小事——你爱怎么说都可以，也可以说无非是一个年轻人沉沦了，世上像这样的人还有整千整万哩——但是他是咱们这类的人。那回事变虽然绝对没有重要的意义，正同蚂蚁窝淹了水一样；但是他那种神秘态度却使我担心，好像他是他这类人里面打头拿旗子的，好像这回事里面所含的隐晦真理是要紧到足够影响人类对于本身所下的批评。"

马洛停住了，口里衔的雪茄烟也快灭了，他用劲抽几下，重新又燃起来。他好像完全忘却这个故事了，突然又开口说下去：

"这自然是我的错，一个人对于别人的事情真不该发生兴趣。这是我的毛病，他的毛病是另一回事。我的毛病是关于人们偶然的情形——也就是人们表面上的情形，没有鉴别力，没有去注意捡破烂的人的灰斗，或者街上遇见的人的好衣料。街上遇见的人——不错，我遇见过许多人，”他暂时显出悲哀的神气接着说，“遇见他们，彼此也有——也有——我们就说有相当的接触罢，比如跟这个汉子的结识——可是每次我所能注意到的只是人们的性格，总不去理会他们表面的情形。这种眼力真是平民主义的，真该诅咒；也许比完全的盲目会好一点儿罢，但是于我是没有利益的——这话请你相信。人们总是希望别人看重他的好衣料，可是我对于这些表面东西绝对不能生出热情。唉！这是个短处，这是个短处；后来就有一个天气温暖的晚上，一群人太懒了，连打纸牌都不想——要听故事……”

他又停住，也许要别人来说句鼓励的话，可是没有人肯说话；只有主人，好像尽一种不得已的责任，含糊说：

“你的话总是这么微妙，马洛。”

“谁？我？”马洛低声说，“啊，不对！他那个人才是微妙；无论我怎样试尽法子，想把这个故事说好，总免不了失掉无数委婉的情绪——太精细了，不容易用这些没有彩色的字传达出来。他真是把事情弄得太复杂了，却因为他那个人是那么简单——世上最简单不过的可怜人！……天呀！他真叫人惊奇。他坐在那里告诉我，他什么事情都不怕，他说这是真的，正同他坐在我眼前那么真——而且他很自信。我告诉你，他的态度是天真到近于荒唐了，是极古怪的，是极古怪的！我偷偷注视他，好像疑心他蓄意把我痛痛快快嘲笑一阵。他自信只要来得正大光明，‘来得正大光明，你记住。’无论什么逆境，他都能够对付。自从他才‘这么高的时候’——‘完全是一个小孩子’，他自己就预备好怎么样去征服海陆上一切的困难。他骄傲地自认早已有这种远虑。他一向推敲各种危险同各种防御，预料最坏的环境，暗试最强的毅力。他心里必定过了一个非常壮伟的生活。你们能够想得出吗？接连不断的冒险，无限的光荣，锦上添花的胜利！天天这样深深地感到自己的聪明，心里自然非常高兴的。他自己糊涂了，双眼发光，每说一个字，这类怪诞的光辉向我一照，我的心儿在我胸里更见沉重了。我当然不想哈哈大笑；可是我生怕会微笑起来，就板起了脸，他就现出不耐烦的神气了。

"'总是料不到的事情发生了。'我用安慰的口吻向他说。我的迟钝激起他发出一声鄙视的'呸'。我想他的意思是料不到的事情也不能够损害他，无论什么都打不倒他这种十分完好的准备，除非是一件不可思议的事情。他这一次是冷不防地碰上灾难了——他对着自己低声诅骂海水同天空，大船同人们。真是一切东西都合伙起来陷害他！哄他怀了这种高尚的失望心境，使他连一个小指头也没有举起。那时很明白眼前危急情形的其他船员却在那儿滚来滚去，一团混乱，满身的汗，拼命弄那条救生船；可是正要弄好的最后一秒钟却出了一个岔儿，大概是他们太慌张了，不知怎的把救生船前头垫木的滑钉紧紧塞住了。他们本来是已经糊涂了，再看到这个意外的要命麻烦，简直是不知所措。当时的情景一定是很好看的，在这个睡着的默默大海里，一条不动的大船安详地浮着；这班叫花子却在上面拼命卖力气，心里只怕来不及，抢着把救生船松下，四肢都贴在地上，失望地站起来，彼此拉拉扯扯，推来推去，互相刻毒地怒骂，打算杀人，打算哭出声来；所以没有勒着彼此的颈项，也只是因为怕那个默默不语的'死神'站在他们后面，像个铁心的冷眼的监工。啊，是的！那种情形一定是很可观的，他全瞧见了，他能够用轻蔑的、痛心的口吻谈论那班人干的事；我想他是靠着直觉知道了一切详细经过，因为他对我赌咒过，他是另外站在一旁，没有去理那班人同救生船，连瞧一眼都没有。我很相信他的话；我想他的精神都集中于去注意船身的可怕倾斜，去注意在这个万全的环境里发现出来的临头威吓——好像是给一把系在发丝末端、正对着他这个胡思乱想的脑袋挂着的利剑吓怔了。

“他放眼看去，世界上没有一个东西动着，可是他心里能够直截痛快地向自己描绘出漆黑的水平线突然望上跳。大片的海面突然歪起来，船身悄悄地飞快举起，给大海残酷地扔开，无底的深渊就来抓住了；接着是他们没有希望的奋斗，星光从他头上消失了，上面漆黑得好比坟墓里的穹窿——他年轻生命的反抗——末了那场惨淡的结局，他能够活画出来！天呀！谁不能够？你们得记住在幻想方面，他是个巧妙的艺术家。他真是个有天才的可怜小鬼，能够一下子看出将来的情景。他心里一瞧见这些情景，整个人打脚底到颈项都化做冷冰冰的石头了；他脑子里却有热烈的思想跳动着，一群跛脚的、盲目的、哑巴的思想跳动着——一堆可怕的残疾人急急旋转着。我不是告诉过你们？他向我剖白，好像我是操了拘禁同释放的大权。他老是望事情里面钻去，越钻越深，所希望的是我会说他无罪；其实这对于他是毫无好处的。这种案子，无论我扯了多么堂皇的谎话，也是掩不过去的，是谁也不能帮忙的；恐怕连‘创世主’也没有办法，只好让一个犯罪人自己去料理罢。

“他站在舰桥的右边，极力远离他们抢救生船的地方。他们还在那儿抢，疯狂也似地骚动着，谋反也似地偷偷干着。那两个马来水手还是守着舵轮。请你们自己心里画一画这场。谢谢上帝！幸好只有这么一次。海上事变的演员，四个人精神错乱了，暗暗地拼命卖力气；三个人旁观着，完全不动；下面凉篷盖了好几百人，绝对不晓得这么一回事，他们正觉得疲倦，他们正在做梦，他们正在希望，可说是已到毁灭的边缘，却给一只看不见的手拉住抓住了。他们情形的确是这样子，我绝不怀疑；大船既然是那样子，这种局面可说是最要命的了，绝不能够有个更坏的。救生船旁边那班叫花子有十三分怕得发疯的理由。说句老实话，假使我在那儿，我也不相信在每秒钟过去之前，大船还有浮在水面的可能；我连一个假铜币都不肯拿出来打赌；可是，大船还是浮着！这班睡着的拜谒圣地的人们可说是命里注定了不该淹死在那儿，得走完他们一生的历程，将来去收个另一种苦痛的下场；仿佛他们认为慈悲的天帝喜欢看他们在世上这样低首下心颂扬他的恩惠，还要他们多活一会儿，所以向下面的大海示意：'不许你把他们害死！'他们居然脱险了，我会心里纳闷，觉得是件不可解的怪事，假使我不晓得旧铁板能够多么强韧——有时真是强韧得好像我们偶然碰着的那班好汉的精神，他们给世上的灾难折磨倒像个影子，还抵住人生的重压。据我想起来，那两位舵工的态度也可算是这二十分钟里一件不小的怪事；他们两位跟其他各色各样的本地水手都是从亚丁运到法庭来当证人的。一位是怪难为情的样子，年纪很青，光滑的黄脸儿显出快乐的神气，因此更显得年轻了。我记得十分清楚，白力厄利叫通事问他那时他心里想什么，通事跟他谈了一会儿，带着庄严的神气向法官说：

"'他说他什么也不想。'

"那一位有一对闭着的、很耐烦样子的眼睛，一条棉织的蓝色手巾因为洗的回数太多，已经褪色了，缚住一把斑白的头发，还打了一个巧妙的结子。他的脸皱起来，缩成几个可怕的窟窿，满脸网子也似的皱纹使他的皮肤更显得棕色了。他说他知道大船出了什么不好事情；但是他没有听到上头的命令，他记不起有过什么命令，他为什么要离开舵轮呢？法官又问了几句，他那双瘦削的肩膀就望后一耸，说那时他绝没有想起白种人会因为怕死离开大船。他到此刻还是不相信的，也许有什么别的原因罢。他很内行的样子摇一摇他年老的下巴。唉！秘密原因。他是个富有经验的人，他要那位白种的爷们知道——他脸转过来对着没有抬起头的白力厄利说话——他在海上听白种人调度已经有好多年了，他懂得许多事情——当我们正听得出神，他突然兴奋起来，发抖了，就滔滔不绝说出一大堆声音古怪的名字，已经过世的船主的名字，人们忘却了的本地商船的名字，虽然都是大家熟悉的，却好像变了样子，仿佛哑巴的时光老人这些年来都在磨弄这班名字。法庭一下子寂默了——最少有一分钟完全静默，渐渐又化成深沉的嘈杂声音了。这段意外的枝节是第二天开堂时最动人观听的事情——全场的听众都受感动了，个个人，除开吉姆；他生气的样子坐在前面第一张长凳子的末端，对于这位与他不利的、好像有个神妙辩护词的古怪证人，始终是没有抬起头来望一眼。

“大船已经不走动了，那只舵轮因此也是不管事了，那两个本地的水手却还是那样老守着舵轮。假使他们命里注定了要死在船上，那么‘死神’来临时候，会瞧见他们还待在那儿。白种人连望他们一眼都没有，也许早已忘却世上有他们这两个人了。吉姆的确是把他们忘记了，他心里只晓得他是什么也不能干了；他现在跟他们合不上来，这样孤单单地，真是什么事也干不出来了。他没有别的办法，只好随着大船沉下去罢。假使他把这件事吵得大家都知道，那也是没有用的。难道有什么好处吗？他站在那儿等候着，不则一声，模糊地想起好汉应该具有的那种谨慎，因此更见坚决了。这时候，机车长小心走过舰桥，来扯他的袖子：

"'来帮忙！看上帝的面子，来帮忙吧！'

"他用脚尖走着，回到救生船旁边，立刻又转回来扯吉姆的袖子，恳求他，同时也咒骂他。

"'我相信他会亲我的手，'吉姆气势汹汹地说，'一会儿他又口吐白沫，对着我的脸低声说道，"假使我有空，我真想把你的脑袋打个粉碎。"我把他推开，他忽然抓着我的颈项。该死的奴才！我打了他一下，我看也不看就动手打他。"你难道不愿意救你自己的命吗——你这个没有胆量的小鬼。"他哭着说。没有胆量！他叫我做没有胆量的小鬼！哈！哈！哈！哈！他叫我做——哈！哈！哈！……'

"他整个人靠在椅背上，大笑起来，浑身都动了。我生平没有听过这么一种痛心的声音。这个笑声一传出来，大家谈论驴子、金字塔、市场以及其他事情时候的兴致好像都遭殃了。整个暗淡的走廊上种种声音都消沉下去了，大家模糊的灰色的脸一齐转过来对着我们；当时是这么寂静，一只茶匙掉到走廊的棋盘格地板上所发的清澈'玎珰'声却同短促的、银音的叫喊一样的响亮。

"'你千万不要这样大笑，旁边还有这么多人，'我跟他理论，'你知道，他们会觉得不愉快的。'

"他起先丝毫没有显出听见了的样子；但是过一会儿睁大眼睛，完全不是看着我，却好像探视某一件可怕景物的实在情形。他满不在乎的样子含糊说道：'啊！他们会当作我喝醉了。'

"说了这句话，他那种静默的神气会使你疑心他绝不会再做声了；但是——别担心！他现在不能不说话，正好像他不能靠着意志的努力叫他自己不再生存下去。"

第九章

“‘我正向自己说：“沉下去罢——你这该死的东西！沉下去罢！”’他就打这句话重新说起来。他希望这场把戏快些了结。他真是太孤单了，所以他脑子里就用诅骂的口吻向大船提出这个建议；同时他却享有目击这几幕——据我看来是——下流喜剧的特权。他们还在弄那个滑钉。船主正在发命令：‘到救生船底下去，试一试能够不能够抬起来。’其他人们当然都偷懒不肯干。你们知道假使大船忽然沉下去，刚好碰上平平地挤在救生船船底并不是件愉快的事情。‘你自己为什么不干呢——你是我们里面最有力气的人？’那位短小的机车手含着泪声问船主。‘天杀的！我身材太大了。’船主失望了，口水乱飞着回答。这样情况真是太古怪了，连天使瞧见也会哭起来。他们呆站着一会儿，没有干什么，忽然间机车长又跑到吉姆身旁。

“‘来帮忙，汉子！你疯了吗，把你唯一逃走的机会扔掉？来帮忙，汉子！汉子！你看那里——看！’

“这个人疯疯癫癫地老指着船尾，末后吉姆也只好向那边望一下。他看见一阵没有声响的乌云已经把天空吃进三分之一了。你们知道那个季候里那种暴风雨是怎么样子起来的。开头你只觉得水平线变黑了——此外没有别的什么；然后有一阵跟大墙同样不透光的乌云起来了，那阵云气的边缘成一直线，还镶上一层叫人看着难过的微白光芒，从西南方飞上来，把一群一群的繁星都吞进去了；射下影子到水面，把海天搅浑了，变成朦胧的深渊。到处都是静悄悄的，没有打雷，没有刮风，没有声响，连一闪的电光也没有；然后从这一大片阴沉沉的景物里涌出一片弓形的灰色云，底下的黑云就暴涨一两下，好像也波动起来了；接着是风雨齐下，猛烈异常，仿佛是从某一个结结实实的东西里冲出来的。当他们起先没有向那边望着的时候，就来了这么一阵乌云。他们此刻才见到，的确很有理由暗自推想，假使在极端的平静里，大船才有在水面再浮几分钟的可能，那么只要海上稍微一骚动，恐怕大船立刻就会结束了。这种暴风雨来临之前总会有一阵浪涌，大船第一下对着这阵来浪的点头也可算是最后一次的点头了，大概会变成向下栽；可以说，会延长成为长久时间的向水里钻，向下，向下，一直钻到海底。他们因此这一下怕得这样乱跳，做下这些傻事，表现出他们极端贪生怕死的心情。

"'那阵云是墨黑的，墨黑的，'吉姆气不过地沉着说道，'那阵云从我们背后掩过来。那个鬼东西！我想我起先脑子后面一定还有一点儿的希望。我自己也不晓得，但是这时候总算取消了。看到我自己这样上当，我真气得发疯了。我大怒，好比坠进陷阱里面去了。我的确是落到陷阱里面去了！我还记得那天晚上很热，一丝风也没有。'

"他记得这么清楚，躺在椅子上喘气；我看他好像浑身出汗，喉管也闭塞了。那阵乌云一定叫他气得发疯了，真可以说把他重新打倒了！但是同时也使他记起先前叫他跑上舰桥的那个重要目的，他却是一跑上来就把那回事忘记得无影无踪了。他原先岂不是打算把绑住救生船的绳子割断吗？他赶快摸出他的刀子，立刻乱砍起来，好像什么也没有看到，好像什么也没有听见，好像他就不认得船上的人们。他们以为他已经糊涂发狂到无可救药了，可是又不敢大声反对他这种无用的白费时光。他一做完，就回到先前站着的那个地点。大副也在那儿，立刻一把抓住他，紧靠着他的头，低声痛骂一番，仿佛想咬他的耳朵：

"'你这个蠢材！你以为当那班畜生都到水面来，你可以有一点儿逃生的机会吗？哼，他们从这些救生船上会把你的脑袋砸破。'

"看到没有人理，他就站在吉姆肘旁，难过得绞扭自己的手。船主站在另外一个地方，老是精神不宁地双脚拖来拖去，口里咕噜说道：'铁锤！铁锤！Mein Gott！[①]拿把铁锤来。'

"那个身材短小的机车手像个小孩子呜咽着。虽然他有许多短处，而且手臂也折了，结果他却是这群人里面最有胆量的人，的确还能够鼓起勇气，到机车间去跑一趟。说句公平话，我们得承认这一趟非同小可。吉姆告诉我，他射出一个不顾死活的拼命眼神，好比是给人家迫得无路可走了；他低低哭一声，飞快地跑去，立刻爬回来，铁锤在手，停也不停一下，就投身去弄那个滑钉了。其他的人立刻丢下吉姆，都跑去帮忙。吉姆听见铁锤的'丁丁'声，松下来了的垫木坠地的声音。救生船可以活动了，这时候他才回过头来去瞧一下——一直到这时候他没有回过头。但是他还是远远站着——他还

① 德语：我的天呀！

是远远站着。他要我晓得他还是远远站着的，他跟这班人——这班有铁锤的人们——是绝不相同的，简直找不出一点相同来。大概他自己觉得跟他们隔绝了，中间有一块不能穿过的空间，有一个不能压倒的障碍物，有一片无底的深渊。他极力跟他们离得顶远——尽那条船的宽度。

"他远远站住，脚底胶着那块地方也似的，眼睛盯着这群弯下身子、聚在一起、给一个共同的恐慌吓得古怪地前后左右动着的模糊人形。舰桥上装有一张小桌子，桌子旁边的木桩上头绑着一盏手提灯——帕特那船的中部没有地图室——灯光射到他们用劲的肩膀上，射到他们弯成弓形摇摆着的背上。他们要把救生船的船头望夜色里推去；他们老是推着，再也不肯回过头来瞧他一眼。他们不理他了，好像他真是跟他们离得太远了，同他们隔绝到毫无联络的希望了，是不值得给一句动情话，瞟一眼，或者传个手势的；他们也没有闲工夫掉回头来看他这种消极的英雄气概，受他这种不合作态度的冷讽。救生船很沉重，他们推着船头，费尽力气，已经是连一句激励的话也来不及说了；可是那阵乱哄哄的恐慌以前把他们的自制力吹散得有如风前的粃糠，此刻又使他们拼命的努力变做一桩傻事，请你们相信我的话，拿来给趣剧里面瞎闹的小丑去演刚合适。他们推着的时候，用他们的双手，用他们的头儿，用他们全身的重量，用他们全部的魄力，为着救自己可爱的生命——可是他们刚刚把船头完全推出吊艇架，就立刻都放手了，抢着爬上去。结果自然是救生船一下子又打回来，将他们赶到后面去了，又是个没有办法。他们就挤在一起，呆站一会儿，狼狈极了，凶猛地低声将能够记起的骂人话拿来对着彼此出气；接着又去弄那条救生船了。这把戏一连演了三次。他气不过地向我细述那段经过。那回滑稽勾当从头到底他都瞧见了，一分钟也没有忽略。‘我厌恶他们，我痛恨他们，可是我又不得不从头看到底，’他淡淡地说，愁闷的眼睛注视着我，‘天下有人像我这样可耻地折磨过吗！’

“他双手抱着头。静默了一会儿，好像受了什么一言难尽的虐待，迫得发疯了。这些事情他是无法向法庭解释的——甚至于无法向我解释；但是假使我不能相当了解他这种暂时沉默的深意，那么我也可以说不配听他的衷肠话了。他的毅力受了这么一个总攻击，真可说有个阴险卑鄙的复仇之神蓄意戏弄他，叫他受罪，还拿他来开玩笑——好像当惨死或者羞辱降临到他身上的时候，还有人们在一旁扮出好笑的鬼脸来嘲弄。

“我虽然没有忘却他所说的事实，但是隔了这么久，我是记不起他用的字眼了；我只记得他真古怪，光是叙述事实，却能够设法传达出盘旋他心际的那股怨气。他说，有两次，他相信最后的一秒钟来了，就闭上眼睛；但是两次他都得再睁开眼睛，看见眼前茫茫的寂静更昏黑了。静悄悄的乌云影子从天顶投到船身，仿佛把生机洋溢的大船上一切声音都压下去了；他再也听不到凉篷下说话的声音了。他对我说，每次他闭上眼睛，幻想的光辉一闪，就照出这群肉体排在那儿等死，同大白天一样地分明；可是一张开眼睛，看到的又是这四个朦胧的人形疯了似的跟一条别扭的小船挣扎着。‘他们一再爬上救生船，摔到后面去，跳下来站着，你咒我，我咒你，忽然又一齐冲上去……真够叫你笑死。’他眼皮也没有抬起，加上这句注语；然后睁大眼睛一会儿，悲哀地向我微笑，‘我看到了这场把戏，应该过个快乐的一生，我敢说！在我死去之前，这场好玩的把戏会重现我眼前许多回。’他眼皮又垂下了，‘看见同听到……看见同听到。’他重复说两次，中间隔了好大工夫，只是他渺茫地望着。

“他振作了一下精神。

“‘我决定闭紧眼睛，’他说，‘可是我不能够。我真不能够，我也不管谁晓得我不能够。他们要批评我，请他们自己先尝一尝那回事的味道罢。要他们尝一下——看会不会比我高明。第二次我的眼睛是飞快地睁开——我的嘴也张开了。我觉得大船摇动了，单是船头稍微向下倾斜，浸些水——又轻轻举起——这么慢慢地！永远是这么慢慢地，总是这样一点儿一点儿地。大船有许多天没有动得这么厉害。乌云在我们头上飞驰，这个第一阵的浪涌是来得这么慢；大海好像是铅汁做成的。这个波澜没有什么力气，但是却把我脑子里有些东西打倒了。假使你处在那样地位，你会怎么办呢？你自己很有把握——是不是？假使现在——就说此刻——你觉得这所房子动摇了，就打你椅子下面动摇起来，刚刚动一点儿，你会怎么办呢？跳！我敢向天打赌！你会从你坐的地方一跳落到那边灌木丛里去了。’

“他朝着石栏杆外面的夜色把手臂一挥，我却保持我的静默。他的眼睛很严厉地盯着我。我现在真可说受他威吓了，这是绝无可疑的。我现在应该什么也不表示，怕的是一不小心，只要一个姿势或者一个字就够暴露出我对于这场公案持了什么态度，弄得我自己也牵连到里面去，无法摆脱了；我却很不愿意冒这种危险。你们千万不要忘记他坐在我眼前，确是太像我们这类的人；所以有危险一弄得不好，也许使我们也信不过自己了。但是假使你们想知道我当时的心境，我就告诉你们也无妨；那时我的确瞥眼估一估我跟走廊前面的草地里那堆黑黝黝的东西隔有多远。他说得过分了，我还跳不到那儿，落下的地点跟那块地方还会隔几英尺——只有这一点我是有十分把握的。

“他想最后的一分钟到了，就站着分毫不动。他脑子里确然胡思乱想了一场，他的双脚却胶着舱板。这时候他忽然看见救生船旁边那班人有一个突然向后退，双臂举起来抓空气，立脚不稳，瘫下来了。其实他不是跌倒，只是整个人轻轻瘫下，变成坐着的姿势，堆成一团肉，肩膀靠着机器间的天窗。‘这就是那个蠢货，一个脸色青白、上髭不齐、形容憔悴的年轻人。那时他代理机车三副。’吉姆向我解释。

“‘死了。’我说。关于这件事我们在法庭里听到了一些。

“‘据说是，’他愁闷地不在乎的样子说道，‘我当下自然绝对不晓得。人们后来说他的病是心脏病，那个人抱怨身上不舒服已经有些日子了。这一下也许是因为兴奋过度了，或者太累了。只有魔鬼晓得罢！哈！哈！哈！我们很容易看出他并不想死。好笑吗？我却肯拿我的命来打赌，他是给他们骗了，弄到白糟蹋了自己一条命！上当了——的确是。上当到把白己杀死了，绝对是！正好像我……唉！假使他老不动，假使当他们因为大船将沉，跑去把他拥出床位的时候，他轰走他们找魔鬼去！假使他只站在一旁，手插在衣袋里，把他们痛骂一番！’

“他站起来，舞他的拳头，向我瞪眼睛，又坐下去。

“‘一个很好的机会失掉了，喂？’我低声说。

“‘你为什么不发笑？’他说，‘这是恶鬼弄出来的笑话。心脏病！……我有时希望我的心脏也是这样。’

“这话却叫我生气了。‘你希望吗？’我用深刻的讥讽口吻喊道。‘是的！你难道不能了解吗！’他也喊起来了。‘我不知道你还有什么别的希望。’我生气地答道。他完全不了解的样子对我望一眼。我这一枝暗箭又是大大落空了，而且他也不是个会去理会流矢的人。请你相信我的话，他真是太没有疑心了，因此人们反不容易中伤他。我也喜欢看我的流矢白费了——喜欢看他简直没有听到我拉弓的声响。

“那时他当然不晓得那个人死了。再过一分钟——他在船上的最后一分钟——种种事情，种种刺激，乱纷纷都到他身上来了，好比海浪打到石头上。我用这个比喻是经过了一番考虑的；因为据他所述，我不得不相信他始终有个古怪的幻觉，以为他完全处于被动的地位，好像他自己没有什么动作，只是让那班凶神来摆布，他们也单拣出他来做他们恶作剧的牺牲品。第一个刺激是吊艇架最终也肯向外摇摆了，发出‘轧轧’的声音——这个‘轧轧’声好像由舱面从他脚底穿进他身里去，顺着脊椎，一直达到他的头顶。那阵暴风雨此刻已经很近了，另一阵更厉害的浪涌又把这个被动的船身抬起来；这个吓人的浪涌简直叫他怕得出不了气，那时惊惶的惨号像利剑一般同时刺到他的脑子同心肝里：‘放手！看着上帝的面子，放手！放手！大船就要沉下去了。’接着是救生船的轴炉冲破船台，凉篷底下有许多人都用惊慌的声气谈起来了。‘那班叫花子一开口叫喊，他们的声音足够把死人也弄醒了。’他说。救生船真的下水了，震动溅泼一下，接着就是里面人们践踏同绊倒的空洞声响，还杂有混乱的呐喊：‘解下钩子！解下钩子！推！解下钩子！你们要救自己的命，就赶快推罢！暴风雨到我们头上来了……’他听到微弱的风声高高地在上头吹着，还听到他脚底下有个苦痛的喊声。一个消沉的声音在一旁开始诅骂一粒丁铰钩。大船的头尾都‘嗡嗡’响起来了，好像是个被人骚扰了的蜂窝。他就用叙述上面那些话那种的安详口气——那时他的态度、脸儿、声音刚好都很安详——接着说，简直没有给我一个警告：‘我踩着他的脚了’。

“这是我第一次听他说他动了，我惊奇地冲口嚎一声。那么最终也有个东西叫他动起来了；但是到底什么时候，什么原因把他从兀然不动里扯出来，连他自己也不明白，正好像给狂风拔起的大树自己不晓得横压过来的是什么风。这些东西全到他身上来了：嘈杂的声音，古怪的形象，死人的两腿——哼！这种魔鬼开玩笑硬塞进他的喉咙，但是——你们注意——他绝不肯承认他的食管有什么吞呷的动作。说也奇怪，他怎么能够把他的幻觉传染到我心上？我听着，很相信他，好像听一段回生妙术的故事。

“‘那个人慢慢滚到一边，我记得那个人是我在大船上最后看到的东西了，’他继续说，‘我也不理他在那儿干什么。看起来他好像是要站起来了；我自然以为他就要站起来，我预料他将由我身旁飞跑过去，翻过阑干，随着那班人落到救生船里面去了。我听得见他们在那儿漂荡着，有个同飞箭一样快的喊声叫道，“乔治。”然后三个声音一同大声喊着。三个声音，我却听得很分明，一个是哗哗叫，一个是绝叫，一个是咆哮。啊唷！’

“他身体稍微颤动一下。我看他慢慢站起来，好像有一只没有发抖的手从上头抓住他的头发，把他由椅子里拖出。他站起——慢慢地整个人都站起来了；可是他的膝头一锁紧，上头那只手好像就放松了，因此他有点站不住的样子。当他说‘他们大声喊’的时候，他的脸儿、他的行动，甚至于他的声音都带了一种可怕的静默；我不自觉里就倾耳去听极端寂静时人们仿佛听到的那种假声响，去听那些叫喊的余音。‘船上有八百人，’他说，他那样可怕的茫然一瞥把我钉到椅子背上去了，‘八百个活人，他们却在喊一个死人赶快下来逃命，“跳，乔治！跳！啊，跳！”我站在一旁，我的手按着吊艇架，态度十分安详。天色已经是漆黑了，你看不见天空，看不见大海。我听到救生船在一旁一再发出跟大船相撞击的声响，此外没有别的声音，这样子有一会儿工夫；但是我脚底下的大船满是人们的谈话声。忽然间船主咆哮道，“Mein Gott！暴风雨来了！暴风雨来了！把小船推出去罢！”听见暴雨的第一个嘶声，觉得暴风吹起来了，他们就喊道，“跳下来，乔治！我们在底下可以接着！跳！”大船慢慢投到水里去了，暴雨横洗过来，像个山崩般的波涛；我头上戴的便帽也吹飞了，我的气息赶回喉咙里去了。我好像是在塔顶上，听到底下深处又来个疯狂般的尖声呼喊，“乔——治！啊，跳下来罢！”我脚底下的大船沉下去了，沉下去了，船头先沉……’

“他默想着，举起一只手到脸上，手指挑剔着，好像有个蜘蛛网缠着他；然后望着张开的手掌，足足有半秒钟光景，才糊里糊涂说出：

“‘我跳下去了……’他自己又截住，眼睛也不望着我，‘大概是跳下去了罢。’他加上这一句。

“他那副碧清的眼睛转向我，怪可怜地瞪着。看他站在我面前，哑巴的样子，很痛心的神气，我也感到悲哀了，觉得我虽然有智慧，却无从措手；同时又混有老年人看到小孩子般的祸事，爱莫能助时所感到的好玩的、深刻的怜悯。

“‘大概是这样罢。’我也含糊说。

“‘我完全不晓得我是跳下去了，一直等到抬起头来看一下。’他赶紧说明。这也是可能的，你听他的话得像听个小孩子把事情弄坏了时候说的话。他真是不晓得。不知怎的，他跳下去了。这类事情莫名其妙地发生了，是绝不会再有的。他的身体一部分落到别人身上，就横卧在一块坐板上面了。他仿佛觉得他左边肋骨一定全断了；然后身子滚过来，模糊里瞧见他所弃的大船涌起在他上头，船旁的红灯发着光，在雨里射出大块的光辉，好比隔一层雾看见的悬崖上的一团火。'大船好像比一扇墙还高，真像一片峭壁，隐隐高临着这条救生船……那时我希望我能死去。'他喊道，'已经是无法再回转去了，仿佛我跳进一口井——跳进一个无底的深井……'"

第十章

“他双手锁起手指，忽然又扯开。他真是跳进一个无底的深井里头去了，这是件绝无可疑的事情。他从高峰上摔下来，再也不能爬上去了。救生船那时已经漂过大船船头。当时的天色太黑，他们彼此看不见；而且急雨几乎把他们淹死，使他们睁不开眼睛了。他说他真好像在洞里给洪水冲去一样，他们都拿背来对着这阵暴风雨；船主大概找到了一枝桨，就拿来放在船尾上当舵用，使救生船还是望着前头走去；有两三分钟，世界的末日好像到了，因为四围是漆黑的，海水又是滔滔不绝地打进来。大海发出嘶声，‘仿佛有二万只锅子的水都滚了’；这是他的譬喻，不是我的。我想第一阵疾风过去后，就没有什么大风了；审问时候他自己也承认那天晚上大海没有什么波涛。他蹲在小船船头，偷偷地向后面望一下，只见桅顶灯高挂着，射出一道暗淡的黄光，像一颗将要消失的最后晨星。‘看见那盏灯还在那儿，我很为惊惶。’他说。这是他说的话。其实他所以觉得惊惶，无非因为想起那班人淹死的苦痛还没有过去；他必定希望越快看不见那桩丑事越好。救生船里面没有一个人做声。在黑暗中，救生船好像望前飞驶着，其实当然不会走多少路。骤雨从后面扫过来，嘈杂响亮的嘶声随着雨声跑到远处去，也就消失了。那时什么声响都没有了，除开救生船两旁轻轻的溅泼声。小船里面有一个人牙齿震颤得很厉害。他觉得有一只手推他的背，还听到一个低微的声音说道：'你也来了吗？'另外一个人颤声喊道：'大船沉下去了！'他们都站在一起，向船尾那方看去，连一个灯光也没有见到。一片黑魆魆的、疏疏的冷雨吹到他们脸上。救生船稍稍倾侧一下。那个人的牙齿震颤得更快了，突然停住，一再想开口，却总没有成功；第三次才压下颤抖，勉强说道：'刚——刚——刚——来——来得——得——及……不——不。'他又听到机车长一肚子的气样子说道：'我亲眼看见大船沉下。我刚好掉回头向那边望一下。'这时候海上的风差不多完全息了。

"他们在黑暗里守望着；他们的头半朝着迎风的方向，好像他们预料会听到哭声。起先他很感谢夜色把那幕惨剧遮住了，不让他看见；后来一想，又觉得既然知道了有这么一回事，可是一点儿也没有看见，一点儿也没有听到，这岂不是这场可怕的不幸里顶不幸的一点吗？'你以为这个感想很奇怪吗？'他断断续续地叙述时忽然低声插进这一句。

"可是我并不觉得奇怪。他必定在不知不觉里有个信念，以为现实绝不会像他幻想所臆造出来的恐怖那么凶恶，那么叫人痛心，叫人害怕，好像想复仇的样子。我相信开头这几秒钟，他的心是给这场惨事全部的苦痛困恼住了；那八百个搭客黑夜里遇到残酷的猝死时候所受的一切恐惧、一切惊惶、一切失望合起来的味道，他一个人都尝到了，不然他为什么说：'我好像觉得我必得跳出那条该咒的小船，游泳回去看一下——半英里的路——或者还多些——无论多么远——总得游泳到原来那个地点……’为什么他会有这么一个冲动呢？你们看出这里面的意义吗？为什么要回到原来那个地点呢？为什么不就在旁边淹死——假使他是打算淹死的话——为什么一定要回到原来的地点去看一下呢——好像必得等他先看到他们一切的苦痛都过去了，他的想象得到安慰了，然后死才有解脱的意义。我不让你们任何人对于这件事有其他的解释，这种情调好像是透过浓雾瞥见了一些古怪的、动人的景物。这种真情泄露是很少见的，可是他却随便吐出来了，好像是最自然不过的几句话。他说，他用力压下想跳到水里游泳的冲动，那时他就感到四围的静寂。海上的静寂，天空的静寂，合成一片无限大的静寂，同死神一样的静寂，围绕着这几个遇救的、心头跳动着的生命。‘你在救生船里可以听到一根针掉到地上的声音。’他说，他的嘴唇古怪地一撮，好像一个人叙述一段惊心动魄的事情时，正想法强压下自己的情感。静寂！只有故意创造出他这样人的上帝才晓得他对于这下静寂到底作何感想。‘我想世上无论什么地方都不会这么静寂，’他说，‘你分不出大海同天空，看不见什么，听不到什么。没有一丝的光线，没有一个人形，没有一点声音。你真会相信世上每块干燥的陆地都沉到海底去了；世上个个人，除开我同船上这班叫花子，都淹死了。’他斜倚在桌子上，他的指节竖在咖啡杯、酒杯同雪茄烟头中间，‘我有点相信世上的情形的确是如此。什么东西都毁了——一切都完了……’他深深叹了一口气，‘对于我个人真是这样的。’”

马洛突然坐起来，用劲把他的方头雪茄烟扔掉，一条红色的火线就从他手上射出，穿进帷幕也似的爬藤里面去了，好像是小孩子玩的火箭。听故事的人们没有一个人动一下。

“哼，你们以为怎么样呢？”马洛忽然兴奋起来喊道，“他可以算忠于自己吗？他这个救出来的生命还是毁了，因为他觉得他自己没有立脚地，因为他眼睛没有看见东西，因为他耳朵没有听到声音。毁灭——哼！其实这些时候无非乌云弥漫天际，无非大海没有扬波，空气没有骚动；无非是一个晚上，无非是一下的静寂。

“这种静寂只有一会儿工夫。他们忽然高兴起来，同声大谈他们的脱险：‘一开头我就知道大船会沉下去。’‘我们真险呀，再迟一分钟就不行了。’‘真是侥幸，天呀！’吉姆却不说话，但是已息的微风又转回头，一阵和风渐渐狂起来了，大海的‘喃喃’声就凑进这班人的喋喋不休，那是吓得不敢做声之后的反动。大船沉下去了！大船沉下去了！这是绝无可疑的，谁也不会有什么办法。他们老是反复说这几句话，好像不能止住他们自己的舌头：‘大船一定沉下去了，灯光都没有了，不会错的。’‘大船一定沉下去了，我们不能希望会有别的结果。’‘大船不得不沉……’他看出他们说话的口气好像他们所舍弃的只是一只空船。他们的结论是大船一开始望下栽，过不了好久，就会完全沉下去了；这一点好像给他们一种愉快。他们互相安慰，以为大船不会闹很大工夫——‘像一架熨斗那样落了下去。’机车长报告桅顶灯在船快沉下去的时候突然落下，‘好像一根你扔掉的点着的火柴。’听到这一句话，机车手发神经病的样子哈哈大笑：‘我真高——高——兴，我真高——高——兴！’他的牙齿震颤得‘像个电气急响器’。吉姆说：‘他突然哭出声来。他呜咽号泣像一个小孩子，噎着气了，含泪喊道，“啊呀！啊呀！啊呀！”他会安静一会儿，突然又说，“啊，我可怜的手臂！啊，我可怜的手——

手臂！”我很想把他打倒。他们那些人都坐在船尾座，我刚能够分辨出他们的形状。我听到各种声音，一阵咕噜，一阵嚎声；这些都是不容易忍受的。我又觉得寒冷，我不能做什么。我想假使我一动，就会摔出船旁，而且……'

“他的手偷偷摸索着，碰到酒杯，忽然退缩回去，好像摸着一块灼热的煤球了。我轻轻推一推酒瓶：'你还想喝些酒吗？'我问。他生气的样子看着我：'你以为我不振作一下精神，就能够把我所要说的话说出来吗？'他问。那一队踏遍世界的人们已经去睡觉了，廊上只有我们两个人，此外还有个白色的模糊人形；我们看了他一眼，他就带着讨好的神情走来，迟疑一下子，又静静地退回去。时候已经很晚了，但是我也不催我的客人快说。

“他在这个颓丧的心境里，忽然听到他的伴侣开始骂某一个人：'你先前不肯跳下来，有什么东西把你绊住了呢？你这个疯子！'一个呵斥的声音说道。他听见机车长离开船尾座，要爬到前面去，好像对于'这个从来没有过的大傻子'怀着恶意。船主就坐在船旁，拼命用劲喊出得罪人的形容词。这阵咆哮使吉姆抬起头来，就听到'乔治'这个名字，同时黑暗里有一只手打他的胸膛。'你还有什么话可以拿来替你自己辩护呢？你这个傻子！'有一个人理直气壮地勃然大怒的样子问道。'他们都来跟我过不去，'他说，'他们都在骂我——骂我……却是用乔治这个名字来骂我。'

“他停住，睁大眼睛，想现出笑容；接着移开视线，继续往下说去。那个短小的二副把头放在我的鼻孔底下喊道：'哎呀，是那个讨厌的大副！''什么！'船主从小船那一头闹起来。'不对！'机车长尖声叫。他也弯下身子来看我的脸孔。

“微风忽然离开小船了，又下起急雨。急雨打到海面时所发的那种不断的、轻微的、略带神秘意味的声响从夜里四处传来。‘他们太吃惊了，起先不能再说什么话，’他沉着地向我叙述，‘我对他们会有什么话可说呢？’他踌躇一会儿，用个猛劲，继续说下去，‘他们拿许多难堪的话来骂我。’他的声音低得同耳语一样；有时一想到他们那班人是多么卑鄙，心头一横，就提高声气了，好像他谈的是件秘密丑事。‘不管他们怎么骂我，’他凶猛地说道，‘单是从他们的声调，我也能听出他们是多么恨我；这倒是一件好事。他们不能原谅我也到那条救生船上面去了，他们心里恨这件事，恨到发狂……’他大笑一声，自己又打住，‘但是他们这么一恨，却叫我不想跳……你看！我双臂叉着，坐在船沿……’他很伶俐的样子栖在棹上，双臂叉着，‘像我这样子——你看？稍稍向后一倾斜我就完了，跟别的人一样——只要倾斜一点儿——一点儿。’他皱着眉头，用中指指尖敲他的额头，‘这个念头老留在这里，’他很动听地说道，‘这些时候——这个念头。雨——又冷又密，冷得像雪水——比雪水还冷——打到我的薄棉布衣服上面——我知道一生里再也不会这么冷了。天色又黑——全是黑的。没有一颗星，无论什么地方都没有一点亮。那条该死的小船船外空无一物；那两个人在我面前狺狺，像一双下流的杂种狗对待一个逃到树上去的小偷。狺狺！狺狺！你来这儿干什么？你真是个好男子！太上流了，太高尚了，不肯拿出一个指头来帮忙。现在你不出神了吗？就暗暗跑进来？是不是？狺狺！你不配活！狺！狺！他们简直是比赛谁叫得更响亮。那一个——我看不见他——分不出他的形状——会从船尾对着雨滴乱说出一些龌龊的瞎话。狺！狺！咆——噢——噢！狺！狺！听他们乱叫一阵，真有意思；这些声音却维持了我的生活力——我告诉你，也可以说救了我的命了。他们老是这样叫，好像想用这阵吵闹把我赶出船外——我纳罕你也有跳下来的勇气，我们这儿并不要你这样的人。假使我知道是谁跳下来，我会把你推倒——你这个下流种子。你怎么摆布那个人呢？你哪里找到跳下来的胆量——你这个没有胆子的人！什么东西把我们三人阻挡了，弄得我们不把你掷到船外去……他们出不了气了，海上急雨已经过去了，什么也没有了。小船旁边什么也没有，甚至于没有一丝声音。他们要看我翻出船外，是不是？我敢拿我的灵魂来担保！我想只要他们肯安静下去，他们倒会如愿以偿。把我掷到船外去！他们会吗？"试一试罢，"我说，"我肯出两便士来打赌。""你还不值得！"他们同声叫起来。天色是这么黑了，只有在他们转动的时候，我才有十分把握觉得我看见了他们。天呀！我真希望他们肯试一试！'

"我免不了喊道：'多么奇特的一回事！'

"'不算平庸吗——唉？'他说，好像有点吃惊，'他们假装认为我有某种理由把那个蠢货弄死了。我为什么要把他弄死呢！我怎么能够懂得他们捣什么鬼？我可不是跑到小船里面去了吗？跑到小船里面——我……'他嘴唇旁边的筋肉收缩成一个不自觉的怪相，打破他通常的假面具了——可说是一些猛烈短促的明亮光辉，好比一闪弯曲的电光，让人们瞥眼看到云团里面的神秘旋纹。'我跑到里面去了。我分明是同他们在一块儿——是不是？这不是很可怕吗？一个人迫得干出这样的事情——还得负责任？他们拼命呼唤的那个乔治，我懂得他的什么？我记得我看见他盘身坐在舱面上。"没有胆量的凶手！"机车长老用这种话称呼我，好像不能记起别的字眼了。

我本来不理这些，不过他的吵闹却叫我不耐烦。“闭嘴。”我说。听到这句话，他就鼓起力气，胡喊一阵，“你杀死了他，你杀死了他。”“不对，”我喊，“可是我立刻要把你杀死。”我跳起来，他向后倒下，很可怕地“砰”的一声躺在一块坐板上面去了；我也不知道他怎么会这样子。天色太黑了。我想他起先是打算向后退。我当时站着不动，脸对着船尾，可怜的短小二副含泪说道，“你不会动手来打个一只手臂断了的人——你不是说你自己是上流社会的人吗？”我听到脚步践踏声——一下——两下——还听到喘着气的沉重喉音。那只野兽也向我走来了，他的桨在船尾上“噼啪”作响。我瞧见他动着，庞大的，庞大的——好像你在雾里，你在梦里看见的一个人。“你来。”我喊。我会把他打落水里去，像一包零碎的绳索。他停着，向自己喃喃，又走回去。也许他听到风声了，我却没有听见。这是我们最后遇到的一阵飓风，他回去找他的桨。我觉得伤心，我很想试一试……’

“吉姆张开又合拢他那几个弯曲的手指，他双手有个热烈的、残酷的震动。‘镇静些。’我低声说。

“‘喂，什么？我的心并没有乱。’他非常不高兴的样子向我抗议，突然一扯，却把白兰地酒瓶打翻了。我往前跳，我的椅子在地板上擦出声来。他一跳离开棹子，好像他背后有一个矿爆炸了；他半转过身子，然后蹲下，现出一对惊吓的眼睛同鼻孔旁边有点发白的脸，接着是一种极不安的神情。‘很对不住。我怎么笨手笨脚到这样田地！’他很难过地低声向我说，那时流出来的强烈气味忽然把我们包起来了，在清冷的黑夜里使人感到下流宴饮的空气。饭厅里灯光都灭了；长廊上只有我们的洋烛孤零零地发出微光；柱子从头到底都已墨黑。草地那边港口办事处的昂大基角在晶莹的星光里显得很分明，好像那堆暗淡的建筑物滑到这边来仔细看，倾耳细听我们的谈话。

“他装出一种不在乎的神气：

“‘我敢说我现在还没有那时镇静。那时无论来了什么，我都是有准备的。那些事都可算是小事……’

“‘你在救生船里面倒过得顶有意思。’我说。

“‘我是有准备的！’他又说，‘大船灯光灭后，救生船里面什么事情都可以发生——世界上任何事情——而且没有人晓得。我感到这一点，我觉得高兴；天色也暗得可以。我们好像活埋在一座空旷的坟墓里面了，跟世上任何东西都不相关了。谁也不会来下个批评，随便干出什么事情都不要紧。’他又粗鲁地大笑一番，这是我们谈话里第三次的大笑；但是此刻旁边也没有人来怀疑他是喝醉了，‘没有恐惧，没有法律，没有声音，没有眼睛——甚至于我们自己的眼睛也看不见，最少要等——等到太阳出来。’

“他的话所提醒的真理打动了我的心，大海里面一只小孤舟的确有点古怪。从死神影子底下运出来的人们现在好像给疯神的影子罩住了。你的大船一旦弃绝了你，你的整个世界——创造你、约束你、照顾你的那个世界——好像都要弃绝你了。人们的灵魂仿佛在一个深渊里浮游着，本来跟一块巨大的东西有点联系，这一下因为太英雄、太荒唐，或者太做恶了，弄得飘荡起来。我们的信仰、思想、爱憎、自觉，甚至于外物形态的认识既然都是因人的主观而不同，我们对于沉船的感想当然也是一个人有一个样子的，各人有各人的观点。这一回的沉船好像带着下贱的气分，因此他们更见得十分地孤独无依了——当时环境的一种下流伎俩使这班人跟世上其他人们（他们的行为标准没有受过这么一个狰狞可怕的玩笑的试验）更见隔绝了。

这班人跟吉姆闹脾气，因为他是个一心半意的偷逃者；他也把对于全部事情的怨恨都集中到这班人身上去了。他真想痛痛快快报复一番，因为他们给他这么一个可恨的机会。一条孤舟在波涛汹涌的大海里，当然会把种种思想、情绪、感觉、热情里面的不合理成分都引出来；可是这次海上的灾难是充满了下流的滑稽情调，他们始终没有动武也可说是这个情调的一部分。完全是威吓，完全是极可怕的、像煞有介事的装模作样，从头到尾是个纸老虎，是魔鬼心里非常瞧不起他们时候计划出来的一套把戏；魔鬼的真恐怖向来是在几乎要胜利的时候给人们的毅力挡住了。我等了一会儿问道：'那么有什么事情发生吗？'这真是一句废话；我已经知道得太清楚了，不至于去希望会有个令人赞叹的举动，会有疯狂的情调，会有阴险的恐怖，这些好事情是不会发生的。'什么也没有。'他说，'我是打算跟他们实干，可是他们只想大闹一阵。什么事情也没有发生。'

"太阳出来了，他正同先前跳下去的时候一样，站在船头上。他真有耐性，老是准备着！而且整夜里他一只手把着舵扛。他们起先想装上舵的时候，反把舵掉到水里去了；我想总是当他们在小船里，跑来跑去，干出一切事情，设法离开大船船旁的时候，不知怎的，把舵扛踢到前头去了。那是一长块沉重的硬木，他把在手里分明有六个钟点左右的时光。你能说这不是有准备吗！你们能否想出他的情形，半个晚上默默站着，脸孔朝着一阵一阵的急雨，眼睛凝视暗昧的人形，老是注意模糊的动作，倾耳静听船尾座上偶尔的低微说话声！这是出于勇敢的毅力呢，还是因为受了恐惧的威吓呢？你们以为怎么样？他的坚忍是无法否认的，六个钟头左右始终保持着守势，六个钟头左右老是带着固定的严防态度。那时救生船随着微风的高兴慢慢前进或者不走一步，光是漂着；那时大海平静下去，终于睡着了；那时云团从他头上飞过，那时天空从黑漆无光的一大片减成暗淡有微光的穹宇，还有个更明亮的光辉闪烁着，东方比较朦胧些，天顶却是灰色的；那时那些黑影子——起先将船尾旁边低低发光的星群蒙蔽住了——显出了轮廓，浮凸起来，变成肩膀、头、脸、面貌了——还拿凄凉的凝视来跟吉姆相对，他们有披散的头发同扯破的衣服；他们对着白亮的朝暾霎他们的红肿眼皮。'他们的样子好像是喝醉了摔到臭沟里打滚有一个礼拜了。'他生动地形容他们的情况，然后他含糊说那天的日出光景预告了会有一天晴朗的天气。你们知道海员那种习惯，无论说什么事情，总爱提起天气。在我这方面呢，他这几个含糊的字就够使我好像亲眼看见太阳的下半截从水平线上涌出，一阵大波纹颤动着，人们视线所及的海面都受到影响，好像海上生出了这么一个光球，海水免不了打一下寒噤；那时最后一缕的和风也会吹动空气，好像是苦痛之后一声轻松的叹息。

"'他们坐在船尾，肩膀挨着肩膀，船主在中间，像三只龌龊的猫头鹰。'我听出他说话的口气含了痛恨的意思，有个侵蚀的作用，使最通常的字眼也染上怨气，同一滴强烈的毒液滴到一杯清水里去一样；但是我是一心一意都在那个日出上。我能够想出上头是澄清的无云天空，这四个人就囚闭在大海的寂寞里面；那个孤单的太阳也不管这一点的生命力了，还是向清朗的穹苍上升，好像打算从一个更高的地点来熟视止水反映出来的自己的光荣。'他们从船尾喊我，'吉姆说，'好像我们是向来在一块儿过活的好伴侣。我听见他们的声音。他们求我不要胡闹，快把"那块好舵扛"扔掉。我为什么要这样干呢？他们并没有害我——他们有吗？他们对于我并没有什么损

害……没有损害！’

“他的脸绯红了，好像他肺里的空气出不来了。

“‘没有损害！’他冲口说，‘我让你来判一判。你是能够了解的，你能够吗？你是看得明白的——你看得明白吗？没有损害！老天爷呀！他们还要怎么害我呢？啊，是的，我很知道——该怪我自己，我岂不是自己跳下来的吗？不错，我跳下来，我告诉你我跳了下来；但是我告诉你他们太捣乱了，那时谁也止不住自己。这分明是他们干的事情，简直是等于他们拿一条钩篙把我拖了下去。你看得出来吗？你一定看得出来。来，请你老实说出你的意见。’

“他那对不安的眼睛盯着我，问我求我，向我挑战，向我哀恳。就是要我的命，我也不能不低声说：‘你的确受磨难了。’他飞快地拦住我的话头，反驳道：‘我不该受这样磨难；跟这班人一起，我绝没有成功的希望。现在他们又是这么要好的样子——啊，要好得出奇，真是见鬼！咱们算是好伙计，咱们算是同船的好朋友，只好尽量利用眼前的机会罢。他们对于我并没有怀什么恶意，他们绝不关心那个乔治。乔治最后一分钟又跑回他自己的铺位去找什么东西，因此绊住脚来不及了。那个人分明是一个傻子，这件事自然是很痛心的。他们眼睛望着我，他们嘴唇动着；他们坐在小船的船尾，对我摇头——他们三个人，他们向我招手。我为什么不来合作呢？我不是跳下去了吗？我当时什么话也不说，我要说的意思还找不出字眼来传达哩。假使那时我开口，我会像个畜生那样直叫着。我问我自己什么时候才会醒来。他们大声劝我走到船尾去，静听船主所要说的话。用不着到黄昏，一定有船把我们捡起来——我们正在运河交通的大道上，此刻在西北方已经看得见一条汽船的烟了。’

"'看到这阵隐隐的云烟，这片低低的棕色薄雾，薄到你可以看见后面的海天界线，我很为感动，心里觉得非常难受。我向他们喊道，从我所坐的那个地方我能够听得很清楚。船主开始咒骂，声音哑得像一只乌鸦；他不愿单为我的方便起见就拼命去大声喊。"你是不是怕岸上的人们会听见？"我问。他向我睁大眼睛，好像想把我撕成碎片。机车长劝他跟我讲好话，因为我的脑筋还没有清楚。船主从船尾站起来，好像一根厚肉柱——老是说话——老是说话……'

"吉姆还是默默沉思着。'怎么样？'我问。'不管他们同意胡诌出什么谎话，那跟我有什么相干呢？'他不顾一切地喊道，'他们爱怎么说，就怎么说罢。我是晓得实在的经过的。无论他怎么样子把人们骗住了——我总是相信我所晓得的，绝不能改变。我让他说话，辩论——说话，辩论。他老说下去，我忽然觉得我两脚站不住了。我身上很不舒服，太累了——累得要死。我放松舵扛，背转过来朝着他们，坐到最前一个的坐板上面；我已经受够了。他们大声问我，要知道我懂不懂——他们说的话对吗，个个字都是对的吗？天呀，全是对的，他们这班人说的话只能够这样子。我也不转过头去，我听见他们乱谈一番，"那个傻子什么话也不肯说。""啊，他很懂得。""不理他罢，他不碍事。""他会干什么呢？"我会干什么呢？我们不是同在一条船上吗？我想装聋。那边的烟雾望北飘去，消失了。大海是静得像死水。他们从水桶里喝些水，我也喝一下；后来他们大忙起来，把小船的船帆安到船沿上。我肯当守望的人吗？他们爬到船帆底下去，我看不见他们了，谢谢上帝。我觉得累，累，全无精力了，好像有生以来我就没有睡过一个钟头。阳光太强了，使我看不见海水。有时他们有一个人爬出来，站着向四方一望，又爬到下面去了。我能听见船帆下一阵一阵的打鼾声。他们里面有些人还能睡得着，最少有一个人；我却不能够！四围全是光线，光线，小船好似落到光线里面去了。有时我觉得十分吃惊，看到我自己坐在一块坐板上面……'

"他在我椅子面前踱来踱去，一只手插到裤袋里；他的头垂着，沉思的样子；他的左臂隔了许久就伸出；他的手势好像是要把一个看不见的闯进来的人赶走，不让他站在他面前。

"'我想你以为我那时快疯了，'他换个声调又说起来，'你很可以这样想，假使你还记得我把我的便帽丢了。太阳在上头从东方爬到西方，我的头顶总是光露着；但是我想那天我不会害什么病，太阳不能够叫我发疯……'他的左臂一挥，把疯狂这个观念赶到一边去了，'太阳也不能够杀死我……'他的手臂又来抵抗一个影子，'死不死全看着我自己怎么样罢。'

"'真的吗？'我说，听到这个新奇的口气，我非常惊骇，真是无法表示出来。我望着他，有个极古怪的感觉；假使他脚跟一转，拿出一副完全新的面孔来，我的感觉也不过这样罢。

"'我没有得脑炎，我也没有倒下去死了。'他说，'我简直不理我头上的太阳。我很冷静地默想着，无论什么人在树荫底下默想也不能比我更冷静。那个腌臜的船主从帆布下冲出他那个剃光的大头，缩起他暗淡的眼睛望着我。"雷打的，你快要死了。"他咆哮一下，又退进去，像个乌龟。我看见他，听到他说的话了，可是他没有打断我的思想；我那时正在想我肯不肯死去。'

"吉姆走过我面前，眼睛很注意地向我一溜，想探一探我的思想。'你是不是说你自己正在打算肯不肯死去？'我尽我的力量用一种神秘莫测的口吻问他。他点一下头，还是踱着。'是的，我坐在那儿的时候，我想到这一点了。’他说。他又走几步，走到他这种巡行的无形界线上去了；等他翻转身子走回来，他的双手已经是深深地插到袋子里面去了。他走到我的椅子面前停住，向下看着。‘你相信吗？’他很好奇地问我。我深为感动，向他严重宣布，凡是他认为可以告诉我的，我都愿意绝对相信。”

第十一章

“吉姆歪着头，听我说完。他身旁好像有一层密雾围着，他就在那里面行动，就在那里面过活；可是此刻密雾忽然破开，又给我瞥眼看一下他的真相了。暗淡的蜡烛在玻璃球里冒烟，只有这盏灯火替我照出他的形容。他背后就是黑夜，晶莹闪烁的星群在夜的天空里排成一层一层，望后退着，这样子摄引人们的眼睛到更黑暗的远天去了；但是好像此外还有一个神秘的光辉，来替我照出他这个小孩子般的头，仿佛那时候他心里的青春情绪一下子发光，随又熄灭了。‘你真是一个难得的好人，肯这样子听我的话，’他说，‘这对于我有不少的好处。你不晓得这对于我有多么重大的意义，你不晓得……’他仿佛找不出合适的字眼来了。我这一瞥是看得很分明的。他是那么一种年轻人，你喜欢看见你身旁有那种人；你喜欢幻想你自已曾经是那种人；他那种人的形容会使你重新记起你认为已经消灭了、冰冷了的那些幻梦；那些幻梦现在好像跟另一朵的火焰接触了，又燃起来，就在你身里深处飘动着，送出一道光……一股热气……是的，我那时清清楚楚瞥眼看他一下……这也不是我最后一次地窥破他的真相……'你不晓得一个人居于我这种地位能够得到别人的相信是多么难得的痛快事情——像这样子向一位长辈把肚子里头的话和盘托出。我这次碰到的不幸是这么不容易说清的——是不公平得这么可怕的——是这么难了解的。'

"密雾又紧闭起来了。我不知道他觉得我多么老——多么有智慧；那时我自己却觉得非常老，自己也知道无用的智慧太多了，他所感到的恐怕还只有一半罢。海上的生涯有一个特点，是别的职业绝对赶不上的：凡是已经到大海里去浮沉的人们，一看到站在峭岸上的青年真会有无限的同情；那班青年双目炯炯地望着庞大海面上的灿烂光辉，其实那些光辉全是他自己那副满是火花的眼光反射出来的。起先总是有这么壮丽的渺茫希望来驱使我们到海上去，这么光荣的无限前途，这么华美的冒险欲望；冒险本身就可算是一个酬报，恐怕也就是唯一的酬报罢。结果我们得到了什么呢——好罢，我们不谈这些；但是我们里面有谁能够不微笑一下？无论哪一种生活，幻梦跟现实总没有差得这么远——无论哪一种生活，总不像这样子开头全是幻梦——迷梦大醒也来得更快——意志消磨也更见十足了。我们岂不是开头都有同样的希望，结果是同样的觉悟，就在同样称心好梦的回忆里度过该诅咒的龌龊日子了？所以当一个在外流浪的愁闷青年回来的时候，我们对他会特别牵情；在同行的情谊之外，还感到更热烈的一种情绪——那种心境同大人爱小孩子一样，这也是不足为奇的。吉姆那时坐在我眼前，他相信多活几岁，多点智慧，对于现实的苦痛，就能够找出一个补救的办法；他还让我瞥眼看出他是在困难情境里面的一个青年，那又是一种再窘不过的情境，就是须发斑白的老头子看到，也只好一面严重地摇头，一面匿笑。他还在那儿想自杀哩——这个该诅咒的家伙！他居然拿‘那件事’来做默想的材料，他以为救到自己的生命了，其实他生命的一切光彩已经在黑夜里随着大船沉下去了。他会这样想真是再自然不过的事情！他这样子诚心诚意大声求人家同情也的确是够悲惨、够滑稽的事情；我既然说不上比别人强，怎么好不肯去怜悯他呢？可是正当我看着他的时候，他身旁的密雾又破裂了，他说道：

“‘我当时真是糊涂了，你知道。一个人绝对料不到会碰上那类事情。那也不像一场打仗，打仗倒是在意料之中的。’

“‘那的确不像一场打仗。’我容纳他的意见。他的神气却变了，好像他一下子成熟了。

“‘话虽然是这么说，一个人也不能够那么确定。’他低声说。

“‘哎！那么，你也说不清吗？’我问。我们当中发出一声微叹，像一只夜鸟飞过；我一听到，怒气也就平下去了。

“‘是的，我也说不清，’他勇敢地说道，‘那回事情跟他们弄出来的那套谎话的确有些相像。那套话并不完全是个谎——可是也不能算是真相。那是介于……你知道，十足的谎是一眼就可以看破的；可是那回事情的是非相去还没有一张纸那么厚。’

“‘还要怎么样子分明才好呢？’我问，但是我想我讲得太低声了，他简直没有听清我说的话。他向我辩论，他的意思仿佛是人生道路像网子那样纠纷，中间插了许多深坑；可是他的口气很可以叫人相信。

“‘假使我没有——我的意思是说，假使我老守着大船？好罢，还会守多久呢？就说一分钟罢——半分钟罢。来，让我们看一看，过了三十秒钟——大船一定沉下去了，关于这一点我们当时好像很有把握——我会跌到水里去。你看，我难道不会碰到什么就一把抓

住了吗——桨、救生圈、格子——无论什么东西。你看是不是？’

“‘那么，你的命还是得救了。’我插进这一句。

“‘最少总可以说我希望能够得救，’他驳道，‘这种心境我倒没有，当我……’他发抖了，好像将吞进一口难吃的药水，‘跳下去的时候。’他下个死劲说出来了。这个努力好像从气波里传到我身上来，我坐在椅子里面也稍微颤动一下，他就用暗淡的眼神把我钉住。‘你相信我说的话吗？’他喊，‘我肯赌咒！……真是窘透了！你找我到这儿来谈天，那么……你必得相信！你说你肯相信。’‘我自然肯相信。’我声明说，他听到我那种干燥的口吻，也就冷静了。‘请你原谅我，’他说，‘我当然不会同你谈起这件事，假使你不是一个君子。我应该知道……我自己也是——我自己也是——一个君子……’‘是的，是的。’我赶紧安慰他。他正望着我的脸，又慢慢转开他的视线了：‘现在你明白了，我为什么不去自……为什么不肯那样子把自己了结了。我是不愿意给我自己做出来的事情吓住了；而且假使我老守着大船，我也会尽我的力量来救我自己。我们知道有些人在水面可以漂好几个钟头——在大海上——后来救起来，也没有受到什么损伤。我会比许多人更持久些，我的心脏是绝无毛病的。’他将右拳从衣袋里拿出，向胸膛一打，发出来的声音像夜里隐隐的爆响。

“‘没有毛病。’我说。他正在默想，双脚稍微分开，下巴垂着。‘相差好比一根头发，’他含糊说道，‘这件事情的是非相差还没有一根头发那么宽，而且那个时候……’

“午夜里要看出一根头发真是不容易。’我插进这一句，大概有些恶意。你们知道我所说的同业的休戚相关是指什么吗？我恨他，好像他把我——我——的保存当初美梦的一个绝好机会骗去了，好

像他把我们这类生活的光彩最后一星星的火花抢去了：‘那么，你就逃了——立刻逃到救生船里面去了？’

“‘跳下去的，’他直截痛快地改正我的话，‘跳下去的——你得记住！’他重复说。我真纳罕他的意思，那么分明，可是又有点隐晦。‘唉，是的。也许那时我看不清楚；但是在救生船里面我有的是时间，有的是光线，而且我也能够想了。这件事情别人自然是全不晓得的，但是这一点并不使我心里觉得好过些。这句话你也得相信，我本来不想谈这件事……不……是的……我不愿意扯谎了……我正想谈这件事，我所希冀的就是谈这件事——那时我已经有这个企望了。你以为你或者任何人能够叫我说，假使我……我却是——我却是不怕说出来的，我当时也不怕独自默想。我倒愿意睁大眼睛来看这回事，我是不打算逃避的。起先——夜里，假使没有那班人，我也许……不！我敢向天赌咒，我不让他们高兴，以为我也来替他们圆谎了。他们已经把我害够了。他们杜撰出一段故事，据我看来，他们自己也很相信；但是我是晓得真相的，我此后要过个高尚的生活，来弥补这场过失。我并不要别人帮忙。那类畜生弄出那套勾当来，我是不肯随和的。扯出那么一个谎结果会有什么用处呢？我也是追得无路可走了，已经不高兴过活了——告诉你一句真话；但是那样子——那样子——躲避责任，会有什么好处呢？那绝不是一个好办法。我相信——我相信那样干会——那样干会——准会没有什么结果。’

“他老是走来走去，说出了最后这一句话，忽然转过身子来对着我。

“‘你相信的是什么呢？’他气势汹汹地问我，接着是一会儿的静默。我突然感到给一个深刻的、绝望的疲劳压住了，好像起先我正做梦在太空中漫游，巨大的虚空困恼了我的精神，耗竭了我的体力；他的声音却一下子把我惊醒了。

“‘……准会没有什么结果，’过了一会儿，他固执地向我低声说，‘一定没有！我该做的事情却是睁大眼睛去看清事实——单为着我自己——等待下一次的机会——看一看我自己到底是怎么……’”

第十二章

“四围是静悄悄的，我们听不见一点儿的声音。他的情感弥漫在我们中间，好像一层密雾，移动着，仿佛给他的奋斗搅乱了。这个没有实体的帷幕有时也裂开，那么我这双睁大的眼睛就可以看见他轮廓分明地站在我面前；可是又充满了渺茫的哀恳神情，好像是一幅图画里的一个象征人物。夜里的冷空气压着我的四肢，沉重得好似一块大理石。

“‘我懂得你的意思。’我低声说。我讲这句话无非是要证明给自己看我还能够打破这个麻木的状态，此外并没有别的用意。

“‘太阳刚要落山的时候，阿奉德尔来把我们载走了，’他含怒说道，‘一直对着我们驶来；我们就坐在小船里面等候着。’

“过了好大工夫，他说：‘他们把杜撰的那段故事说出来了。’接着又是一阵闷人的静默，‘到那时候，我才晓得我已经下了一个什么决心。’他加上这一句。

“‘你到大船上并没有说话。’我低声说。

“‘我能说什么呢？他用同样的低声问我，‘轻轻的震动，把船停住了，看一看有什么损伤。设法把救生船放下，同时极力避免发生恐慌的情况。第一条救生船刚下水，风浪滚来，大船就下去了，像一块铅板那样沉没了……天下有什么事情会比这个更分明呢……'他垂着头，'更可怕呢？'他注视着我的眼睛，他的嘴唇颤动了，'我跳下去了——是不是？'他非常惶恐的样子问我，'此后我要过着高尚的生活，来弥补这场过失。他们编出的故事是不相干的，'他双手叉着一会儿，向苍茫的夜色左右望一望，'简直是等于骗死人。'他结巴地说。

"'大船上结果并没有人死去。'我说。

"听到我这句话，他离开了；我只能够这样子描述他的态度，忽然间我看见他的背紧靠着栏杆。他在那儿站了一会儿，好像正欣赏夜的洁净同安静。下面花园里一些开花的灌木在湿空气里散出强烈的香味，他又急步回到我面前来了。

"'那也是不相干的。'他说，那种顽梗的口气是谁也比不上的。

"'也许是。'我赞成他的意见。我忽然想起恐怕我会被他压倒；毕竟，我晓得什么呢？

"'不管有没有人死去，我总是不能逃脱的，'他说，'我得活在人间，是不是？'

"'吓，是的——假使你要这样子去着想。'我含糊答道。

"'我自然很高兴，'他随便说，他的心却专注在另一件事情上面，'那个好消息。'他慢慢说出，头也抬起来了，'你知道听到那个消息后我第一下的感想是什么？我放心了，我放心了，晓得那些叫喊——我有没有告诉你我听到叫喊？没有？唉，我听到了。求救的叫喊……随着微雨吹来，大概都是我自己的幻想罢；可是一直到现在，我还不能够……多么傻呀……别人都没有听到。我后来问他们,他们都说"没有"。没有？可是就在我问他们的当儿，我还听得见那些声音！我应该晓得那不过是——但是我就没有去想——我光倾耳听着，很低微的尖声叫喊——每天都听得见；然后这里那个杂种鬼跑来对我说话，"帕特那……法国炮舰……好好拖到亚丁来了……调查……海港办公处……水手收留所……你的住宿我们已经替你安排好了！"我跟那个小鬼同走，听不见那个喊声了，就享受静寂这个新滋味。那么，岂不是没有人叫喊吗？全是我自己的幻想。我不得不相信他的话，我再也没有听到什么声音。我暗自纳罕我起先还能够忍受多久，那简直是越来越坏……我说的是——那个叫喊越来越大声。'

"他沉思起来了。

"'那么，其实我并没有听到叫喊！好罢——就算没有声音罢；但是灯光呢！灯光的的确确是灭了！我们没有瞧见灯光。灯光真是不在那儿了；假使在那儿，我一定会游泳回去——我会回到船旁去大声嚷——我会求他们让我到大船上面去……我要试一试我的机会……你疑心我吗？……你怎么晓得那时我的心情是怎么样？……你有什么权利配疑心我？……就在那样的情形里，我也差不多做出来了——你能够了解我吗？'他的声音低下去了，'可是那儿连一点闪光也没有——连一点闪光也没有，'他悲哀地向我抗辩，'你懂得吗？假使那时有灯光，你就不会看见我在这儿了？你看见我——所以疑心我。'

"我摇头否认他这句话。小船跟大船只隔一浬的四分之一的路，怎么会完全看不见灯光了？这真是一个疑问，在法庭里也讨论了许久。吉姆坚持第一阵急雨过后，什么也看不见了；他的伴侣对于阿奉德尔的船员也作同样的叙述。凡是听到这段话的人们当然都会摇头微笑。法庭里有一位老船主坐在我身旁，白胡子刺到我的耳朵，向我细声说：'他们当然会扯谎。'其实没有一个人扯谎，连那位机车长也没有，虽然他说桅顶灯沉下去好像你扔掉的一根火柴；至少，不是有意的扯谎。一个人有他那种的肝脏，处在他那样的地位，如果掉过头去急急偷看一下，他的眼角很有瞧见一粒浮动的火花的可能。大船的灯光本来照得着他们，他们却忽然间连一点亮也没有看见，对于这件事他们只能够有一种解释：大船沉下去了。这种解释是很分明的，而且可以给他们一个安慰。他们预料的事情果然来得这么快，那么他们的匆忙也不算是不应当的了。难怪他们不另外去找别的解释；但是真正的解释倒很简单，白力厄利一提出来，关于这个问题法庭就不再噜苏了。你们大概记得，他们把大船停住，大船就躺在海上，船头还朝着那天晚上行驶的方向，船尾高高翘起，船首向水里钻去，因为前部已经满是海水了。船身既然是这样子东歪西倒，风浪稍稍一打到后身船旁的上面部分，船头就立刻掉过来，跟海风相对了，好像是抛了锚的。船位这么一变动，几秒钟之内，小船上的人当然看不见大船的灯光了，那全在下风那一边；假使他们还看得见灯火，那么这些在黑漆云团里面闪烁的亮光必定有一种默默的恳求神气，会起悔恨同怜悯的情绪，不下于人们眼睛的神秘能力。这些灯光会传达出这个意思：'我在这儿——还在这儿……'就是最孤单的、被人见弃的人们的眼睛，恐怕也只能够作这样的表情吧？但是大船却拿背来对着他们，好像鄙视他们的命运，连瞧一下都不肯。大船旋转过去，上面满是搭客，顽梗地向着海上的新危险睁眼。说也奇怪，这些危险大船居然度过去了，末后命终于一所旧船拆毁厂里面，好像这条汽船命里注定了该在许多铁锤的打击之下暗暗地死去。那班到圣地去的人们命里注定了后来要收什么各样各式的结果，我也无从知道；但是命运在最近的将来——就在第二天早上九点钟——却带来了一艘回国途中的法国炮舰，从累羽侬回来的。炮舰舰长的报告大家都已知道了。他看见朦胧平稳的海面上有只汽船船头倒栽着，危险万分地浮动着，就稍微驶出航路，去看一看到底是怎么一回事。汽船的桅顶斜桁上有一面倒旗飘扬着；本地水手倒也不错，晓得在白天里揭出遇难的信号；但是厨子还照常在前头厨房里备餐。舱面挤满了人，好像是一个羊圈；栏杆到处都有人倚着，舰桥上拥塞了许多人，结结实实的一大堆，好几百对眼睛圆睁着；但是当炮舰走到并排时候，却听不见一个声音，好像有个魔力把这一大群人的嘴唇都封上了。

“法国人大声招呼，却不能得到一个明白的答复；用双眼望远镜一照，看出舱面那群人并不像害了瘟疫的样子，就决定派一条小艇过去。两位船员走上大船，听到本地水手的土话，还设法同那班阿刺伯人交谈，结果总是弄不出眉目来；但是危机的性质自然是能够分明的。看到有一个白种人死了，蜷伏在舰桥上，他们也很为震骇。‘Fort intrigués par ce cadavre。’[①]许多年后我听见一位法国少尉对我这样说。他是个老头子，有一天我在悉德尼城里一家可说是咖啡馆里完全出于偶然碰到的，他能够十分明白记起这件事。我顺便可以说，这件事有个非常大的力量，无论多么坏的记忆力同多么久的时间都不能够使人们忘却。这件事好像具有了一股古怪的魄力，老活在人们心里，老活在人们舌尖上。后来我常听见人们提起这件事，虽然

① 法语：给那个死尸弄糊涂了。

已经隔了许多年头了，而且跟原来的地方也相去有好几千里；可是会忽然从最不相关的谈话里跳出，由顶辽远的一句暗示里跑到表面来。这样处处相逢不晓得可以不可以算是一桩快事？今天晚上我们不就是谈起了这件事吗？在这里只有我一个人是海员，而且只有我一个人脑子里晓得这段经过，但是这件事跑出来了！假使有两个陌生人都知道了这件事，那么无论他们在地球上什么地点偶然见面，在他们分手之前，这件事一定会跳到他们嘴上，简直是同命运一样地逃不脱的。我从来没有看见过那个法国人，谈了一个钟头之后，我们这一生里也绝不会再有什么来往了；他又不像一个多话的人，却是个态度安详的大块头，穿一套有许多折痕的制服，睡眼蒙眬地坐在那里，面前放着大半杯颜色暗淡的酒。他的肩章有点儿变色了；他那剃得很干净的大脸颊微带黄色；他的样子像一个爱嗅鼻烟的人——你们知道吗？我不说他嗅鼻烟，可是那种习惯跟他那类人是很相合的。我们会谈起这件事，全因为他从大理石桌面上伸过手来，交给我几张我不想看的'祖国新闻'。我说：'Merci[①]。'我们就谈几句显然是不相干的话；忽然间，我也不知道怎么会的，我们已经谈得顶起劲了，他正告诉我他们'给那个尸首弄得多么糊涂了'。我那时才知道他是炮舰派到大船去的两位船员里面的一位。

"在我们坐的那家铺子里，人们可以喝到各色的外国酒，特别为到那里去的海军军官预备的。他就啜了一口那杯好像药水的深色酒，也许并不怎么样龌龊，不过是一杯 cassis à l'eau[②]罢了。他一只

① 法语：谢谢。

② 法语：黑醋栗酒。

眼睛向大杯里一望，轻轻摇一下头。‘Impossible de comprendre—vous concevez？[1]’他说。他的态度在不关心里杂有沉思的意味，我很懂得他们是怎么样不能够了解。炮舰上没有一个人英语程度足够明白本地水手所说的经过，而且这两位船员身边有许多嘈杂的声音。‘他们一大群人冲到我们身上，还有许多人围着这个死尸（autour de ce mort）’他说，‘我们只好先去听最噜苏的那班人。那些人自己有点骚乱起来了——Parbleu！[2]像那么一群乱民——你知道吗？’他很有世故、很宽容的样子插进这一句。至于间壁，他劝他的舰长顶好不要去理，看起来已经是那么凶恶了。他们赶紧（en toute hâte）运两条大缆到船上去，把帕特那拖起来——却是船尾在前——在那样的情形之下，这的确是一个不傻的办法，因为船舵离水面太高了，操舵驶船是不大济事的；而且这么一来，间壁也不会那么紧张了。间壁的情形，他不动情地随口解释，需要最谨慎的处置（éxigeait les plus grands ménagements）。我免不了疑心这些安排大半是出于我这位新交的主意。他的样子像个很可靠的船员，已经不大活动了，在某一方面也像个航海家；不过他坐在那儿，胖大的手指锁着，轻轻放在肚子上，他却叫你想起那班恬静的、爱嗅鼻烟、弄到脸色枯黄的乡下牧师。他们的耳朵虽然灌有历代农民的罪恶、苦痛同忏悔，他们脸上的表情却故意老是那么安详，那么简单，好像是一层薄幕，把困苦同烦恼的神秘全遮住了。他应当穿了一套陈旧的黑色 soutane[3]，一直扣到丰满

① 法语：没有法子能够了解——你知道吗？

② 法语：好家伙！

③ 法语：长袍。

的下巴，不该穿上有肩章同铜扣的外套。他宽大的胸膛一下一下起落着，一面继续告诉我那是件见鬼的麻烦勾当，像我这样当海员的人（en votre qualité de marin），必定（sans doute）能够体会出来。说完这句话，身体稍稍向我倾斜，他撮起那双剃光的嘴唇，让空气逃出，轻轻的一声嘶。'凑巧得很，'他继续说，'海面是平得像这张桌面，而且没有一丝风，也正同这儿一样……'我忽然觉得那个地方是闷得难堪，太热了；我的脸有点发烧，好像我是年轻到会觉得难为情，会双颊绯红。'他们 naturellement[①]向最近的英国海港驶去，'他继续说，一到那里，他们的责任就算完了，'Dieu merci……[②]'他稍微鼓起肥胖的脸颊，'因为，你知道（notez bien），拉纤时候，我们老派有两个船员拿把斧头守着大缆，预备割断绳子，跟后面的船分开，假使那条船……'他慌慌忙忙闭上那双厚重的眼皮，他的意思因此更见分明了，'假使是你，会怎么办呢？大概他只好这样子尽力做去罢（on fait ce qu'on peut），'有一会儿工夫他设法使他庞大不动的躯体带上听天由命的神态，'两位船员——整整三十个钟头——老守着那儿，两位。'他重复说，略举起右手，伸出两只手指。这的确是第一次我看见他用手势，却给我一个机会，注意到他手背上有个星形的创痕——分明是一粒炮弹弄出来的。我的眼睛好像发现了这个以后就精明起来了，立刻又看到另一块伤痕，从比额头低一点儿的地方起，一直到头旁花白短发底下止，才看不见了——大概是一把枪擦伤的或者一把指挥刀斫伤的。他双手按着

① 法语：自然。

② 法语：谢谢上帝。

肚子：‘我就在那条叫作——叫作——我的记性不行了（s’en va）。Ah! Patt-nà. C’est bien ça. Patt-nà. Merci.[①]真好笑，一个人怎么这样健忘。我在那条船上足足待了三十个钟头……’

“‘真的吗！’我喊起来。他还是望着自己的手，嘴唇又稍微撮起，但是这一次并没有发出嘶声。‘我们断定，’他不动声色，单是眉头向上凑，说道，‘应该留一位船员在那条船上，为的是可以照顾（Pour ouvrir l’oeil）……’他懒洋洋地叹一口气，‘可以用信号跟拖船通信——你知道吗——还有其他事情；而且，我也是这样主张。我们把救生船预备好，随时可以下水——同时我在那条船上也正在想种种办法……Enfin![②]尽我们的力量干去。那是个很有意思的情景，一连三十个钟头。他们弄点东西给我吃，谈到酒——别妄想罢——一滴也没有。’他的态度还是那样子无精打采，他脸上的表情还是那么恬静，可是他有个古怪的法子，能够传达出无限厌恶的意思，‘我——你知道——我吃东西的时候，假使没有一杯酒——那简直是无法过活。’

“我只怕他会细诉他的苦痛，因为虽然他的手脚分毫没有动，他脸上的筋肉一点儿也没有跳，可是他却使我觉得这个回忆很叫他心里难受；但是他好像一下子就把那回事完全忘却了。他们把拖来的那条船交给他所谓的‘海港官吏’，那班官吏接收那条船时候的冷静态度真叫他吃惊。‘简直使人想起每天都有人发现了这么一个滑稽的东西（drôle de trouvaille），送去交给他们。你们英国人真古怪——

① 法语：吓！帕特—那。对啦！是这个名字，帕特—那。谢谢你。

② 法语：总之！

你们这班人。'他加上这句注脚；他一面拿他的背靠着墙壁，看起来好像绝不会有什么表情，仿佛同一袋面粉一样。那时海港里刚好有一艘军舰同一艘印度海军的汽船，他对于这两条船的小艇运送帕特那船上的搭客的敏捷很表示赞美。其实他那种麻木态度并没有遮掩了什么，而且反具有一副神奇的、差不多是不可信的本领，能够用无法窥破的手段，给人们一个深刻的印象；这真是无上的艺术，不能再高明了。'二十五分钟——我看着手里的表——二十五分钟，多一分钟也没有……'他松开，接着又握紧他的手指；他双手还是不动地按着肚子，可是很能传出他那种惊异的心境，比起双臂惊骇地向天伸出更来得动人，无数倍地动人，'把那一大群（tout ce monde）全运到岸上去了——同他们简单的行李——船上没有人，只剩下一队正式水兵（marins de l'État）同那个有意思的死尸（cet intéressant cadavre）。二十五分钟……'他眼睛垂下，头稍微倾斜；他的舌头好像很自得地细尝这下伶俐工作的滋味。他虽然没有多说什么话，却能够使人们相信他的赞美是很可宝贵的。过一会儿，他又恢复到那个几乎是始终没有变更的不动姿势了；接着告诉我，因为上头有命令要赶快驶到土伦去，两点钟之后，他们就离开了，'所以（de sorte que）我生活中这段故事里（dans cet épisode de ma vie）有许多情节到如今我还是不明了。'"

第十三章

“说完这几句话，态度一点儿也没有变，那位法国船员可说是悄悄地归于沉默了。我就陪着他；忽然间他又开口，但是并不来得仓卒，好像规定的时候到了，又该他那种和平的、沙哑的声音从呆板的姿势里出来了。他说：‘Mon Dieu![1]时光过得多么快！’这句话的确是再平常不过的，但是他一说出口，我就觉得一下子睁开眼睛了。我们向来总是不聪不明，做梦也似地过日子，说也奇怪，居然能够度过一生。也许我们倒应该这样过活，天下数不尽的大多数人会觉得活在世上都还不坏，而且情愿活下去，恐怕也是因为他们是这么糊涂罢；可是，我们大概都免不了有时会忽然觉醒过来，那时在一刹那里我们看到、听见、了解许多东西——几乎是世界上一切东西——然后又回到安逸的睡眠状态里头去了。他说话时候，我抬起头来，望他一眼，瞧出他的实情了；我真是从来没有把他看得这么清楚过。我看见他那个埋在胸前的下巴，他衣服上不雅观的折痕，他

① 法语：我的天呀！

紧握着的双手，他呆板的姿势，这些细节都是这么古怪地叫人想起他简直是落伍了，所以才留在那儿。时光真过得快，赶上他，跑到前头去了，就把他留在后面，让他去绝望，光给他几件无聊的礼物：铁褐色的头发，晒黑的脸盘上疲倦的神情，两块疤痕，一双变色的肩章。他是那种肯耐劳的可靠汉子，世上伟大的名誉全建设在他们这种人身上；可是他们却埋在惊天动地的功勋的基础下面了，安葬时还得不到一声鼓角。这种无名英雄真是数不尽呀！‘我现在是“胜利”船上的少尉（那条船是当时法国太平洋舰队的旗舰）。’他告诉我，说时他的肩膀跟大墙离开两英寸，就算替他自己介绍罢。我隔一张桌子向他略略鞠躬致敬，告诉他我带一条商船，现在泊在剌士卡忒海湾里。他已经注意到了——一条很漂亮的小船。提到那条船，他的态度很客气，虽然还是那么冷淡；我甚至于觉得他客气到歪起头来恭维我，当他分明喘着气一再说道：‘呀，是的。一条很漂亮的小船，涂上黑色的——很漂亮的——很漂亮的(très coquet)。’过了一会儿，他慢慢扭过身子，跟我们右边的玻璃门相对。‘一个沉闷的城（triste ville）。’他凝视外面的大街说道。那天是个晴朗的日子，正刮着南风，我们能够看见行人道上的男男女女跟狂风搏斗；大街那边的屋子前面有阳光照着，不过也给一阵一阵飞得顶高的尘土弄模糊了。‘我上岸，’他说，‘来活动一下我的双腿，但是……’他没有说完，又沉到深深的休息里面去了，‘请你——告诉我，’他重新开头，庞大的躯体现在我面前，向我提出这个问题，‘这回事到底是怎么样——实在的情形（au juste）？真古怪，比如那个死尸——以及其他种种情形。’

“‘还有许多活人哩，’我说，‘那就更古怪了。’

“‘一定的，一定的，’他声音不很高地赞成我这句话，然后，好像经过了一番仔细的考虑，低声说，‘分明是如此。’我不大费力就把这回事里面最引起我注意的那一节说给他听。我好像觉得他仿佛有知道那一节的权利，他岂不是在帕特那船上待了三十个钟头——他岂不是可以说接了那班人的位置吗？他岂不是‘尽了他的力量’去帮忙吗？他静听我的话，他的样子比先前更像个牧师了；此外——也许因为他那双垂着的眼睛——还有个潜心虔敬的神情。有一两次他耸起眉峰（但是并没有抬起眼皮），好像一个人要说：‘魔鬼！’有一回他冷静地喊道：‘呀，呸！’他的声音却非常低。我说完后，他故意撮起嘴唇，发出一种悲哀的啸声。

“假使是别人，这种啸声总可以证明出是感到无聊了，表示出漠然的态度；但是他却神秘得很，能够设法使别人觉得他虽然不动，却是深有所感，满是珍贵的想头，好比一个鸡蛋满是蛋黄同蛋白。他最后也只说一句：‘很有趣味。’而且说得很客气，声音低得好像耳语。我还没有忘却我的失望，他又自言自语地向我说道：‘就是这么一回事。就是这么一回事。’他的下巴好像更深地埋在胸前，他的躯体好像更沉重地压在座位上。我正要盘问他到底是什么意思，他全身却颤动起来，似乎预备开口了，正好像我们还不觉得有风时候，死水上已经看得见一阵微波了。‘那个可怜的青年就这样子跟其他人一起跑掉了。’他安详严重地说道。

“我不知道为什么我微笑了；我记得谈起吉姆的时候，只有这一次我是真真微笑了。这句简单的话经他一用法文说出来，听到耳朵里总觉得有点好笑……‘S'est enfui avec les autres,’[①]这位少尉

① 法语：跟其他人一起跑掉了。

说道。忽然间我很赞美这个人的见识。他的确是一下子指出要害，抓到我最感到趣味的那一点了。我觉得我自己好像是个律师，毫不动情地单从职业上来观察这个案子。他那种镇静老练的安详态度是一个已经晓得了全部事实的专家才会办得到的，在他眼里人家的苦恼都无非是一场儿戏。'呀！青年，青年，'他宽容地说道，'毕竟，一个人不会因此死去。''因为什么死去？'我飞快地问他。'因为害怕。'他说明他的意思，一面啜他的酒。

"我看出他受伤的那只手最后三个手指是僵的，不能够分开来各自活动，所以他举杯时候只好一把抓起酒杯。'一个人总免不了害怕，不管他先前说得多么好听；但是……'他很笨地放下酒杯，'恐惧，恐惧——你看——总在这儿！'他指他胸前一粒铜扣旁边的地方；吉姆从前向我申明他的心脏绝没有毛病，捶的也就是这个地方。我想我大概露出反对的神气，因为他一再坚持：'是的！是的！一个人尽可以随便说，一个人尽可以随便说，说得天花乱坠；但是结果算起来，一个人并不比其他任何人更聪明——也不会更勇敢。勇敢！那也不过是说得好听罢。我走遍天下，处处白刀子进去红刀子出来(roulé ma bosse，法国俚语，打仗的意思)，'他十分严肃地说出这句俚语，'我也结识了勇敢的好汉——鼎鼎大名的！Allez![①]'他随便喝酒，'勇敢——你以为真是勇敢吗——在军队里——一个人不得不勇敢——这行职业需要的就是这个(le métier veux ça)。对不对？'他跟我讲道理了，'Eh bien![②]他们每个人——我说他们

① 法语：好罢！

② 法语：怎么样！

每个人，假使他是个老实人——bien entendu[①]——都会承认到了某一点——到了某一点——就说我们里面顶有胆量的——只要到了某一点，你总会把一切全放弃了（vous lachez tout）。你活在人世，就不能不承认这条真理——你懂得吗？在某一种的环境之下，恐惧是一定会来的，一个十分骇人的恐惧（un trac épouvantable）。就是那班不相信这条真理的人，还是一样地免不了害怕——怕他们自己。绝对是这样的，请你相信我的话罢。是的，是的……到了我这样年纪，一个人是不会说瞎话的，总是知道得十分明白，才肯说出口——que diable![②]'他说出这些话，身子却一点儿也没有动，好像他光是抽象真理的传话人；但是讲到这里他慢慢旋转他的手指，因此他的态度更加冷淡了，'这是很分明的——parbleu![③]'他继续说，'无论你下了多么大的决心，甚至于一阵简单的头痛或者偶然消化不良（un dérangement d'estomac）就足够……比如，拿我自己来说罢——我本身已经证明过这条真理了。Eh bien![④]我此刻在这儿同你谈天，曾经有一回……'

"他喝干他的酒，又去旋转他的手指了。'不，不，一个人绝不会因此死去。'他决然说道。我一看见他不打算往下说出他个人的故事，真是失望极了；而且，你们知道，那类故事别人又不好意思勉强他说出，因此我更加失望了。我坐着不说话，他也是这样，好像他顶喜欢这样子相对默然；甚至于他的大拇指此刻也不转了。他的嘴唇

① 法语：请你们注意。
② 法语：魔鬼弄的！
③ 法语：好家伙！
④ 法语：怎么样！

突然动起来。‘正是如此，’他和平地重新说起，‘人生下来就是个懦夫（L’homme est né poltron），这真是一个难题——parbleu！否则，做人也太容易了；但是习惯——习惯——时势的必需——你知道吗——以及怕别人瞧见——voilà.[①]一个人因此也只好容忍下去，不露出惊惶的神情了。还有别人的榜样，他们并不比你高明，但是面子上却显得很勇敢……’

“他的声音停住了。

“‘那个青年——你要晓得——并没有得到这些刺激——至少在那个时候。’我向他解释。

“他很能原谅的样子皱起眉头。‘我没有说他有，我没有说。我们所谈的那个青年也许具有顶好的性情——顶好的性情。’他稍微喘气一再重复说道。

“‘我很高兴，看到你对于这件事采取宽仁的态度，’我说，‘关于这件事他自己好像——唉！还觉得很有希望，而且……’

“他的脚在桌子底下擦出响声，我因此停住不说了。他抬起那双沉重的眼皮；我说，抬起——真没有别的话可以描绘出他那样故意睁开眼睛——最后完全睁开给我看了。跟我相对的是两个狭窄的灰色小圈，像两只小钢环，紧围着深黑色的瞳人。从这么庞大的躯体来了一个这么锋利的视线，真叫人觉得极有力量，仿佛看见一把大斧头上有剃刀那么快的刀口。‘请你原谅。’他十分客气说道。他举起右手，身体向前倾斜，‘让我……我坚持一个人也可以好好过活，虽然明知道勇气不会自然而然跑来（ne vient pas tout seul）。这个

① 法语：你看。

自觉不该叫我们慌张，多晓得一些自己的真相不该就使我们觉得不能活下去了……但是廉耻——廉耻，monsieur![1]廉耻……那是非常重要的——那的确是！到底值得不值得活下去，当……'他猛然一冲，站起来了，好比一只牛受了惊吓从草地上爬起，'当一个人没有廉耻了——哎！ah ça! par exemple[2]——我不能提供什么意见，我不能提供什么意见——因为——monsieur——我完全不晓得那是怎么一回事。'

"我也站起来了，大家都努力拿出极客气的态度；我们就相对默然，好像是摆在火炉架上面的一对磁狗。那个家伙真该死！他戳破这个肥皂泡子了。人们的谈话本来随时有感到说也徒然的危险，这个危险此刻降到我们的谈话上面来了，弄得我们说的话全变成了空洞的声音。'是的，'我勉强一笑说道，'但是难道这件事不能够躲得无影无踪吗？'他好像立刻就要反驳我的话，但是一开口，又改变主意了：'这一点也是太微妙了，我无从下判断——是远在我的判断能力之上的——所以我简直不去理会。'他用受伤的那只手的拇指同中指夹着便帽的遮檐，拿在胸前，笨重地向我鞠躬。我也向他鞠躬，我们相对鞠躬，我们非常客气地各将右脚向后移动来行礼；那时有一个最龌龊不过的伙计在旁欣赏，好像他出了钱来看我们演这套把戏的。'伙计，'法国人说，脚又向后移一下，'Monsieur 先生……先生 Monsieur……'他那片粗大的背一出去，玻璃门也就关上了。我看见狂风望南吹刮，把他抓住，顺着风势赶去；那时他的手抱着头，

① 法语：先生！
② 法语：的确！

他的肩膀挡着风，他外套的后面下襟吹得紧贴在他的腿上。

“我又独自坐下来，觉得灰心——对于吉姆那回事灰心。假使你们纳罕为什么过了三年多，那回事还是那样分明在我心头，那么你们必得知道最近我还会见过他。我刚从三宝垄回来，我到那里去装一批运到悉德尼的货，一桩顶无味的事情——我们这位查利所谓我那种合理的交易——在三宝垄我又看到吉姆了，虽然彼此没有谈多少话；那时他在替德准做事，是我介绍的，当水上兜揽生意的伙计。‘我的水上代表。’德准是这样子称呼他。你们真想不出一个更缺乏安慰、更不会带上灿烂火花的生活方式了——除非是替保险公司当说客，波布·斯坦吞那个小子——我们这位查利同他很熟——就尝过这个味道；后来为着救西佛拉船上的一位太太的女仆，反弄到自己淹死的也就是这个人。你们也许还记得——那是一个下雾的早晨，两条船在西班牙海边相撞了。所有的搭客都好好地装在救生艇里面，推到远离大船的地方去了；波布却把他的小艇望大船斜驶去，亲自跑到船面去救那个女人。怎么单把她一个人剩在后面呢？我也说不清；总之，她已经完全疯了——不肯离开大船——死抓着栏杆。救生艇里面的人们看得很清楚这两个人在那里角力，但是可怜的波布在商船服务时候算是一个最矮的大副。据说那个女人穿着鞋子站起来有五英尺十英寸那么高，力气大得同一匹马一样；所以他们老在那儿拉拉扯扯，瞎闹一阵。那个不幸的女人不断地叫喊着，波布有时向下面大声警告他的小艇不要靠近大船。小艇上的一个水手后来告诉我：‘先生，完全像一个顽皮的小孩子跟他的妈妈打架。’这位老头子回忆起来，还免不了匿笑。他说：‘末了，我们看出斯坦吞先生也不去拖那个女人了，光站在一旁，望着她，好像是个看守者。我们后来猜想他大概预料波浪冲来也许会慢慢把她从栏杆上扯开，那么可以给他一个救她的机会了。我们为着自己生命的缘故，不敢驶近大船；过了一会儿，右舷一倾侧，大船就突然沉下去了——“扑通”一声，海水那样把大船吸收进去真有些可怕。我们绝没有见到什么东西，无论活的或者死的，再浮上来。’可怜的波布要到岸上来过活是为着一段恋爱的纠纷，我是这样相信的。他妄想他跟大海完全脱离关系了，以为靠得住可以享受陆地上一切的幸福了；但是结果却当了替保险公司兜揽生意的说客。他有一位亲戚住在利物浦推荐他干这个差事。他常把这行职业里的种种经验告诉我们，叫我们笑得哭起来了。他看见有这样的影响，也觉得很高兴。他胡子长到腰间，像一个矮鬼；他那个短小的身材就用趾尖在我们中间行走，说道：‘你们这班叫花子听起来当然会高兴，随口哈哈大笑；但是干了一个礼拜那类的工作，我那个永生的灵魂就缩小到同一粒枯萎的豆子一样大了。’我不知道吉姆的灵魂怎么样去适应这个新环境——我也没有空去想这些，因为我太忙了，老在那儿设法找些工作，使他可以糊口过活——但是我敢说他那个冒险欲必定感到饥荒了；这行新职业绝对不含有什么东西，可以满足他的冒险欲。看他干这件事真叫人心里难受，虽然他拿出一个顽梗的冷静态度来对付一切；关于这一点我不得不佩服他。我看到他衣衫褴褛地蹒跚走着，我心里老想这也许是那些英雄迷梦的一个责罚罢——他起先追求他拿不起的一种光荣，活该现在忍受这个苦恼。他太喜欢幻想自己是一匹光荣的赛跑的快马，现在落个无声无息地当苦役，像沿街叫卖果子的人使用的驴子；他也干得很好。他把自己埋没在中间，低下头去，绝对不则一声。很好，的确很好——除开某一种怪诞猛烈的爆发，那是当帕特那案子又跳到人们嘴上的那些惨淡时候。不幸得很，东方海上的那段丑事永远活着，老是不能压下去；所以我总觉得还没有把吉姆安顿好，恐怕还免不了操心。

“法国少尉走后，我坐着想起吉姆来，可是我没有连想到德准暗淡清冷的店屋里，不久以前我们就在那里匆匆握手的；我所联想的却是许多年前在将尽的蜡烛的闪光之下，我看着他同我俩坐在玛拉巴旅馆的长廊上，夜的凛冽同黑暗就在他的背后，国家法律的神圣利剑正挂在他的头上。明天——也许可以说是今天？（我们分手时，午夜早已溜过去了）——警察厅那个铁面无情的法官对于凌辱殴击那件案子，定下罚款同监禁期间的处分后，就会拿起可怕的军器，打到他弯下了的颈项。我们夜里的密谈非常像陪一个判决了死刑的犯人最后一晚彻夜的祈祷。他也可以说是个犯人了，他的确是个犯人——我已经一再向自己说过，他是个无法援救的犯人；可是我总希望能够使他免受正式定罪那些刺心的礼节。我并不说我能够解释为什么我有这个希望——我并不觉得我能够；但是假使到了此刻你们还没有得到一个相当的观念，那么我的叙述一定是非常不明了，或者是你们太瞌睡了，不能抓到我的意思。我也不想替自己的道德辩护；这里面并不含有什么道德意味，我只是出于一时的冲动，把白力厄利脱逃的计划——我可以说——照原来那么粗糙的形式——向他说出。卢比是不成问题的——已经预备好了，在我口袋里，专等他用。啊！算做借款，当然是算做借的——假使他想要一封介绍信，给一个能够替他找差事的人（在仰光）……当然！我极愿意帮忙。我第二层房子里也有纸、笔、墨水。当我说话的时候，我已经是巴不得就把那封信写出：日、月、年、早晨二点三十分……请你看着我们多年的友谊，替杰姆士先生找些工作，杰姆士先生是……我甚至于打算用这种恳挚的语气来替他介绍。假使他没有博得我的同情，那么他有个更好的成就——他已达到同情心的源泉了；换一句话说，他打动了我的自私心了，那是个隐晦的、容易激动的情绪。我一点儿也没有瞒你们；否则，我的行动简直是不可解的，世上任何人的行动都不该有那样子不可解；而且——还有一个原因——你们明天准会把我的诚恳连同一切过去的教训全忘却了。在这件事情里，说句粗话，说句精确的话，我是个无可责备的人，但是我这个微妙的自私主意却给这个犯人简单的道德心打倒了。他的确也是自私，不过他的自私有个更高尚的来源，有个更洁净的目的。我晓得，不管我怎么说，他总是非常想经验正式定罪那些礼节；我也不说什么话了，我觉得辩论起来，他年轻的意气会很有力地把我压倒；我所认为用不着谈的道理，他却肯牢牢相信。他那个没有说出、差不多还未想好的热烈希望的确带有良好的成分。'跑开！这个办法我简直不敢想。'他摇头说道。'我自己情愿帮忙，既不要，也不预期你有什么感谢。'我说，'你什么时候方便就可以还这笔款，而且……''你待我真好。'他低声说，头也没有抬起来。我仔细观察他，他一定觉得将来是渺茫得可怕；但是他一点儿不迟疑，仿佛他的心真是什么毛病也没有的。我生气了——那天晚上这也不算是第一次生气。'我想这件凄惨的勾当，'我说，'在你这种人眼里必定是够辛酸的……''是的，是的。'他向我一再耳语，他的眼睛注视着地板，这种情境真是叫人心裂。他高高站在灯光上面，我能够看出他颊上的毫毛，他光滑的脸皮下涨着热血。不管你们信不信，我说这种情境真叫人气得心裂，我因此凶起来了。'是的，'我说，'请让我告诉你，我完全想不出这样舐到杯底的苦味于你会有什么好处。''好处！'他从静默里喃喃地说。

‘我肯死去，假使我想得出。’我愤愤不平地说。‘凡是能够说出来的话，我已经全告诉你了。’他慢慢地继续说，好像正在冥想一些无法得到答案的问题。‘但是，究竟这是我的烦恼。’我张开嘴正要反驳，忽然觉得我完全失掉自信力了；他仿佛也对我绝望了，就独自喃喃，好像一个人半出声地对自己说话：‘到……到医院里面去了……他们没有一个人肯来受审……他们……’他稍微移动他的手，含有轻蔑的意思，‘但是我不得不来承当，我必不可躲避……我也不愿意有什么躲避。’他不说话了。他注视着，好像给一个鬼迷住了。他那不自觉的脸就反射出藐视、失望、决心种种转瞬即逝的表情——接连反射出来，像一面照妖镜照出打面前滑过去的妖精的形状；他是在虚伪的鬼怪同严肃的幽灵中间过活。‘啊！别胡说，我的朋友。’我开口说，他不耐烦的样子动一动。‘你好像不大了解我，’他干脆说，然后睁开眼睛望着我，连睬一下也没有，‘我可以跳下去，但是我绝不肯偷逃。’‘我并不想惹你生气，’我说。我真傻，还加上一句，‘比你还强的人有时也觉得逃走是最方便的办法。’听到这句话，他满脸涨红；那时我一慌张，几乎给自己的舌头窒塞了。‘也许是这样，’他末了说道，‘我还没有那么强，我经不起这样干。我不得不把这件事打倒——我现在正跟这件事相斗。’我从椅子里站起来，觉得全身都僵了。当时的寂静真叫人难受，为着要打破这种空气，我想不出别的好办法，只得用一种不在乎的口吻说道：‘我不知道已经是这么晚了……’‘我敢说对于这事件你一定觉得很腻了，’他粗鲁地说道，‘告诉你一句真话，’他开始向四面寻找他的帽子，‘我也是一样的。’

“好罢！他拒绝了这个唯一的援助。他劈开了我这只帮忙的手，他现在正预备走去，栏杆外面的夜色好像很沉静地等候他，仿佛已经看定了他，将要一下子把他抓去了。我听到他的声音：‘吓！在这儿。’他找到他的帽子了。有好几秒钟，我们两个人都在犹豫着。‘你打算怎么办？当——当……’我很低声问。‘大概是鬼混去罢。’他硬声硬气地含怒答道。我已经有几分恢复常态了，想一想最好还是不去理这句话。‘请你记住，’我说，‘在你离开此地之前，我很想同你再会一面。’‘这当然可以，我就不晓得会有什么阻碍。那件该死的勾当并不会使我隐形，’他沉痛万分地说道，‘没有这么好的运气罢。’我们分手的时候，他向我结巴着说不出话来，很有不知道怎么办才好的样子，现出踌躇不安的神气，那样子一团慌张真叫人看着心里难过。愿上帝赦宥他——也赦宥我罢！他那个喜欢胡思乱想的脑子忽然想起恐怕我不大愿意同他握手，这个念头真是可怕到不能用言语形容了。我相信当时我向他大声呐喊，好比看到一个人快要走下峭壁，你会乱嚷起来。我记得我们一齐提高声气，他脸上现出一个可怜的狞笑，拼命把我的手一抓，接着是一声狂笑。蜡烛冒烟了，这下告别的礼节也就算完结了，从黑暗里传来一声呻吟。他设法走开了，夜色把他整个人吞进去了。他真是一个可怕的笨手笨脚的人，可怕的。我听到他的皮鞋踏着石子发出来的‘砾砾’声，他正在飞跑。绝对是飞跑，却没有什么地方可去，那时他还不到二十四岁哩。”

第十四章

“那天晚上我睡的时间很少，匆匆忙忙用过早餐，稍稍踌躇一下，就决定今早破例，不到船上去视察了。我这个举动真是很不对的，因为我的大副虽然在各方面都可以算做一个好男儿，却给他自己的胡思乱想糟蹋了；假使在预先料定的时候没有得到他妻子的来信，那么他就会生气妒忌到发疯，弄得对于一切工作都摸不着头绪；还跟船上所有的水手吵架，不是一个人关在卧室里去呜咽，就是大发脾气，几乎使水手们要合伙造反了。我一向总不能够了解这种情形；他俩已经结婚十三年了，我曾经瞥眼看他太太一下，说句老实话，她长得那么不好看，我真想不出天下会有一个男人放荡到那样地步，居然肯为着这样的女人投身到罪恶旋涡里去。这个意见我老没有向可怜的塞尔芬说出，我也不知道我该不该这样不则一声。那个人真是把自己关在一所小规模的人间地狱里面，我也就间接受害不浅；但是一些无谓的客气，绝对是无谓的，拦住我的嘴了。海员跟妻子的关系的确可以做一个有趣味的题目，我能够告诉你们许多例子……但是此地此刻我们谈的不是这些事情，我们说的是吉姆——他却是个还未结婚的人。假使他的古怪良心同他的自尊心，假使荒谬的妖精同严肃的幽灵——这全是对这个青年不利的密友——都不肯让他从斩头木砧上逃开，那么跟他自然说不上怎么亲密的我却非常想去看他的脑瓜滚下来。我到法庭去了。我本来不希望会怎么样子深为感动，或者大开眼界，或者觉得有趣，或者甚至于吓了一跳——当我们还活在世上的时候，间或一次又热闹又带劲的惊慌，总该算个很有益的训练罢；但是我也没有预料到我心里会那么难过。他的责罚最刺心的一点是在于当时那种冰冷的、下流的气氛。他所犯的罪真正的意义是他对于人群失了信用了，从这个观点看来，他并不算个无关重要的奸贼呀；但是他的处分却是暧昧得很。没有高筑的刑台，没有大红的刑衣（他们有没有大红的刑衣藏在塔山上面？他们倒应该有），没有看到他的罪恶害怕得战栗，看到他的命运伤心得流泪的吓昏了的群众——也没有报应分明的凄惨气象。当我走着的时候，我看见明亮的阳光，那是太热烈了，不能够给人以安慰；大街上到处是一块一块乱七八糟的杂色，好像一个破碎了的万花筒：黄色、绿色、蓝色、耀眼的白色，露出来的棕色肩膀，有红色布罩的牛车，一队穿着褐色衣服的本地步兵，头发乌黑，脚上穿一双满是尘土、有纽带的长靴，整整齐齐向前走着。一个本地巡警穿着剪裁得太小的暗色制服，腰间围上一条漆皮的带子，拿一副东方人特有的乞怜眼神望着我，仿佛他那个漂泊的灵魂很感到苦痛，因为跑到这个预料不到的——你们怎么说呢——天神一般的——化身旁边去。法庭的院子里有一棵孤单的大树，阴影底下坐了跟凌辱殴击案子有关系的村民，他们穿着颜色鲜明的衣服，看起来好像一本东方游记里五彩石印的野宿图，只差前景里那个不可少的一缕炊烟同一群吃草的驮兽。后头有一面光溜溜的黄色土墙高耸着，俯视这棵大树，反射出太阳的光辉。法庭里面却是阴森森的，因此更见庞大了。风扇在黯淡的高处急促地摇来摇去，摇来摇去。这儿那儿我们可以看见一个围着布的人，在光秃秃的四壁的衬托下，显得矮多了；他们分毫不动地坐在一排一排空凳子中间，好像都沉在虔敬的默想里面去了。挨打的原告是个朱古力脸色的胖子，剃着光头，肥胖的胸膛一半露出，鼻梁上有个鲜明的标记，庄严地兀坐不动；只有他的眼珠子闪烁着，在沉闷的空气里打滚，他的鼻孔呼吸时候一张一翕可来得很凶。白力厄利落到坐位上，极疲倦的样子，好像整个晚上他都在煤屑铺成的跑道上跟人们赛跑的。虔敬的帆船船主显出兴奋的神情，种种举动都带了不安的色彩，好像费了很大的劲才能够把自己压住；否则会站起来，诚恳地劝我们祷告上帝，痛改前非。法官精细灰白的头从梳得很整齐的头发下面露出来，像一个已经绝望了的病人的头，经人梳洗过后放在床铺上的。他将花瓶——一束紫花，还杂有长杆的红花——推到一边，双手抓着一张浅蓝色的长方形纸，眼睛向纸上一溜，前臂搁在桌子边缘，就用平淡清晰的随便口气大声念出来了。

“天呀！虽然原先我很傻，想到了刑台同滚下来的脑瓜——请你们相信，那天我所看见的却比斩头还要坏，真是更坏得无数倍了。那天的情境有个永远不散的乌云罩着，还不如斩头那么痛快；斧头一下去，接着就有休息同安全的希望了，使观众的心境会松活起来。那天的处置有死刑的宣布那么冷酷，那么咬牙切齿的样子，同时又有流徙的判决那么残忍，那么叫人焦心。那天早上我就是这样看法——甚至于到此刻我还觉得我这种小题大做含有一点不可磨灭的至理，从这一点你们就可以想出我当时的印象是多么深刻了。也许就是因为这个缘故，我总不能够叫自己承认这件事情算已经了结了；这件事却老在我心头，我总想打听各方面的意见，好像实际上这回事还没有解决，个人的意见——国际的意见——天呀！比如那个法国人的意见。法国人的意见是用那种冷静的、明白的词句说出来的，仿佛从一个机械的口里出来，假使机械也会发言的话。法官的头有一半给那张纸遮住了，他的双眉却好像是大理石塑的。

“法庭先讨论几个问题。第一个是那条船原来是不是各方面都没有毛病，很可以胜任那次航行？关于这个问题，法庭的结论是那条船并没有那么健全。第二个问题，我记得，是一直到遇险时候止，他们有没有尽了海员应有的小心，好好驾驶那条船？关于这个问题，法官答个‘是’字，他们怎么会这样满意呢？那大概只有上帝才晓得罢。跟着他们就宣布没有找到什么东西能够证明出这次遇险的真正原因，也许因为碰上一只漂流着的破船罢。我记得那时有一条装松脂、走外洋的挪威小帆船失踪了，正是这种船最容易一遇见风浪就颠覆过来，一连好几个月漂流着——可说是海上的伥鬼，到处巡行，打算在黑夜里来杀害海上的船只。这类游尸大西洋的北部很常见，海上一切的恐怖都聚集在那儿——密雾，冰山，存心捣乱的破船同凶恶的长风，那种风跟僵尸一样抓着人不放，一直等到人们的精力用竭，人们的希望也消散了，剩下来的仿佛只是一架空壳。但是在东方——在这些海面上——这类的遇险却很少见，所以这回事好像是一个恶魔故意安排的；可是除非他的目的在于要杀死那个傻货同时把吉姆弄到求死不得，他这下捣鬼真可算做绝无意义的瞎闹。我心里一想起这个意思，就没有那么注意去听了。有一会儿，我光听见法官说话的声音；可是过一下子，他的声音又变成明白的字句：

‘完全不顾他们最大的责任。’那个声音说。下面一句话我又没有听到，然后，‘危险时候，他们各自逃生，完全不管那些应归他们负责的人命同财产……’那个声音淡淡说下去，也就停住了，灰白色的额头下面有一双眼睛刚刚从那张纸的上边射出凶猛的目光。我赶紧看吉姆一眼，好像预料他会躲得无影无踪了；他却分毫不动，还在那儿。他坐着，漂亮的脸盘十分红，极端注意地听着。‘所以……’那个声音开始加重语气说道。吉姆张开嘴唇，睁大眼睛，整个人专心细听坐在桌子后面的那个人说的话；那些话给风扇的风吹到静寂里面去了。我注视这些话对于他会生什么影响，因此我只听到一部分的判词：‘法庭……船主考斯道夫某某……德国人……詹姆士某某……大副……以前的证书不生效力了。’一阵的静寂。法官放下那张纸，斜倚在椅子靠手的地方，跟白力厄利随便谈天。人们开始走出去了，有的挤进来，我也向大门走去。当我站在外头的时候，吉姆望大门走来，经过我身旁，我就抓住他的手臂，将他留下。他给我一个眼色，使我很难过，好像他现在的地位该由我来负全部的责任；他望着我，好像我是罪恶的化身。‘总算完了。’我结巴说。‘是的，’他答道，呼吸有些困难，‘现在谁也不要再提……’他一扯，他的手臂就从我手里滑出去了。他走去以后，我望着他的背；那是一条长街，过了许久我还瞧得见他。他走得倒还慢，两脚有些叉开，好像觉得不容易笔直站着。刚在我快瞧不见他的时候，我仿佛看见他有点站不稳的样子。

“‘一个汉子摔到大海里头去了。’我后面有一个沉重的声音说道。我转过身子，瞧见一个我有点认得的西澳大利亚人。支斯得尔是他的名字，他也正在看吉姆。他的胸膛非常大，粗糙的脸刮得很干净，带着桃花心木的颜色，上唇边翘起两簇细长密生的铁灰色胡子。他当过商人、采珠人、打捞难船货物的人，我相信他还当过捕鲸鱼的人；据他自己说——人们在海上能做的种种勾当，他全干过了，除非是当海盗。太平洋的南部同北部是他原来觅食的所在；但是为着要购买一只便宜的汽船，他就跑到这么老远来。他最近在某地方发现了——他自己这样说——一个有海鸟粪的孤岛，但是船只不容易靠近，而且那里抛锚的地方至少总说不上安全。'简直跟金矿一样的值钱，'他会喊道，'就在窝尔坡尔暗礁中间。假使那里邻近你真找不出一个四十㖊以内的抛锚地点，那有什么关系呢？不错，那儿还有飓风；但是那个东西的确可算做上等货，简直同金矿一样的值钱——还要值钱哩！可是那班傻子没有一个能够看清这一点。我找不出一个船主或者轮船公司老板肯把船驶近那个地方，所以我决定自己来运这堆天赐的好东西……'他要买一只汽船也就是为着这个用处；我知道那时他正同波斯的拜火教徒开的一家公司交涉得很上劲，要买一只儿十马力、两桅方帆、属于过去时代的残破旧船。我同他相遇谈过好几次，他很深刻的样子望着吉姆。'为着那件事气得心痛？'他现出轻蔑的神气问道。'很痛心。'我说。'那么，他这个人可说没有多大出息了，'他提出他的意见，'哪里用得着这样慌张！不过是一小块驴皮做的证书罢了，那张东西从来没有叫人发过财。你们对于天下事物必得看出真相——否则，你们还是立刻宣布自己的失败好罢。在这个世界上你们绝不会有什么成就。你看我，我向来不为着什么事情心痛。''是的，'我说，'你能看出事情的真相。''我希望我能够看见我的伙计到这儿来，我想的就是这件事。'他说，'你认得我的伙计吗？鲁滨孙那个老头子。就是那个鲁滨孙，你认得他吗？那个声名狼藉的鲁滨孙。他年轻时候专会偷运鸦片同捕杀海獭，恐怕此刻活在世上的瞎闹水手没有一个赶得上他。据说他常坐在捕海獭的双桅船上，向阿拉斯加驶去，当时的雾密得只有上帝才辨得出一个个人形。天地所不容的鲁滨孙。就是那个家伙，他跟我合伙来做海鸟粪这桩生意，可算是他一生里最好的机会了。'他拿嘴唇凑近我的耳朵，'吃人的生番——啊，许多年前，他们常常这样称呼他。你还记得那段故事吗？斯条亚岛的西岸有一条海船破了；不错，七个水手一同到岸上去，他们仿佛不十分和睦。有些人太狠心了，简直无法对付——他们不懂得怎么样从恶劣的境遇里想出最好的补救办法来——没有看清事情的真相——真相，我的孩子呀！那会有什么结果呢？还用得着说吗！一阵阵的不幸接连发生，免不了打在他们的头上，真是活该。那班人只有死了才是最有用。据说有一艘英国军舰乌尔外因的小艇发现他跪在海草上，赤条条的，像初生下的婴儿，正在唱一种什么赞美诗的调子，当时下着微雪。他一直等到那只小船驶近岛岸，只隔一桨远的时候，才站起来，跑了。他们踏着高高低低的漂石追赶他，整整花了一个钟头；末后一个水手掷一块石子，侥幸得很，刚好打中他的耳朵后面，把他打得不省人事了。岛上光剩下他一个人吗？自然；但是这个故事正同起先说的捕海獭的双桅船一样，只有上帝才知道真正的情形罢。小艇上的人们也不大追究他从前的经过，他们用一块船布把他裹起，赶快将他运走。黑夜已经来临了，天气也变得凶恶起来，大船上每隔五分钟就发出一声召回的号炮。三礼拜后他完全复原了，不管岸上人怎么样麻烦他，总不能够叫他焦急；他光闭紧嘴唇，让人们嚷去。船破了，他所有的财产全漂去了，这岂不是已经够坏了吗？哪里还用得着去理会他们骂他的话？这个人跟我正合适。’他举起手臂向大街下边某一个人招呼，‘他有些钱，所以我不得不让他来合伙。不得不！找出了这么一笔宝贝，却肯随便扔掉，真会开罪于上帝呀！可是我的钱已经用完了。想起来的确叫人难过，但是我能看出事情的真相；假使我必得跟人合伙——我想——假使必得跟别人合伙，那么还是跟鲁滨孙好些罢。今天早上在旅馆里用完早餐后，我离开他，独自到法庭来，因为我想……呀！祝你早安，鲁滨孙船主……这是我的朋友，鲁滨孙船主。’

“一个形容憔悴的老人非常匆忙地踉踉跄跄穿过大街，来跟我们在一起，就用两只手支着伞柄，颤巍巍站着。杂有琥珀色的雪白大胡子一直垂到腰间，身上穿一套白色的制服，头上戴一顶绿边缘的古怪帽子，他那双满是皱纹的眼睛惊奇地向我眯视。‘你好吗？你好吗？’他尖声问道，态度和蔼可亲，身体稍微颤动着。‘有点聋了。’支斯得尔低声告诉我。‘你把他拖到六千英里远的地方，单为着要买一只便宜的汽船吗？’我问他。‘我一看见他，就肯带他环游世界两周，’支斯得尔顶用劲地说，‘那只汽船会叫我们发财，我的孩子呀！该诅的澳大拉西亚找不出一个明白的船主同轮船公司老板，个个都是那样傻得要命，这难道也该算我的错处吗？有一回我跟奥克兰地方一个人一连谈了三个钟头。“你派一条船出去，”我说，“你派一条船出去。第一次运来的货我愿意分一半给你，白送的，绝不要你的什么——无非做个好开场罢。”他说，“假使地上只剩了这么一个港口可以去船，我还是不肯干这件事。”当然是个十足的蠢货。危险的岩石同潮流，没有抛锚的地方，要把船停在峭壁底下，没有一个保险公司肯冒这个险；而且他想最少要三年工夫才能够把货物装好。蠢货！我几乎跪下去向他恳求。“但是你得看清事情的真相，”我说，“危险的岩石同风浪，管他妈的！请你看清事情的真相。那里有海鸟粪，苦因士兰栽甘蔗的人会争着要买——在码头上就会打起架来，我告诉你。”你对于一个傻子会有什么办法呢？“这是你平时爱说的那种笑话，支斯得尔。”他说。笑话！我简直会哭出声来。你不信，你可以问这位鲁滨孙船主……还有一个轮船公司老板——住在惠灵吞地方，穿着一件白背心的一个胖子。他仿佛觉得我要向他要什么把戏，“我不知道你要找哪一种傻瓜，”他说，“我现在正忙着哩，再见。”我真想双手抓着他，将他从他办公室的窗子里扔出去；但是我并没有这样干，我却温和得像一个副牧师。“请你仔细想一想，”我说，“千万请你仔细想一想。明天我再来拜访你。”他猪叫也似地含糊说道，“整天不在家。”当我走下楼梯的时候，我焦急得几乎把脑瓜儿向壁头撞去。这位鲁滨孙船主就能够告诉你。想起来真叫人痛心，那么可爱的肥料白白放在阳光底下当废物——那种肥料一用下去，甘蔗就会冲到天上去。苦因士兰人也发财了！苦因士兰人也发财了！在比利斯本，我最后到那里去试一试，他们叫我做疯子。傻家伙！我所碰见的唯一懂事的人却是给我赶车的马车夫，我猜他是个破落户。呀呀！鲁滨孙船主，你记得我向你谈过那个车夫，我在比利斯本时候雇用的——你记得吗？那个汉子眼光真不坏，一霎眼就看穿了。跟他谈话的确是件乐事。一天晚上，跟那班轮船公司老板鬼混了整天，我觉得万分难过，我说，“我非喝酒不可。赶快，我非喝酒不可，否则我会发狂了。”“我可以替你效劳，”他说，“去罢。”我不知道假使没有他，我会弄到什么地步。呀呀！鲁滨孙船主。’

“他轻轻敲他伙计的肋骨。‘嘻！嘻！嘻！’那个老人大笑起来，糊里糊涂望着大街的那一头，然后用一双悲哀的、模糊的眸子来偷看我……‘嘻！嘻！嘻！’……他更沉重地倚着伞，眼睛注视地面。我用不着告诉你们，我想跑开已经有好几次了；但是每次都让支斯得尔挡住，他拉着我的衣服：‘再等一分钟，我有个主意。’‘你那个鬼主意到底是什么呢？’末后我冒火了，‘假使你以为我会跟你合伙……’‘不，不，我的孩子呀！太迟了，不管你多么想加入，我们已经有一条汽船了。’‘你有一条汽船的影子罢了。’我说，‘做个开张总可以——我们并不怎么样故意苛求。是不是，鲁滨孙船主？’‘并不！并不！并不！’那个老人头也没有抬起来，‘咯咯’说道。他是这么坚决，老年的脑袋几乎有一点儿颤动得太厉害了。‘我知道你认得那个小孩子。’支斯得尔说，头向大街上一点，吉姆早已从那条街上走去了，‘昨天晚上，他在马拉巴旅馆同你一块儿吃东西——我听见人家说。’

“我说那是真的；我还说吉姆倒想规规矩矩地好好过活，可是现在他却不得不节省，每用一便士，都得小心。‘也不会有很多的便士用罢！对不对，鲁滨孙船主？’他耸一下肩膀，捋一下自己那一大片的胡子；那时声名狼藉的鲁滨孙在他旁边咳嗽，比以前更牢固地抓着伞柄，好像打算懒洋洋软下去，变成一堆老骨头了。‘你看，所用的钱全归这个老头子出。’支斯得尔低声告诉我这句衷肠话，‘为着要运那些该咒的东西，我已经把钱用光了；但是等一会儿，等一会儿，好日子快到了！’他对于我那种不耐烦的神情好像忽然觉得惊奇，‘啊，哎呀！’他喊，‘我正在告诉你一件空前的大事，你却……’‘我有个约会。’我温和地替自己辩解。‘那有什么要紧？’他真有些纳罕的样子问道，‘让他们等着罢。’‘我现在就是这么办，’我说，‘你先把你的意思告诉我岂不更好吗？’‘买下二十所这样的旅馆，’他怒汹汹地向自己说道，‘请个个会说笑话的人都到里面去住——比这个大二十倍。’他一下子抬起头来，‘我要那个年轻的人。’‘我不懂你的意思。’我说。‘他没有什么用处，是不是？’支斯得尔干脆说道。‘我一点儿也不明白。’我声明。‘哎呀，你不是亲口告诉过我他很痛心？’支斯得尔驳道，‘呀，据我看来，一个年轻人已经……无论如何，他总不会有很大的用处；但是你看我正需要一个人，我有一种工作，他干起来倒顶合适。我打算找他到我岛上去办事。’他含有深意的样子点一下头，‘我要派四十个苦力到那个岛上——找不到，我就设法去偷。总得有人去料理那些肥料呀。啊！我打算大大方方干一下，木头盖的小房屋，波浪形的铁板铺的屋顶——我认得有一个人住在哈巴特，他肯赊给我这些材料，让我挂账六个月。我真有这种打算，我敢拿我的名誉做担保；还有饮料，我也要设法供给。我要到处去找一个肯赊我半打旧铁桶的商人，我打算盛雨水吃。你看怎么样？让他去管理一切，请他做苦力的最高监督，这岂不是一个好主意吗？你有什么意见没有？’‘可是，有时整年没有一滴雨水落到窝尔坡尔暗礁上。’我说，其实我太吃惊了，简直不能够笑出声来。他咬一下嘴唇，好像心里觉得很不耐烦：‘啊，没有什么关系。我要替他们安些什么东西——或者运淡水给他们喝。别谈这些话！问题不在这一点。’

“我一句话也不说。我好像一瞥眼看见吉姆站在不毛的岩石上，海鸟粪一直堆到他的膝头，海鸟的叫声回旋在他的耳际，灼热的日球高挂在他的头上；空旷的海天都在颤动，凡是眼睛看得见的地方全是热得慢慢沸滚起来了。‘就是我顶大的仇敌，我也不劝他……’我开口说。‘你到底是怎么一回事？’支斯得尔喊道，‘我打算给他很高的薪水——那自然得等到我们开工的时候。他的工作容易得很，好像从木头上跳下来，简直用不着干什么事，光是腰带上绑两把六响的手枪……他绝对用不着怕那四十个苦力会闹什么乱子——他有两把六响的手枪，而且是岛上唯一有武器的人！这个差事其实比人们所推想的还要好得多。我要你帮我去劝他。'‘不行！’我大声嚷。鲁滨孙那个老头子将他那双烂眼悲哀地睁大了一会儿，支斯得尔带有无限的鄙视神气望着我。‘那么，你不肯去劝他吗？’他慢腾腾说出。‘绝对不。’我答道，肚子里非常生气，仿佛他要我帮他去杀害一个人，‘而且，我敢说他也不会干这件事。他的境遇虽然很窘，可是据我所知，他还没有发狂。’‘他在世上真没有什么用处，’支斯得尔大声自言自语，‘他跟我做事是最合适不过的。只要你能够看出事情的真相，你就会知道他找不出一个再适当的差事了；而且……是呀！这是个绝妙的、顶靠得住的机会……’他忽然大发脾气，‘我非有一个人不可。你看！’他跺脚，现出难看的笑脸，‘无论如何，我可以担保那个岛一定不会从他脚下沉下去——我相信关于那一点他准会有些戒心。’‘再见。’我冷冷说道。他眼睛盯着我，仿佛我是个不可了解的傻子……‘我们得走了，鲁滨孙船主，’他突然向那个老头子的耳朵大声喊道，‘那班波斯的拜火教徒正等着我们去确定那桩买卖。’他从胳肢窝下面紧紧抓住他伙计的手臂，将他一下子拉过去，忽然掉过头来向我斜视，这真是出乎意料。‘我刚才完全是一番好意，想帮他忙。’他说，那种神气，那种声调的确叫我的热血滚起来了。‘一点也不感谢——我可替他声明。’我还嘴了。‘啊！你真精灵，简直同魔鬼一样，’他冷笑一声，‘但是你也正同他们那班人一样，眼睛给乌云罩住了。我倒要看一看你能够替他想出什么办法来。’‘我自己就不知道我有跟他办交涉的意思。'‘你不知道吗?’他口水乱溅,灰色的上髭气得翘起来了。那个声名狼藉的鲁滨孙靠着伞柄,背朝着我,站在他身旁,非常沉静、忍耐,活像个没有气力的拉马车的老马。‘我并没有发现一个有海鸟粪的岛。’我调侃他。‘我相信你也不会认得那样一个岛,就说有人牵着你的手,一直带你到那样的一个岛上;’他立刻跟我针锋相对,‘可是在这个世界上,你总得先看出一件东西,然后才能够利用;总得彻底看清,差一点儿都不行呀。’‘还得叫别人也看清。’我讥讽他,同时向他身旁那个弯下的背脊飞一眼。支斯得尔对着我哼了一声:‘他的眼睛很好——你尽可以不必担心。他并不是只小狗。’‘啊呀,不是!’我说。‘我们走罢,鲁滨孙船主。’他对着老头子的帽檐喊道,带有一种蛮横的恭敬态度。‘天地所不容的人’倒很听话,就往前稍微跳一下。汽船的影子正在等候他们,‘幸运’也在那个美丽的小岛上期待着。他们真是一对古怪的寻金的人。支斯得尔态度从容,大踏步走着,目空一世,一个胖大的躯体,脸上现出得胜的颜色;那个老人却是个高身量儿,憔悴不堪,弯着身子,钩在他的手臂上,一步一拖地迈动干枯的两腿呆板板地拼命赶快向前追。”

第十五章

“我并没有立刻就去找吉姆，无非因为我的确有个不能忽视的约会。不幸得很，在我的代办处，我碰到一个新从马达加斯加来的汉子，他抓着我，一定要告诉我关于一桩奇怪买卖的小计划。那个计划牵连到牲口、弹药筒同一位大概叫作拉芬那罗的王爷；但是里面最大的关键却在于一位海军上将的糊涂——我想是皮耳上将罢。一切事情全看这一点为转移；那个汉子却十分有把握，仿佛觉得找不出一个力量够大的字眼来形容他的自信力。他那双小球形的眼睛从脸上鼓起来，射出暗淡的光辉；他的前额长有一个肉瘤；他的长头发一直望后梳去，并没有向两边分开。他得意地向我重复说出一句他特有的口头话：‘最少的危险，最大的利益，这是我办事的规则。你看怎么样？’他使我头痛，吃不下点心；可是他却骗了我一顿点心，好好吃下去了。我一将他摆脱开，立刻就到水边去。我瞧见吉姆倚着码头的栏杆，他身旁有三个本地船夫为着争五个小钱大吵一阵。他没有听见我走上来，但是一下子转过身子，好像我的手指轻轻一触，有一把梢键松开了。‘我正在旁观着。’他结巴着说道。我记不清我说了什么话，总不会很多罢；但是他并不为难，就跟我到旅馆去了。

“他跟着我，随便听我调度，好比一个小孩子；他带一种服从的神气，脸上没有什么表情，仿佛他在那儿正等我上来将他带走。其实，对于他这种驯良，我也用不着这样纳罕。在这个有些人觉得那么大、其他人却以为比芥子还小的地球上面，他却找不到一个地方可以——我怎么说才好呢——可以藏身。真是如此！他想躲起来——独自守着寂寞。他在我身旁很镇静地走着，向这儿那儿望一望，有一回掉过头去看一个西笛波欧的救火夫，那个人穿一件对襟褂同浅黄色的裤子，黑脸上有一缕一缕的丝光，好像是一块无烟煤。我却怀疑他有没有看见什么，甚至于知道不知道这些时候我同他在一起；因为假使没有我到这里慢慢推他向左边转，到那里轻轻拉他向右边拐，我相信他准会不管方向，一直往前走去，直到给一堵墙或者其他的障碍物挡住了。我带他到我的卧室去，我立刻坐下开始写信。世界上只剩了这么一个地方（除非是窝尔坡尔暗礁——但是那地方没有这么近便），在那里他能够前前后后仔细想一想，不会再受世人的打扰了。那桩该死的勾当——的确像他从前所说的——并没有使他隐形；可是我的行动却好像他真是肉眼看不见的。一坐到椅子上，我就对着写字台弯下身子，像中古时代一个抄书的僧侣，单是执笔的手悄悄动着；此外可说是万分地肃静，只怕会有什么声响。我也不能算吓住了；可是我的确一动也不动，好像房里有个危险物，只要我这方面有一些活动的样子，就会生气，一下子扑到我身上来。我房里并没有多少陈设——你们知道那类的卧室照例是什么样子——一架四条柱的床铺，上面挂了一顶蚊帐，两三张椅子，我写字用的那张桌子，以及光露的地板。一扇玻璃门通到楼上的走廊，吉姆就对着这扇门站住；他不能有个更清静的所在了，但是他还觉得时光不容易挨过。暮色降临大地，我点了一支蜡烛，不敢多动一下，那种小心的样子，仿佛我干的是件违法的事情。他必定觉得时光不容易挨过，我也正同他一样；甚至于，我不能不承认，希望他给魔鬼抓去了，最少也得在窝尔坡尔暗礁上面。有一两下我想恐怕只有支斯得尔才能够直截痛快地料理这么一个不幸的事情。那个古怪的理想主义者立刻找出一个实用的办法——好像他是绝不会错的，真叫人疑心他的确能够见到事情的真相，虽然在想象力不及他的人们看来，那些事都是神秘的、毫无希望的。我写了又写，把我所欠的信债完全还清了，还是望下写去，写给那班万想不到会从我这里得到一封拉拉扯扯、说一大堆闲话的平常信的人们。有时我斜着眼睛偷看他一眼，他站在那儿，生了根似的；但是一阵一阵的寒战从他的背脊滚下，他的肩膀就忽然耸起来了。他正在挣扎着，他正在挣扎着——看起来，好像多半是因为出不了气。蜡烛直立的火焰一照，他那个庞大的影子归拢一处，仿佛具有默默含愠的自觉神情；在我这双偷视的眼里，房中不动的家具也有一种倾听的态度了。当我手不停挥地匆匆忙忙写着的时候，我脑子里满是幻想；当我这支笔不在纸上跑的时候，虽然屋子里没有一点儿声响，我却觉得我的思想非常混乱，深深受了骚扰，仿佛听到猛烈的、吓人的怒号——有点像在大海上遇到的一阵狂风，你们里面有些人会晓得我指的是什么——那是焦虑、痛苦、忿怒杂在一块儿，还加上慢慢爬进来的一种丧胆的感觉——自认有这种感觉是件很不愉快的事情，可是也使我们的毅力更见得难能可贵了。我并不是说我有什么本领，虽然看见吉姆这样紧张的情绪，却能够支持得住。我还可以躲到写信里去哩；假使有必要，我尽可以写信给一些陌生人。忽然间，当我正取一张新的信纸的时候，我听到一个低微的声音；自从我们两人关在房子里面，这要算从朦胧的静寂里传到我耳鼓的第一个声音了。我还是垂着头，停着手不动。在病榻旁边看护病人的人们值夜时候在静寂里曾听到过这样的低微声音，那是从痛苦的躯体同疲倦的灵魂中榨出来的。那时他是这么用劲推开那扇门，上面所有的玻璃全震响了。他走来走去，我屏息倾耳听着；可是我自己也不晓得还会听到什么。他的确太把一个无谓的手续当作一回事了，弄得自己非常伤心；其实照支斯得尔严格的批评说来，在一个看清事实的人的眼里，那些判词是不值得一顾的。一个无谓的手续！不过掉了一小张羊皮纸罢了。是的，是的。但是无法走近的鸟粪堆大概又当作别论罢。一个懂得道理的人尽可以为着那回事气得心碎。许多人谈话的声音，杂着银器同玻璃杯的“叮当”声隐隐从下面饭厅里冲上来，我的烛光的外沿射到打开的房门外面，照在他的背上；再远一点儿的地方就是墨黑了。他站在一大片阴森森的景物的边界，好像是绝望的黑海岸旁一个孤零零的人形。窝尔坡尔暗礁就在那儿——一定的——是黑漆虚空里的一点，是快淹死的人可以抓着的一根芦草。我对于他是这么同情，我简直不愿他家里人在这个时候看见他；我觉得我自己看见他已经是够难过了。他不再喘气，背也就不颤动了。他站着，像一条箭那么直，我模糊地可以看见他是沉默着；这个沉默的深意坠到我心窝里，像一块铅坠到水里，弄得我心头非常沉重；有一秒钟，我真希望我眼前唯一的事情是出钱去料理他的出殡。你们看，甚至于法律都不理他了。把他安埋是件多么容易办的善举呀！而且跟人们处世应有的智慧也正相合；那是无论什么东西，只要会使我们记起我们的愚蠢、我们的弱点同我们的末日，只要会使我们失掉做事的效率——比如，我们失败的回忆，我们压不下的恐惧的影子，我们已死了的朋友的尸体——我们都该设法扔在一边，用不着理睬了。也许吉姆真是伤心得太过分了；假使的确如此——那么支斯得尔的聘请……想到这一点，我又取一张新的信纸，开始坚决地望下写去。他跟大海可说只有我一个人挡在中间，我感觉到一种责任的观念。假使我一说话，这个不动的、受苦的青年会不会跳进黑暗的大海——去抓那根芦苇呢？那时我才晓得要发出一个声音有时是多么不容易的事情，说出来的一句话具有一个古怪可怕的力量呢！真是见鬼，为什么不该这样呢？我一再问我自己，我的笔头却老是写着。一下子，从白纸上，刚刚在我的笔尖底下，支斯得尔同他年老的伙计会十分显明、十分完整地涌现在我眼前，摇摇摆摆，做出种种姿势，好像是一个光学玩具反射出来的形象。我会注视他们一会儿。不！他们太荒唐、太瞎闹了，不该走进谁的命运里去。一句话会有很远的效力——很远的——经过了许久时间还会有破坏的能力，同子弹飞过空间一样。我什么话也不说了；他站在外面，背朝着烛光，好像给世上一切看不见的人类仇敌绑住身体、堵着嘴了，一下也不动，一声也不做。”

第十六章

"好的时光快来了，我看见他将受人爱戴、受人信任、受人赞扬，人们只要一提到他的名字，就会说起他的魄力、他的豪勇，仿佛他就是一个英雄。这是真实的——我向你们保证，正像我此刻坐在这儿徒然谈到他的身世一样真实。在他那方面呢，他也有那种才能，只要看到一点儿影子，就会以为他的愿望可以实现了，他的梦想可以完成了，假如没有这些愿望和梦想，世上也就不会有爱人同冒险家了。他在丛林里获得不少的荣誉同一种田园般的乐趣（我不说他过的是丛林里天真的生活），这些对于他已经足够好了，正好比别人在大街上得到了不少的光荣和恬适的乐趣。幸福，幸福——我怎么说才好呢——无论在世界上什么地方，向来是就着一盏金杯一饮而尽！你自己晓得那个味道——只有你一个人晓得，你尽可以随意把这一盏酒弄得多么香甜醉人。他这种人准会痛饮一番，你们从他近来的行事上就可以猜出了。我发现他假如不是真的沉醉，那至少也可说给嘴唇上的香醇弄得双颊发红了。但是他不是一下子就得到这个幸福的。正如你们所知道的，有一个时期，他在货商雇用的那班拉买卖的下流人里有一段见习期，那时他可受了不少苦；我也很担心——好像你们可以说——好像我没有尽我的职务。我不敢说我看见他现在如此辉煌之后是不是就完全放心了，这是我最近一次见到他的情形——很突出，管辖了许多人，跟他所处的环境——跟森林中的生活，那班人的生活——很合得来。我承认深为之感动了，但是我必须对自己承认，这个印象毕竟不能持久。他是受他这个孤立的处境保护，像他这优越地位，当地人只有他一个，他又跟自然有密切的关系，而自然对于爱她的人们向来是这么好相处，一点儿也不苛求。但是我不能够把他这种安全的形象保留在我的眼前。我总是回想起从我开着的房门里所望见的他，那时他看到了失败后当然的结果，恐怕有些痛心得太过分了。我当然很高兴，因为我的努力总归得到了一些好的结果——甚至于有了些光彩；但是我时不时地感到，假如我没有打消支斯得尔那乱七八糟的慷慨的建议，也许对我自己心境的安宁上会有更大的好处。我不知道吉姆那丰富的想象力对于窝尔坡尔小岛——那是水面上最毫无希望的，没有人要的一小块土地——会作何感想；但是恐怕我也无从知道了，因为我必须要告诉你们，那个支斯得尔到某个澳大利亚港口把那条早已不适合航海的两桅方帆汽船修补好后，就带着二十二个水手驶入了太平洋。跟他的神秘命运可能会有些关系的唯一消息是，大约过了一个月左右吹起了一场飓风，人们猜想吹过窝尔坡尔浮滩时也许正赶上这条船。那班探险的人消失得无影无踪了，从一片荒凉里再也没有传来一个声响。完了。在那些充满活力、海浪滔天的海洋中，再没有比太平洋更谨慎、温和的了。寒冷的南极自然能保守秘密，但是比起来却是暮气沉沉，更像坟墓了。

“这种谨慎含有一了百了的意味，那是值得感谢的，我们大概都肯承认这句话——我们所以能够忍受死这个观念，岂不也是由于这个缘故？结束了！完了！这些个有力的字眼使命运的影子不能再在生命之屋里出没了；但是在我回头来看吉姆的成功的时候，这个‘完了’的感觉——尽管我亲眼瞧见了他的情形，他自己也信誓旦旦地请我放心——我却没有得到。我们活在世上一日，总归是有希望，这话不错；但是我们也有恐惧。我并不是说我后悔起先不该那样办，我也不夸张说出了这件事我晚上就睡不着觉，但是我总免不了常想起他把丢面子看得太重了，其实要紧的还是在他的犯罪。我真看——我可以说——看不清他。他这个人的确有些朦胧，我怀疑他自己也看不清楚自己。他有微妙的知觉，细腻的情感，美好的向往——可说是一种升华过的、理想化的自私。他是——如果你们允许我这样说的话——非常微妙的，非常微妙——也非常不幸。一个性格稍微粗糙的人都不会忍受这样的苦痛，他们一定会妥协下去——叹一口气，哼一声，甚至于哈哈大笑一下；一个更粗糙些的人则会一直糊里糊涂，什么也毫无知觉，那么看起来也就是索然无味了。

“但是他的确是太有意思了，或者是太不幸了，不能扔下不管，或者甚至于不该扔给支斯得尔不管。当我坐在那儿，面对那张纸的时候，我就感觉到了这一点，那时他在我房里一面奋斗，一面喘气，那样怪可怕地偷偷挣扎着，才能吐出气来；我在他跑到走廊上的时候感觉到了这一点，那时他好像要投身下去——结果却没有；我在他逗留在外面的时候越来越强烈地感觉到了这一点，当时他在微弱的烛光映照下，站在一片夜色做成的背景前，好像他是站在一片阴沉绝望的大海岸边似的。

“突然一阵沉重的隆隆声使我抬起头来，这阵喧闹声似乎渐渐消失了，接着就有一道强烈的、照出一切东西的眩光射到黑夜盲目的脸上。这个持久的、夺目的闪光好像在天上停留了好大工夫，真是有些不合理。隆隆的雷声越来越响，那时我看见他，黑黝黝的，轮廓分明，呆板地伫立在一片光明的大海岸旁。在最灿烂的时候，‘砰’的一声直冲到天顶上，黑暗就向后跳，他从我那双晕眩了的眼前消失了，好像他已被炸得粉碎。一声狂暴的叹息飘过来，仿佛有盛怒的手扯开灌木丛，摇动着下面的树冠，猛撞着门，敲打着房屋前顶的玻璃窗。他走进来把门关好，看见我正伏在案上写字。我突然非常焦心，几乎都有些害怕，不知道他会说什么话。‘可以给我一支香烟吗？’他问。我头也没抬，把烟盒推了推。‘我想要——要——抽烟。’他喃喃地说道。我变得非常高兴了。‘请等一会儿。’我愉快地哼了一声。他在房里走来走去。‘这算完了。’我听见他说。从海上的遥远地方隐约传来的雷声，就像一声遇险的号炮。‘今年的季风来得真早呀。’他闲谈似地站在我身后的某个地方说。这句话使我有了转过身子的勇气，我刚把最后一个信封写好，就转过身去。他在房间中间贪婪地抽烟，尽管他听到了我转身的动静，但还是背对着我待了一会儿。

“‘来吧——我还混得不错，’他忽然转身说道，‘吃了一些亏——不很多。我不知道将来会怎么样。’他的脸上没有露出任何情感，只不过显得有些暗淡浮肿，好像他一直憋着气似的。我默然看着他，他好像勉强微笑了一下，又继续说下去：‘不过还是要谢谢你——你的房间——方便得很——给我这么一个汉子——好像打断了腿似的。’雨在花园里淅淅沥沥地下着；一个水管（上面肯定有个破洞）

就在窗子外头，发出古怪的呜咽同哗哗的哀鸣，好像故意打趣，模仿凄惨的哭声，有时突然来了一会儿的静默……‘一处避难所。’他含糊说着，就住嘴了。

“一道逝去的闪光从窗户的黑格子里冲进来，又悄无声息地退了出去。我正在想我怎么样去接近他才好，我这回不愿再挨他骂了，他却发出短促的笑声。‘现在简直跟个流氓一样了，’他手指夹着快熄了的烟卷头，‘没有一个——一个，’他缓缓地说，‘可是……’他停住了，外面的雨下得更大了，‘将来非找到一个机会想法完全恢复不可。必须这样才行！’他清晰地向我耳语，睁大眼睛看我的长靴。

“我甚至不知道他这么想再得到手的是什么东西，我知道他这么可怕的念念不忘的是什么东西。想必那个东西所含的意义太大了，简直无法说出。据支斯得尔看来，不过是一张驴皮……他望着我，等着我的答复。‘也许可以办到。如果假以天年，’我切齿说，这种怨恨真没有道理，‘可不要把它看得太重。’

“‘天呀！我觉得好像没什么东西能够伤害我，’他用一种阴沉的自信口吻说，‘如果这件事不能将我打倒，那么不用怕，有的是时间——爬出这个丢脸的地位，而且……’他向上望着。

“我突然觉悟了，懂得了天下那一大群的漂泊者和流浪者都是由他这类人来组成的，这些人日趋堕落，沉沦，沉沦，一直沉到世界所有的深渊中。他一离开我的房间，那‘一处避难所’，他就将坠进去，开始那走向无底深渊的旅途了。我至少没有那么多幻想。前次会面，我觉得言语具有非常大的力量，但是我那时简直怕开口，正好像一个人站在光滑的立脚点上，丝毫不敢动一下，只怕稍一动弹就会摔倒。当我们试图掌握他人最隐秘的需要的时候，我们才觉得人们是多么不可理解，多么摇摆不定，多么朦胧迷离，尽管他们和我们看到同样的星光，感受到太阳同样的温暖。仿佛寂寞是人生一个苛刻而绝对的条件，我们所注目的血肉之躯，只要一伸指头，就会化了，剩下来的是那个反复无常、极度忧郁、一直逃避的精神，那是我们谁都看不见、抓不住的。我之所以不说话，是因为我害怕会失去他，因为我忽然坚信，假如我让他溜进黑暗里去，我永远也不会原谅自己。

"'好吧，谢谢——再次感谢。你真是——哎——非常——我实在找不出话来……非常！我不知道为什么，但是我很肯定。我恐怕假如这件事不是这样残忍地向我猛扑上来，我恐怕不会像以前那样心存感激。因为从心底……你，你自己……'他口吃起来。

"'也许是。'我插嘴道。他皱起眉来。

"'都一样，人得负责。'他像只鹰似的注视着我。

"'这话倒也对。'我说。

"'好罢。我已经随着这事走到底了，无论谁我都不让他来跟我开玩笑，要是这样，我就非——非生气不可。'他紧握着拳头。

"'这真像你这个人。'我微笑着说——上帝知道那是毫无欢意的——但是他讥嘲似地看着我。'那是我的事情。'他说。忽然一种不能遏制的坚决神情浮现到他脸上，随即又消失了，像一片徒然掠过的影子。再一会儿，他又像以前那样，看起来像个陷入困境中的挺可爱的小孩子。他扔掉纸烟。'再见。'他说，好像有一件紧急的事情等着他去做，他在这儿待得太久了；然后有一两秒钟，他一动也不动。滂沱的大雨不断地倾泻下来，仿佛是一往直前的大水，暴怒难遏的雨声，使人想起坍塌下去的桥梁、连根拔起来的树木和下面被掘空了的大山。没有一个人能够挺胸抵抗这个庞大湍急的横流，它似乎要打破、搅动这块昏黑的静土，我们躲在上面，危险万分，犹如在一个岛上。有孔的水管哗哗作响，塞住了又吐出来，水点四下飞溅，真讨厌，大有嘲笑一个挣扎着求生的落水者的意思。‘外面正下雨呢，’我劝他道，‘而且我……’‘不管下雨或天晴。’他粗鲁地说了声，随即又抑制住自己，走到了窗前。‘完全是大水，’过了一会儿他喃喃自语道，他的额头靠着玻璃，‘天也黑了。’

“‘是的，天非常黑了。’我说。

“他以脚跟为轴向后转过身来，走过房间，而且已经打开到外廊去的房门了，我才从椅子里跳起来。‘等一会儿，’我喊道，‘我想要你……’‘我今天晚上不能再跟你一块儿用晚餐了。’他很生气地对我说，一条腿已迈出房门了。‘我丝毫没有打算请你的意思。’我喊道。听到这句话，他把脚缩了回来，但是还是不相信的样子站在门口。我赶紧诚恳地求他不要胡闹，请他快进来，把门关上。”

第十七章

“他终于进来了；但是我相信这大概是因为外面下雨的缘故。那时雨势正下得非常凶猛，可是我们谈话的时候，雨就渐渐停了下来。他的态度十分稳重安详；他的举止就像一个生性沉默寡言的人被一个观念缠住了。我向他谈他现在物质上的情形；我唯一的目的是要救他，把他从堕落、毁灭和绝望中拯救出来，这些危险正在外头等着，打算一下子把一个没有朋友、无家可归的汉子吞进去。我苦口劝他接受我的帮助，所持的理由也很充足，可是每当我抬起头来看他那个干净的、聚精会神的脸，这么严肃，同时又这么年轻，我心里就很不安，觉得我不但没有帮忙，恐怕还是一个障碍，因为他这个受了伤的灵魂好像正在追求一个神秘的、渺茫的、说不清的解脱。

“‘我想你打算照常吃喝，照常睡在屋子里面吧，’我记得我没好气地向他这样说，‘你说你不敢碰那些应该归你得的薪水……’他做出他那种人所能表现出的最惶恐的样子。（作为帕特那船的大副，还应当得到三星期零五天的薪水。）‘哎，这种小事倒无关紧要；可是，明天你打算怎么办呢？你打算往哪儿去呢？你总得生活吧……’‘问题不在这儿。’他忍不住低声说这一句。我没理他，还是继续努力去打消我所认为敏感造成的顾忌。‘无论从哪一方面着想，’最后，我说道，‘你都得让我帮助你。’‘你帮不了我的。’他非常简单、温和地说。他深深地陷入某一个观念，我只能模糊看出这观念像黑暗里闪动着的池水，可是我已绝望，知道永远不能走近去看清里面的底蕴。我打量着他那匀称的身材。‘无论如何，’我说，‘我看得到的，我总可以帮忙。我也不自夸我有多大的本领。’他怀疑地摇着头，甚至连看我一眼都没有。我却变得非常热情起来。‘现在我能帮忙，’我坚持道，‘我还能够替你干别的事。我现在就在替你干别的事呀。我肯相信你……’‘那笔款……’他开始说。‘我说你真该挨骂，见鬼去吧。’我喊道，故意装出盛怒的样子。他吓了一跳，微笑了，我就痛痛快快地劝起他来：‘这绝不是钱的问题。你这个人太肤浅了，’我说（同时我自己想：就这么说罢！也许他的确肤浅），‘请你看一看我要你带走的这封信。我是写给一个我绝没有找他帮过忙的人；而且说到你时，我所用的字眼，人们只有替极要好的朋友说话的时候才肯冒险用的。我替你负完全责任，一点余地也不留给自己了。我现在就是这样子干的。说实在的，只要你稍微想一想这到底是什么意思……’

“他抬起头来，雨已经过去了；只是窗外水管还在那儿流泪，古怪地滴沥着。屋里很安静，所有的影子都挤到屋角里，跟吐出匕首形、静静的笔直烛火离得很远了。过了一会儿，他脸上好像满是轻柔的光辉，好像晨辉已经出来了。

“‘天呀！’他喘着气说，‘你真高尚！’

“假如他忽然向我伸出舌头，做出嘲笑的样子，我也不会觉得更惭愧。我暗自思忖——我这么一个假仁假义的小鬼，真该受人这句刻毒的恭维……他眼睛发光，一直望着我的脸，可是我根本看出里面含有嘲笑的意味。突然间，他浑身颤动，像是受到很大刺激的样子，跟平卧着的木偶似地被一根线牵动了。他举起双臂，然后猝然放下。他简直变成另一个人了。‘我从来没有见过。’他叫道，接着忽然咬自己的嘴唇，皱起了眉头，‘我真是个该死的傻瓜。’他用敬畏的口吻缓缓地说，‘你是个好心人。’接着他用低沉的声音说道。他抓住我的手，仿佛那是他第一次见到我的手似的，又立刻松开了。‘哎呀！这是我——你——我……’他结巴着说不出话来，然后恢复到他从前那种呆板的、我可以说执拗的态度，他又沉重地说道，‘我简直就是个畜生，如果现在我还……’他的声音好像中断了。‘没关系。’我说。他这种感情流露几乎把我吓住了，因为有一种奇怪的骄傲穿插在里面。我好像偶然拉动那根线，其实并不全懂那玩意的作用。‘我现在得走了，’他说，‘天呀！你已经帮了我很大的忙了。我不能坐着不动，因为这是件好事……’他困惑地用赞赏的神气看着我。

“这当然是件好事。十之八九我救了他，使他免得挨饿——那种古怪的挨饿，大概总跟酗酒联系在一起的。我干的也正是这些罢了。就这点而言，我是一点幻想也没有；可是看着他，我却暗自纳罕，最近这三分钟内他心里分明怀着的到底是哪一种的迷梦呢？我逼他接受我的帮助，借此能够好好地过正当的生活，能够照常得到食物、饮料和住所；可是他那受伤的灵魂，好像一只折了翅膀的鸟儿，也许会跳来跳去，扑进一个小洞里去，静悄悄地饿死在那里。我逼他接受的就是这些，实在是一件小事。可是——你们看——他接受时的态度却使这件事在朦胧的烛光里显得像一个庞大的、模糊的、也许是危险的影子。‘你不会怪我没有说出什么适当的话吗？’他突然说道，‘真没什么可说的了。昨晚你已经帮了我很大的忙了。你肯一直听我说话——你知道，我是请你相信，我起先有好几次想，我的头颅也许会飞走了！’他急急忙忙地飞来飞去——真的可以说是飞，把两只手用力塞在袋里，又立刻抽出来，把便帽猛地戴到头上去。我真想不到他还可以这么轻快活泼。我想起了被一阵旋风裹住的一片枯叶，那时却有一个神秘的恐惧，一团无限的疑虑，把我压到椅子上去了。他一动不动地站着，好像发现了什么奇事，被惊呆了。‘你给了我信心。’他冷静地说道。‘啊！看着上帝的份上，我的好朋友呀——别再提这件事了！’我恳求他，仿佛他伤害了我似的。‘好。我现在就闭嘴，此后再也不说了。可是，你不能阻止我想……不要紧……我将来还要让你们看到……’他匆匆忙忙向房门走去，垂下头站住，又走回来，一边思考一边迈着步子，‘我过去总是想，假如一个人能够把从前完全抹去，一块干净的石板似地重新活起来……现在你……可以说……是的……给了我一块新石板。’我挥了挥手，他大踏步走出去，头也没有回；关着的房门外面，他的脚步声渐渐消失下去了——那是一个人在明媚的阳光底下毫不踌躇的步伐。

“可是至于我呢，孤零零地对着寂寞的蜡烛，我还是莫名其妙得出奇。我已经不是那么年轻了，不会每转一个弯，就在我们交到好运或者厄运的不重要的脚步旁边发现瑰丽的境界。我禁不住微笑，想起我们两个人，究竟还是他得到了光明的梦。我却觉得悲哀。一块干净的石板，他不是这么说吗？好像我们每个人命运的大体并不是已经用不能毁灭的文字刻在一块岩石上面了。”

第十八章

“六个月之后，我的朋友（他是个玩世不恭、已经过了中年的单身汉，人们都说他癖性古怪，他是一家碾米磨坊的主人）写信给我，他看到我那封介绍信写得那么殷勤，以为我总想知道后来的消息，就稍微详述吉姆的优点。那些优点分明是属于安静的、有效率的那一类的。‘对于像我这样的一个人，我一向顶多只能怀个无可奈何的容忍态度，所以直到现在我都独自住在一所大房子里，就算在这种热得冒气的地方，我那所房子给一个人住也太大了。我跟他已经同住了一段时间。好像我这下并没有弄错。’念了这封信，我仿佛觉得我那位朋友心里不但宽容了吉姆——简直彼此之前已经有好感了。我的朋友用特殊的方式说出他所以喜欢的理由。吉姆在那种气候能够保持着他的新鲜劲儿，这一点就比较难得了。假如他是个姑娘的话——那么我们可以说他正像一朵花开着——羞答答地开着——像一朵紫罗兰，而不像某些粗俗的热带花朵。他在那屋里已经住六个星期了，还没有想要拍拍他的背，或者叫他做‘老兄’，或者想法使他觉得好似一块老朽的化石。他也没有年轻人惹人生气的那种夸夸其谈。他脾气挺好，不大说自己的事情，绝不卖弄聪明，谢谢上帝——我朋友信里写道。可是，我看，吉姆倒还是挺聪明，知道悄悄地领略这个老头子的诙谐风趣，而且同时他的天真纯朴，也使老头子觉得好玩。‘朝露还沾在他身上哩。我想出了好主意，让他独自住一个房间，跟我一块儿用餐，我自己也不觉得那么枯萎了。有一天他真是过于奇怪，从房子的那一头走过来，不为别的，只为特地给我开门；我觉得跟人类更接近了，我已经有许多年没有这种亲切的感觉了。挺可笑的，是不是？当然啦，我猜想这里面有某种缘故——某种可怕的小困境——你知道得很清楚的——但是如果说我知道那是可怕的大罪，我想人们也能够设法赦宥他。至于我这方面，我敢说我想不出他会犯什么大罪，顶多不过到果园里偷窃罢了。真的糟糕得多吗？也许你应当告诉我的，但是我们俩人早就已经成为圣人了，所以你可能都忘了当年我们也干过坏事；也许将来有一天我不得不问你，那时我想你大概会告诉我吧。在我对那件事有个大概的了解之前，我不想自己去盘问他；而且，现在问时间也未免太早。让他再替我开几回门罢……’我朋友在信上这样写道。我非常高兴——看到吉姆搞得这样好，看到信里的口气，看到我自己的聪明。我分明知道我干的什么事，我对于人们的性格有正确的认识，还有诸如此类的事。假如有一件奇怪的、出乎意料的好事从此产生了，那是多么好呀！那天晚上，我躺在船尾的篷布阴影底下的椅子上面（那时我在香港口岸），替吉姆打下了空中楼阁的第一块基石。

“我到北方去了一趟，回来的时候，看见我的朋友有一封信等着我。我先拆开这封信。‘据我所知，银匙并没有丢掉。’第一行就这样写道，‘可是我也懒得去调查。他走了，在早餐桌上留下一封正式道歉的短信，写那封信的人如果不是傻瓜，就是全无心肝。也许这两点都有点儿——对我来说都是一样的。我怕你这里还有一两个神秘的青年人，所以请允许我告诉你，我已经把铺子毫不犹豫地永远关闭了。这是我最后一次的古怪行为。你别以为我心里有什么难过；但是打网球的朋友很惋惜他，为着我自己的缘故，在俱乐部里我扯了个动听的谎……’我将这信扔在一边，开始到桌上那堆信里去寻找，直到我看到了吉姆的笔迹，你们会相信吗？百分之一的机会！可是偏偏碰到那个机会了！‘帕特那号’的那个矮小的副机师出现了，多少有点穷困潦倒，找到了一份管理磨坊机器的临时差事。‘我不能忍受那个小畜生亲昵的态度，’吉姆从一个海港写信给我，那海港在他应当在那里过舒服生活的地方的南方，相隔有七百英里，‘我现在暂时和欧格屈洛和白雷克公司的船货商在一起，当他们——好吧，老实说出我的头衔——跑腿的。提到晓得我来历的人，我就向他们说出你的名字，他们当然是知道的；假如你能够写信给他们，替我说句好话，那么我这份差事就可以变成永久的了。’我那空中楼阁的坍塌令我十分灰心，但是我自然照他所希望的写了那信。那年年底前，我新签订的租船契约使我航行那条线路，有跟他相见一面的机会了。

“他还在给欧格屈洛和白雷克做事，我们在他们所谓‘我们的客厅’，也就是铺子外面的通道上会的面。那时他刚从一条商船上回来，低着头站在我对面，做好了吵一架的准备。‘你有什么话可以替你自己辩白呢？’我们刚一握完手，我立刻开始说道。‘我给你的信里已经全说了——此外没有别的。’他固执地说道。‘那小子说什么了——或者干什么了？’我问。他抬头看着我，脸上带着一种忧虑的微笑。‘啊，没有！他并没有。他认为这是我们两人秘密的事情。每回我到磨坊去的时候，他的样子总是神秘得可恨；他用一种恭敬的神情向我眯眼——等于说——我们知道我们过去那些事情的。向我讨好得不堪，跟我亲昵得要命——以及其他这类的事情。’他坐到一把椅子上，眼睛盯着他那双腿，‘有一天那地方刚好就我们俩，那家伙居然好意思对我说：“呀，吉姆士先生，”——那里人们都喊我做吉姆士先生，好像我是主人的儿子——“我们在这里又相聚了。这比那条旧船好得多了——是不是？”……这难道不可怕吗？我看了他一眼，他装出狡猾的神气。“你用不着心里不安，先生，”他说，“真正的君子我是一眼就可以看出来的，我也知道君子的情感是多么敏锐。可是我希望你能留下我干这个差事。在那条破旧的帕特那船上，我也受了不少罪。”天哪！那真可怕。假如那时我没有凑巧听见邓佛先生在过道里喊我，我不知道我会说什么，或者干什么。那是用中餐的时候，我们一同走过院子，穿过花园，一直走到平房那儿。他开始用他那种慈爱的态度来嘲笑我……我相信他喜欢我……’

“吉姆静默了一会儿。

“‘我知道他喜欢我。所以我的处境更加困难了。这么一个好男子！那天早上他轻轻把他的手滑到了我的腋下……他对我也很随便。’他发出一个短促的笑声，他的下巴又垂到了胸前，‘呸！我一想起那个卑鄙的小畜生怎么跟我说话的时候，’他忽然用颤抖的声音开始说，‘我简直不敢想我自己……你大概懂这里面的意思……’我点了点头。‘那个老人比一个父亲还好，’他哭着喊道，他的声音低沉了下去，‘我本该告诉他。我不能够老是这样继续下去——我能吗？’‘怎么啦？’等了一会儿，我低声问道。‘我想还是一走了之好些吧，’他缓缓地说道，‘这件事必须得埋葬起来。’

“我们可以听见白雷克正声嘶力竭地怒骂欧格屈洛。他们合作已经有好多年了，可是每天从店门打开一直到关店之前的最后一分钟，人们总可以听见白雷克—— 一个矮个子，有乌油油的头发，两个愁闷的小眼珠——在一种悲哀的、褫夺魂魄的盛怒之下不断地跟他这位伙伴吵闹。这个永久不变的骂声可真是那地方一个不可少的东西了，正同其他的装置一样；连生客都会很快地完全不理这回事了，至多也许会喃喃说一声‘讨厌’，或者突然站起把‘客厅’的门关上。欧格屈洛呢，他是一个骨瘦如柴、很不健谈的北欧人，一副很忙碌的样子，嘴上长着一大把浅褐色的胡子，仍旧继续指挥他手下的人们，对一对行李包的号数，在铺子里一张站着写字的写字台上开出账单或者写信，不管另外一个人怎么叨唠，总是照常做事，就好像是个十足的聋子。有时他会发出一声厌烦的、敷衍的‘嘘’声，那自然不会有什么作用。他也没有指望会产生一点儿作用。‘这里的人们待我很好，’吉姆说，‘白雷克是个小人，欧格屈洛倒是个挺好的人。’他迅速站起来，步伐整齐地走过去，立在窗前，正对着泊舟处的一架三脚望远镜旁边，把眼睛凑上去看一下。‘那条船今天整个早上停在港外，现在有了一些微风，正在驶进来，’他耐心地说，‘我得跑到船上去了。’我们默默地握了握手，他转身要走开。‘吉姆。’我喊道。他回头看了一眼，手还在握着门键，‘你——你简直是把一笔财富扔掉了！’他从房门又走到我跟前。‘这么好的一个老人，’他说，‘我怎么能够？我怎么能够？’他的嘴唇在颤抖，‘在这儿倒不要紧。’‘啊，你——你——’我开口说，却想不出一个恰当的字眼，但是还没等我意识到没有一句骂人的话是恰当的时候，他早已走了出去。我听见欧格屈洛用深沉温和的声音在外头高兴地说道：‘那条船就是沙拉格郎崛，吉姆。你得设法第一个上船。’白雷克立刻插进嘴来，像一只愤怒的白鹦鹉尖声叫道：‘告诉船主，我们这里有他的邮包，这就会把他带来了。你听见了吗，你这位叫什么名字的先生？’吉姆答应欧格屈洛的时候，声调里带些孩子气：‘是的，我要跟他们赛跑。’他仿佛从那件划小船的寒酸差事里找到了慰藉自己的地方。

“那次航行中我没有再见到他，但是我下一次航行（我的契约期是六个月）的时候，我去了那家铺子。离大门口还有十码远，就听到白雷克骂人的声音。我进去时，他十分可怜地瞥了我一眼，欧格屈洛则满脸堆笑地走向前来，伸出一只骨瘦如柴的大手：‘很高兴见到你，船主……嘘……正想着你该回到这儿来了。你说什么，先生？……嘘……啊！他呀！他已经离开我们了。请到客厅来坐……’门‘砰’的一声关好后，白雷克扯着嗓门的声音变弱了，好像他一个人在荒原里拼命怒骂，‘他给我们造成了极大的不便，待我们太坏了——我要说……’‘他到哪里去了？你知道吗？’我问。‘不知道。你问也没有用。’欧格屈洛说，翘着胡子，很恭敬的样子站在我面前，双臂笨重地垂在两旁，一条细细的银表链串在绉折的薄绒背心上，挂得很低，‘像那样的人说不上到什么一定的地方去。’听到这个消息我太关心了，也没有闲情去请他解释这句话的意思。他继续说下去：‘他离开了——让我想想——他离开的那天，刚好有一艘汽船带着回家的拜谒圣地的人们从红海回来，停在这儿，螺旋桨掉了两片桨叶。这是三星期以前的事情了。’‘有人提到帕特那号那个案子吗？’我问他，暗自忖度恐怕那最糟糕的事情又来了。他吓了一跳，吃惊地看着我，好像我是个巫师。‘哎呀，是呀！你怎么晓得的？有些人在那里谈那件事。那里有一两位船主，有海港上范洛机器店的经理，还有其他两三个人，此外就是我了。吉姆也在这儿，吃一盘火腿面包，喝了一杯啤酒。当我们忙的时候——船主，你看——我们没有正式用午餐的时间。他就站在这张桌子旁吃火腿面包，我们其余的人们都围着望远镜看那条汽船进港。范洛的经理谈到帕特那船上的大副，有一回他替他修理一些东西，接着他告诉我们那是一条多么破烂的船以及从那它身上挣了多少钱。他提到那条船最后一次的航行，然后我们都七嘴八舌地议论起来。有人说这样，有人说那样——没有说多少——是你或任何旁人都会说的那些话，还夹杂着些笑声呢。沙拉格郎崛的船主乌帛里，一个躯体庞大、声音洪亮、拿着根手杖的老人——他就坐在这张椅子上，听我们谈话——他忽然用手杖猛敲地板，大声喊道，"下流胚子！"我们大家都被吓了一跳。范洛铺子的经理向我们眨眨眼，问道，"怎么了，乌帛里船主？""怎么了！怎么了！"这个老人嚷起来，"你们这群小鬼笑什么？这不是一件可笑的事情，这是人性的耻辱——就是这么回事。我简直瞧不起肯跟那种人同在一间屋子里的人们。是的，先生！"他好像跟我对视，我为着礼貌的缘故不得不说话。"下流胚子！"我说，"自然是，乌帛里船主。喝一些冷饮罢。""去你的酒，欧格屈洛，"他说，眼睛发出一道闪光。"我要喝酒的时候，我自己会嚷着要。我要走了。这里现在臭烘烘的。"听到这话，其他人都大笑起来，也就跟着那个老人走了出去。然后，先生，那个可恶的吉姆，他把手里拿着的面包放下，从桌子那头走到我这边来，那杯啤酒还斟得满满地放在那儿。"我要走了。"他说——就像这样说的。"还不到一点半呢，"我说，"你尽可以先抽一支烟。"我以为他是说该到下面去工作了呢。当我明白他要的是什么把戏的时候，我的手臂垂下了——这样子！像他这样的人，并不是随时都可以找到的，你知道，先生，他划小船勇敢得像个十足的魔鬼，无论什么天气，都肯驶到海外好几英里去迎接来船。不止一回，有些船主进来的时候，满脑子里还在想着这事，开口第一句就是："你找到了一个不怕死的疯子来当你们水上拉买卖的伙计，欧格屈洛。白天里我放矮船帆慢慢地小心驶进来，忽然从迷雾里飞来一只半浸到水里去了的小艇，一直驶到我们船尾龙骨的地方，浪花溅过小艇的中桅。两个吓坏了的黑鬼缩在后面船侧，舵柄旁有一个大声喊着的恶魔。喂！喂！接船啦！接船啦！船主！喂！喂！欧格屈洛和白雷克的伙计先来招呼你们！喂！喂！欧格屈洛和白雷克公司！哈！喂！大喊一声！用脚踢那两个黑鬼——把小帆挂起——那时有一阵风浪来了——箭也似的冲到前头去，一面向我呼喊，叫我张起船帆，他可以带我们进去——不像人倒像个魔鬼。我这辈子从来没有看见有人这样子驶船。不会是喝醉了——是不是？这么一个安静的、语气温和的小子——当他走上船的时候，脸红晕起来，像个大姑娘……"我告诉你，马洛船主，假如有一只生船进来，只要吉姆出去，谁也别想和我们争。其他船货商仅仅做他们老主顾的生意，而且……'

"欧格屈洛显得流露出了真情。

"'唉，先生——看起来好像他愿意坐在一只旧鞋里跑到海外一百英里的地方，替公司抓一只新来的轮船。即使这铺子是他自己开的，而且还没有一点儿基础，他在那方面也不能更尽力了。而现在……一下子……这样突如其来！我自己想，"啊呀！加薪——这才是麻烦的所在——是不是？好罢，"我说，"用不着跟我这么捣乱，吉姆。你就说个数目罢。只要是合理的都可以办到。"他看着我，好像有什么东西粘在他喉咙里，他想咽下似的，“我不能同你们待在一起。”“你到底开什么鬼玩笑？”我问。他摇了摇头，我一看到他的眼神，就知道是无法挽留了，简直可以说他已经离开此地了，先生。于是我转过身来，把他骂得脸色发青。“你在躲避什么？”我问，“谁在找你的麻烦？什么事情叫你这样害怕？你简直傻得还不如一个耗子，耗子都不会从一条好船上搬走。你还想到哪里可以找到更好的位置呢——你这样不是，你那样不是。”我说得他看上去好像生病的样子，我老实告诉你。“我们这里的生意是不会坏的。”我说。他跳得很高。“再见，”他说，像个爵爷一样对我点点头，“你这个人很不错，欧格屈洛。请你相信我的话，假如你知道我的理由的话，你也就不会挽留我了。”“这是你这辈子所说的最大的谎了，”我说，“我知道我自己怎么想的。”他快把我气疯了，我气得只好大笑起来，“难道你连把这杯啤酒喝完都不行吗？你这个古怪的叫花子？”我不知道他到底遇到了什么事情，他仿佛连房门都找不到了，真是可笑呀，我可以告诉你，船主。我自己把那杯啤酒喝了。“好吧，假如你是这么忙，那我就喝下你这杯酒并祝你好运吧，”我说，“可是请你注意，假如你还是这样耍下去，很快你就会发现这个世界太小了，不够容纳你这么一个人——这是我所要向你说的。”他瞪了我一眼，然后立刻冲了出去，他当时的脸色足以把小孩子吓住了。’

“欧格屈洛痛苦地哼了一声，用多节的手指梳他褐色的上髭，‘自从那时起，就找不到一个那么好的伙计。在生意上除了担心，担心，担心外，就没有其别的了。假如我可以问，船主，请问你到底在哪儿遇见他的？’

“‘他是帕特那号最后那次航行的大副。’我说，觉得我该向他解释一下。有一会儿工夫，欧格屈洛呆呆地站着，手指插到脸颊上的头发里，然后忽然爆发了：‘谁去理会这些闲事呀？’‘我敢说谁也不爱理。’我开口说道。‘那他到底是个什么东西——这么种样子干事情？’他忽然将左边的上髭塞进嘴里，惊奇地站着，‘嘻！’他喊，‘我告诉过他，这个世界太小了，不够他这样乱跳呀！’”

第十九章

“我把这两段意外的事情详细地告诉你们，是要让你们看看他在这些新环境里是怎么样对待自己的。他还有许多类似的事情，我两只手的手指都用上也数不清呢。这些事情都带有高尚的荒唐色彩，因此使我们更深切、动人地感到这些举动的无望。抛开你每天要吃的面包，为的是你可以有自由的两手去跟一个幽灵恶斗一场，这也许是一种常见的英雄壮举。从前就有许多人这样做过（虽然我们这些活着的人都很清楚，造就一个社会弃儿的，并不是因为灵魂的不安，而是由于饥肠辘辘的躯体），那帮天天吃得很饱而且还想这样活下去的人们，也为这种愚蠢的行为鼓掌叫好。他确实很不幸，因为无论他多么拼命不怕死，他还是不能从那个阴影中走出来。人们总是怀疑他的勇气。其实往事的影子恐怕是无法抓到的，你只可以跟这影子对抗，或者躲避——我遇见过一两个人，他们却能对着他们熟悉的影子眨眼。吉姆显然不是那类会眨眼的人；可是我怎么也判断不清的是，他的行为是究竟是躲避影子呢，还是跟影子对抗？

“我绞尽脑汁地观察，却只能发现，正同我们所有行动的表征一样，这两种态度的区别是那么细微，我们简直无法下个断语。他的办法可以说是逃避，也可以说是奋斗的另一方式。据普通人看来，他无非是一块长不出好苍苔的、老在滚动着的石头，因为他们觉得这是最可笑的一点了；过了相当时间，在他漫游的范围以内（那可说是个直径三千英里的大圆周），他们全晓得他这个人了，甚至于可以说是声名狼藉，正好像一个怪人，乡下没有一个人不晓得。比如，在盘谷，他跟做出租轮船和买卖柚木生意的郁哥兄弟办事，我们几乎感到凄恻，看他在太阳光底下走来走去，紧抱着他的秘密，其实连河上的乡下佬都知道了那么一回事。他住的那家旅馆的老板熊保克，一个虬髯的雄赳赳的阿尔舍细亚人，拼命要传布本地种种龌龊的谣言，就很愿意双肘搁在桌上把这个故事点缀一番说给客人听，只要有客人愿意一边听这个消息，一面喝着那些比较贵的酒。'你们得注意，他是个最温和、有礼貌的人，恐怕是你们生平还没见过，'他总是这样慷慨地结束他的叙述，'非常高尚。'常到熊保克开的旅馆去的那些杂人的确也不错，否则吉姆也不能设法在盘谷住了整整六个月。我看出人们，陌生的人们，遇见他就会欢喜他，正好像我们喜爱一个好孩子。他的态度是含蓄的，可是仿佛他的外表、他的毛发、他的眼睛、他的微笑，使人们对他都发生好感，无论他到什么地方去。他当然不是个傻子。我听见锡格孟·郁哥（瑞士人），一个被残酷的消化不良病所糟蹋了的温和人儿，他的脚跛得可怕，每走一步，他的头就摆了个九十度的弧形——我听见锡格孟·郁哥很了解吉姆的样子说，还这么年轻，他可算'有本领了'，说话的口气好像这些本领是量得出来的。'为什么不派他到上部的乡村去？'我很关心地向他提议（郁哥兄弟在内地也有租借地同柚木林），'假如他很有本领，像你所说的，那么他很快就会干得顶顺利了。在身体方面，他是再合适不过的。他向来非常健康。’‘嘿！在这个地方能够不得消化不良的毛病的确是件大好事。’可怜的郁哥很羡妒地叹一口气，偷偷看一看他那个毁坏了的、凹进去的胃部。我走开了，让他沉思地敲着桌子，口里喃喃说道：‘Es ist ein idee. Es ist ein idee.’[1]不幸的是，当天晚上，旅馆里就发生了一件不愉快的事情。

“我不知道吉姆有没有大错，可是那的确是件令人惋惜的事。那是属于酒馆里殴打那类可悲的事情，跟他打斗的是个斜眼的丹麦人，那类人的名片上常有不正当的头衔，他的头衔是：暹罗皇家海军上尉。这个汉子打台球的本领自然是太差了，可是又不愿意输给别人，我猜想大概是这样子。他喝了不少酒，打了六盘，就说出难听的损人的话，把吉姆拿来做嘲笑的资料。当场的人大都没有听到他所说的话，那些听到了的人们好像给接着发生的可怕结果一吓，也记不清楚了。这个丹麦人幸亏会游泳，因为房间通到走廊，下面就是宽阔的黑色的美南河流水。一只船，满载着中国人，也许正要去冒险，将这位暹罗皇家海军军官捞了起来。午夜左右，吉姆出现在我的船上，头上没有帽子。‘那房间里面所有的个好像都晓得那回事。’他一边说，一边喘着气，好像还没有从刚才的打斗中喘过气来。他一般对发生这样的事总会感到有些懊悔，可是这次，他说，‘别无选择’。最使他感到沮丧的是他看出他这个负担谁都知道，好像这些时候他老把这个罪状背在肩膀上走来走去。这件事情发生之后，他自然不能再待在那个地方了。大家都骂他凶狠得像一只畜生，以为他一向处在

① 德语：这是个主意，这倒是个主意。

为难的地位，真不该如此行动；有人坚持那时他已经醉得丢脸了；其他人却批评他缺乏机警，甚至于熊保克都很不高兴。‘他是个顶有礼貌的年轻人，’他对我争论般的样子说道，‘但是上尉也可算个最高尚的汉子。他每天晚上在我的table d’hôte[①]用餐，你知道。台球杆也打断了，这是我不能容忍的。今天一起床，我先到上尉那儿去道歉，我想我总算把这事给结束了；但是请你想一想，假如每个人都弄出这套把戏！哎呀！那个人也许会淹死的！在这个地方我又不能跑到下一条街去买一根新的台球杆，我得写信到欧洲去订购。不行，不行！像那样的脾气是绝对不行的！’这一点使他心里异常难过。

‘这是他——他的退避当中最不好的一件事了。谁也不会像我这样为他悲伤。虽然，像人们听到别人提起他的名字时候所说的，‘啊，是的！我知道。他在外头漂泊了不少时光。’可是在他的流荡生涯里，他从来没有挨过人家的糟蹋和蹂躏。最近这件事却叫我深深地感到不安，因为假如他这个敏锐的神经会弄到使他在下流的酒馆里跟人们吵起架来，那么他将失掉那个无害的、虽然令人生气的、傻汉子的头衔，同时却得到流氓这个头衔了。不管我多么相信他，我却免不了想起在这些情形里从名到实只有一步之差呀。我想你们会懂得这时候我已经不能把他丢弃在一旁不理了。我带他坐我的船离开盘谷，我们那次的航行时间可不短。看到他那样退缩畏惧，真叫人难过。一个海员，即便仅仅是一个乘客，对于海轮总会感到兴趣，总会拿个批评的欣赏的眼光来四望海上的生活，好比一个画家看到别人的作品。无论从哪方面来说，他都可算是‘在船上’；可是我这位吉姆

① 法语：公共食桌上。

一大半时间老是躲在甲板下面，好像他是个逃票的人。他这种情绪传染到了我的身上，弄得我都不敢跟他谈航海的事情，那些事是两个海员一同航行时当然会谈到的。有时一连好几天，我们彼此没有谈一句话；我也非常不愿意当着他的面对我的船员发号施令。当我独自跟他在船面上或者在船舱里时候，我们常常都不知道眼睛看着什么东西才好。

“我把他安顿在德准那里，正如你们所知道的，只要有法子把他打发去，我就觉得很愉快了，可是我相信他的地位现在渐渐变得难堪了。他已经失掉了一些韧性，他先前每次摔倒后能够一下子跳回到原先那个不妥协的态度里去，就全靠着这种韧性。有一天到岸上来，我看见他站在码头上，岸边的水同远处的海面连成一片光滑的往上升的平面，停泊在极远处的船只好像不动地驾驶在天上。他在等候着他的小船，那船正在我们脚下装着一些小铺子的包裹，打算交给一只将要出港口的轮船。我们彼此问候之后，都默不作声——并排站着。‘天呀！’他忽然说，‘这个工作真是要命！’

“他对我微笑；我得告诉你们他总能够设法微笑。我没有回答他的话。我很清楚他不是指他的职责；他跟德准办事，工作很轻松的。我连看他一眼都没有。‘你愿意完全离开这地方吗？’我说，‘你愿意到加利福尼亚或者西海滨去试一下吗？我可以想一想能够怎样帮你的忙……’他有些鄙视的样子打断了我的话头：‘换一个地方又有什么不同呢？’我立刻觉得他是对的，真没有什么不同，他所需要的并不是减轻工作。我仿佛模糊看出他所需要的，他在那里等待的，似乎是件不容易说得清的——大概是个好机会之类的幸运吧。我也给他好几次机会了，不过那些只是挣面包的机会。但是人们还能帮些什么别的忙呢？我突然觉得他这种地位是绝望的，我又想起了可怜的白力厄利说的话，‘让他爬到地下二十英尺的地方，就待在那儿吧。’那样也好，我想，比起这样在地面上等候那些永远不会发生的奇迹，总要好些。但是连这样的事都不能有多大的把握。就在那里，就在那时候，他的小船跟码头相隔还不到划三桨那么远的时候，我已经下定决心，当晚要去跟史泰商量一下。

“这位史泰是个受人尊敬的富商。他的‘公司’（他开的是个合资公司，叫作史泰公司，有位副老板，像史泰所说的‘管理那班软体动物’）在各岛上做很大的买卖。还在顶偏僻的地方设立分站，收集当地的土特产品。我急于同他商量，并不是因为他有钱受人尊敬。我要将我的难题暗地里说给他听，都是因为他是我所知道的一个最靠得住的人。他那个秃发的长脸好像有个单纯的、聪明的、仿佛是不倦的好意的光明照着。他脸上的皮肉下垂，有深刻的皱纹，颜色灰白，好比一个老过静坐生活的人——其实他绝不是那样。他头发很稀少，从高起庞大的额头望后梳去。人们想他二十岁一定就很像现在六十岁的样子了。他的脸是个学者脸，只有那对几乎全白了的浓密眉毛同眉毛下面发出来的坚决精明的眼神，跟他这个，我可以说，学者的相貌不大相称。他身材很高，骨骼松散；微曲的身子，同一副天真的微笑，使他有种慈祥地倾听着的样子；他的长手臂同苍白的大手有个罕见的从容姿势，好像正在指点着，正在比画着。我这么仔细地谈他，因为这个人虽然有这么一个外表，而且还具有一个正直的宽容的性格，同时却有一副刚毅的精神和勇敢的气概，这些品质如果不是像他身体里天然的机能——比如说良好的消化机能——那样，是他自己完全不自觉的，那么简直可以说是凶狠鲁莽了。我们有时说一个人把自己的生命随便拿在手里，这句话用到他身上，还不能算做恰好；他在东方的早年生活简直可说是拿自己的生命当球来踢的。这些事情都已经过去了，可是我晓得他生平的经历，同财产的来源。他又是一个负了相当盛名的博物学家，也许应该说是一个博学的标本搜集者。昆虫学是他专门研究的学问。他搜集的吉丁虫和长须虫——都是甲虫——那类可怕的小怪物，已经死了，一动不动地躺着，带有凶恶的神情；他的蝴蝶标本，不动的翅膀在盒子的玻璃盖底下，还是很美丽，有一种飞翔的神气，这些标本把他的名字一直播扬到远方。这个商人、冒险家，有时是马来苏丹（他提到这个人时候，向来只把他称作'我可怜的谟罕默特·朋苏'）的顾问；由于几斛死虫的缘故，他的名字还为欧洲有学问的人们所知晓，只是他们对于他的生活同性格绝不会有什么概念，当然更不会想知道。我是晓得他的经历和品行的，认为他是个非常适当的人物，我尽可以把吉姆的困难同我自己的困难私下里说给他听。"

第二十章

"晚上很迟的时候，我穿过了一个堂皇的、却是非常不亮的空饭厅，走进他的书房。屋子里面是静悄悄的。一个年老的相貌凶恶的爪哇仆人，穿着仆人的制服，白短衣，黄裙子，领我进去，他把房门打开，低声喊一声'啊，主人'，立刻就退到一旁，莫名其妙地不见了，就好像他是一个鬼，暂时现出肉身，特地来干这个差事。史泰连椅子一起转过来，他的眼镜好像同时也推到额头上去了。他用他那个安详诙谐的声调来欢迎我。大房间里面只有一个角落，他安置书桌的地方，被一盏有罩的桌灯照得很亮，其余的地方都溶到杂乱的阴影里去了，好像是一个山洞。绕着墙壁有许多的窄架子，上面排满了一个样子、一种颜色的黑盒子，那些架子并不是从地板直到天花板，却只有四尺多高，看起来好像是条暗色的宽带子。这些架子就是甲虫的陵墓。墙上挂有木牌子，东一块，西一块，并没有一定的距离。灯光照到里面的一块，'鞘翅类'这名词，用金字写的，就在庞大的朦胧里发出神秘的光辉。保存蝴蝶标本用的玻璃盒子，排成三长行，放在细腿的小桌子上面。有一个这样的盒子，从本来的地方被挪开，放在书桌上，桌面撒有许多长方形的纸片，上面写了细小的黑字。

“‘你看，我正在干这件事——这件事。’他说。他的手在篮子上头动着，里面装有一只孤单单的、非常瑰丽的蝴蝶，张开古铜色的暗晦翅膀，一共有七英寸多宽，上头白色线纹十分精致，旁边的黄色斑点也灿烂非常。‘这种的标本，“你们”的伦敦城里只有一个——没有多的。我要把这个标本留下来给生我的那个小镇。总算是我这个人的一部分罢。也许是我最好的那一部分。’

“他的身体从椅子上向前倾斜，十分注意地看着。他的下巴伸到盒子上面了。‘真妙。’他低声说，仿佛忘记了我站在他的身旁。他一生的历史的确很古怪。他生长在巴伐利亚，二十二岁的时候，就积极地参加了一八四八年的革命运动，后来完全妥协了，设法逃出来，起先躲在脱立斯脱地方一个可怜的表匠、共和党人家里。从那里他又流落到屈立波列，带有一些廉价的表去沿街叫卖——的确不能算个很好的开始，可是结果却交上了好运气，因为在这儿他遇见了一个荷兰的旅行家——我想是一个还算有点名望的人，可是我记不起他的名字了。这个博物学家雇他当个助手，就带他到东方去了。他们在群岛旅行了四年多，有时在一起，有时分开，到处搜集昆虫同飞鸟的标本。然后，那位博物学家回家去了，史泰无家可归，就跟他在西利白内地——假如西利白也可以说有内地的话——旅行时遇见的一个老商人留在一起。这位苏格兰老头子是那时当地的官吏准许住在那儿的唯一的白种人，因为他是哇鸠国元首的好朋友，那位元首是位女性。我常听见史泰叙述这个老头子，已经半身不遂了，怎么样把他介绍给本地的宫廷，过不多久他的瘫病又发，就死去了。他是个胖子，体格雄伟，雪白的胡子使他带有族长的神气。他走进议厅，全国的酋长、领袖、头目，都聚集在那里，女王就斜倚在华盖底下的一个高榻上，是一个满面皱纹的胖妇人（据史泰说，谈话非常随便）。他拖曳着两腿，手杖重重地敲打在地上，一手抓着史泰的手臂，一直带他到榻旁。'请看，女王，酋长们，这是我的儿子，'他用洪亮的声调宣布，'我跟你们的父亲做过生意，我死后，他将跟你们同你们的儿子做生意了。'

"经过了这么一个简单的仪式，史泰就继承了这位苏格兰人特殊的地位同他所有的商品，此外还有一所深沟高垒的房屋，就盖在全国唯一可以航行的大河的岸旁。过不多久，这位谈话非常随便的老女王死了，国里就有许多要争王位的人们，因此弄得非常纷乱。他拥护一个年轻的王子，三十年后他每提到这王子，就喊他做'我那位可怜的谟罕默特·朋苏'。他们两人建了无数的战功，经历了奇特的冒险。有一回在那个苏格兰人屋里，部下二十人，却能够抵抗整支军队的包围，而且支撑了整整一个月。我相信本地人直到现在还谈论那次战事呢。当时史泰好像尽量把能够弄到手的每一只蝴蝶同甲虫都据为己有，一个都不放弃。这样子经过了八年的打仗、交涉、佯和、爆发、修好、诈计以及其他这类的把戏，正在永久和平好像最终要成为事实的时候，他那个'可怜的谟罕默特·朋苏'正从一次成功的猎鹿归来，非常高兴地在自己皇宫门口下马的时候，被人暗杀了。这件事变使史泰的地位非常不稳固了，可是他也许会住下去的，假如不是在很短的时间内他又失去了谟罕默特的妹妹（'我亲爱的妻子，公主。'他常常这样庄严地说）的话。她生了一个女孩——母女两个在三天之内都得了一种传染的热病死去了。这么一个残酷的损失使他不忍再住下去了，他就离开了那个地方。他人生中冒险的、初期的生活就这样子结束了。

此后的生活跟以前这么不同，假如悲哀的真意并没有这样老跟他待在一起，那么这个奇怪的过去真好像是一场幻梦了。他有一些钱，他重新挣扎着过活。许多年后，他积累了一笔很大的财产了。起先他在群岛里到处旅行，可是老年偷偷跑到他身上来了；最近几年他很少离开他那个跟城市相隔三英里的大房子，里面有一片很大的花园，旁边都是马厩、办公处以及他许多底下人同食客住的竹筑的小屋。每天早上他坐一辆双轮马车到他城里的大办事处，里面有许多书记，白种人同中国人。他有一队双桅小船同本地的木船，做岛上土产的大宗生意。此外他就过凄清的生活，但是没有厌世的色彩，天天摩挲他的书籍同他搜集的昆虫，把他那许多标本拿来分类，然后仔细排起来，跟欧洲的昆虫学家通信，替他的宝贝写出一本解释的目录。这是这个人一生的历史了。我来跟他商量吉姆的事情，并没怀有什么具体的希望；可是单单听到他所发表的意见，已经会叫我得到安慰了。我心里很焦急，但是我尊重他凝视一个蝴蝶时紧张的、差不多是热情的专心态度，好像在薄翅上的铜色光辉里，在白色的线纹里，在华丽的边缘里，他能够看出别的东西，一个象征，指示出某一个事物虽然会死亡，却能抵得住消灭，正好像这些精细的、无生命的组织里显出一个灿烂的形象，那是死亡所无法损坏的。

"'真妙！'他重复说，抬起头来望着我，'你看！多么美——这还算不了什么——请你看多么精确，多么和谐，却是这么微弱！又是这么有力！这么分毫不差！这真是"自然"——大力的平衡。每颗星都是如此——每根草也是如此站着——伟大的宇宙在绝对的均衡里产生出——这个东西，这个怪物，"自然"的杰作——"自然"的确是个大艺术家。'

"'从来没有听见一个昆虫学家这样发挥过,'我高兴地说道,'杰作!人类该算作什么?'

"'人类也很神奇,却不是"自然"的杰作,'他说,眼睛老盯着玻璃盖子,'也许那位艺术家有点儿疯了。哎?你以为怎么样?我有时仿佛觉得世界上并不需要人类,而且也没有他们的位置,可是他们来了;假如不是这样,为什么人类要占领一切地方呢?'

"'还要去捉蝴蝶。'我插了一句。

"他微笑了,躺到椅子上,伸一伸他的腿。'请坐,'他说,'我得到这个难得的标本是在一个非常美丽的早晨,当时我非常兴奋。你不知道一个采集者得到这么一个稀有的标本是多么令人开心的事情。你不知道。'

"我舒服地躺在摇椅上微笑着。他两眼望着墙壁,却好像透过墙壁望到远方了。他谈起一天晚上有一个信差是如何从他那个'可怜的谟罕默特'那里来,请他到'大宅'去——他是这么称呼的——那跟他的房子相离有九或十英里的样子,中间一条适合骑马而不适合行车的小路,这条小路穿过耕种的田地,这儿那儿还有几丛树林。第二天清早,他从他那个高垒深沟的房子出发,先抱一抱他的小爱麦,就留下'公主',他的妻子,来管理一切。他形容她怎么样送他到大门口,一只手搭在他的马颈上走着;她穿一件白短衣,头发里别着几把金发卡,左肩上斜挂着一条棕色的皮带,皮带上挎着一把连响的手枪。'她正像女人向来说话的口气嘱咐我许多话,'他说,'叫我一切小心,最好能够设法在天色尚未大黑以前回家,以及我这样单身出外是多么危险的事情。那时我们正在跟别人打仗,地方上很不太平;我的部下在房子的四旁镶上子弹打不进去的百叶窗,步枪也上了膛,所以她求我不要为她担心。无论谁来攻击，她都能守着这个房子，一直等到我回来。我微微一笑。我心里很高兴，看到她这么勇敢，这么年轻，这么强壮。我那时也年轻呀。在大门口，她牵着我的手，紧紧握一下，就向后退了。我把马勒住，在大门外头站着，一直等到我听见大门的门闩安上去了。当时我有一个大仇敌，一个大贵人——也是一个大流氓——带着一队人徘徊在邻近地方。我的马慢慢走了四五英里路。前晚下了雨，但是雾已经散去了，散去了——大地是一片的干净土，躺着对我微笑，这么新鲜，这么天真——像一个小孩子。忽然间有人开了一阵排枪——我觉得最少也有二十发，我耳朵听到子弹飞过去的声音，我的帽子跳到我脑壳的后头去了。这是一个诡计，你知道吧。他们设法让我那可怜的谟罕默特来请我，然后设下了埋伏。我立刻看穿了，我想——这得用点手段。我的小马鼻子发出声音，跳着，站起来了，我慢慢往前倒，我的头贴着马鬃。我的马又好好走起来了，从马颈上方我的一只眼睛可以看见我左边一丛竹林前有一团轻微的烟云笼罩着。我想——哈哈！我的朋友呀，你们为什么不等到时候再开枪呢？时候还没有到呢。啊，没有！我用右手抓住我的连发手枪——悄悄地——悄悄地。毕竟，只有七个这样的无赖汉。他们从草上爬起来，将裙子卷上，开始往前跑，把长戈举得比头还高，挥舞着，彼此呐喊要小心抓到那匹马，因为我已经死了。我让他们走到房门这么近，然后“砰”，“砰”，“砰”——每发一枪都瞄准一下。我接着又对着一个人背发一枪，但是我没有打中，已经隔得太远了。然后我又独自坐在马上，干净的大地对着我微笑。这三个人的尸首就躺在地面，一个盘着身子像一条狗；还有一个背靠地躺着，手臂还遮着眼睛，好像要挡掉阳光；第三个人很慢地拖起他的腿，然后一踢，又伸直了。我坐在马上非常仔细地观察他，但是再也没有什么动静了——一动也不动——老是那样待着；当我去瞧一瞧他脸上有什么生命的表征的时候，我看见仿佛有一个暗淡的影子飞过他的额头。那就是这个蝴蝶的影子了。请看那翅膀的形状。这种蝴蝶总是飞得很高，而且飞得非常快。我抬起头，看见它已经鼓翼飞去了。我想——难道真是那种蝴蝶吗？可是接着我就不知道那个蝴蝶飞到哪儿去了。于是我下了马，慢慢走着，牵着我的马，一只手提着我的连发手枪，眼睛上下左右到处寻找着！最后我看见那个蝴蝶落在十英尺远的一小堆秽土上。我的心立刻猛跳起来，我放开我的马，一只手还是提着我的连发手枪，另一只手就从我头上脱下柔软的毡帽。往前走一步，别慌张。再走一步，扑！我抓到它了！当我站起身来的时候，我太兴奋了，浑身发抖，像一片叶子。当我分开这两片美丽的翅膀，确定我得了一个这么罕见、这么奇怪的完美标本的时候，我激动得头都有点晕了，我的大腿也软得丝毫没有气力了。我只好在地面上坐一会儿。当我替那位教授采集的时候，我就非常希望自己能够有一个这类的标本。为了这个宝贝，我有好几次旅行到很远的地方去，受了许多的困苦，简直做梦都在想着它；而现在却突然夹在我的手指里——算我自己的东西！真像诗人（他把诗人读成"私人"）所说的——

'"So halt' ich's endlich denn in meinen Händen,
Und nenn'es in gewissem Sinne mein."' [①]

---

① 德语：如今我终于把它弄到手了，从某种意义上它算是我的所有。出自歌德：《托夸多·塔索》第一幕，第三场。

最后一个字他忽然说得特别低，因此更引起我的注意。他的目光渐渐从我的脸上移开了；他开始默默地、十分忙碌的样子装一个长管烟斗，然后他的大拇指停在烟斗的管口上面，又意味深长地再次看着我的脸。

"'是的，我的好朋友。那天我真觉得我的生活没有什么缺陷了。我使我最大的仇敌非常生气；我正是年富力强；我有好朋友；我得到女人的爱情'（他把'爱情'说成'爱行'）'我还有一个孩子，我的确满心都是快乐——我从前所梦想的东西现在也弄到手了！'

"他划了一根火柴，忽然发出强烈的亮光。他那个沉思着的宁静脸的筋肉跳动了一下。

"'朋友，妻子，女儿，'他慢慢说道，凝视手里那朵小火焰——'呼！'火柴吹灭了。他叹了一口气，又转过身子来向着玻璃盒子。微弱漂亮的蝶翅稍稍颤动一下，好像这一口气使他梦里的宝贝又获得了片刻的生命了。

"'这项工作，'他指着散在桌上的那些纸片，用他通常那种温柔快乐的口吻突然说道，'大有进步了。我正在描写这个罕见的标本……哪！你有什么好消息呢？'

"'实话告诉您吧，史泰，'我竟那么费力地说，连我自己都很惊讶，'我来到这里是为描述一个标本……'

"'蝴蝶吗？'他带着不相信的神气，很滑稽地热烈问道。

"'没有那么完美，'我说，有满腹的疑虑，突然感到有些丧气了，'我指的是一个人！'

"'唉，原来是这么一回事！'他低声说，转向我后，微笑的表

情也变得严肃了。然后，他看了我片刻，缓缓说道，‘好吧——我也是一个人。’

“你从这一点可以看出他这个人的为人了。他知道怎么样慷慨地鼓舞你，反使得一个小心的人在刚要推心置腹的时候又踌躇起来了；但是我即使犹豫，也不会很久的。

“他盘腿坐着听我说完。有时喷出大团的烟雾，他的头完全看不见了，只从云里传来一声同情的咆哮。我说完，他分开双腿，放下烟斗，两肘靠在椅子把手上，很诚恳地向我探过身来，他双手的指尖合拢着：

“‘我非常理解。他是个很浪漫的人。’

“他替我对这病症下诊断了，起先我很惊奇，为什么会这么简单呢？我们的谈话确实像医生的诊察——史泰很有学问的样子坐在桌子前一张安乐椅上；我有点焦虑地对着他坐在另一张椅子上，可是稍微有点偏向一侧——因此我这样问起来似乎就会自然一些——

“‘用什么法子治呢？’

“他举起一根长长的食指：

“‘只有一个办法！只有一样东西可以使我们自身得到解脱！’那根指头重重地向书桌敲了一下。他本已使这桩案子变得简单了——假如可能的话——好像变得更简单了——而且是毫无希望了。一会儿的静默。‘是的，’我说，‘严格来说，问题不是怎么医好，而是怎么过活。’

“他点头赞成，好像有点儿悲意。‘Ja！Ja！[①]总而言之，用你们大诗人的话来说：问题是……’他继续同情地点着头，‘怎么做人！

① 德语：是的！是的！

啊呀！怎么做人！’

“他站起来，指尖戳着桌面。

“‘我们同时想做许多种类的人，’他又说，‘这只壮丽的蝴蝶看到一堆秽土，就静静地落在上面；但人绝不肯老待在他的秽土上。他要做这样的人，他又要做那样的人……’他把手举起又放下，‘他想当个圣人，他也想当个魔鬼——每次他一闭起眼睛，他就看见自己是个非常高明的家伙——高明到他永远不会办到的……他是在梦里……’

“他按下玻璃盖子，自动的锁键就‘搭’的一声关上了。他双手捧起盒子，虔敬地放回原处，从灯光明亮的光圈走进比较昏暗的灯影里——最后走进一片模糊的昏暗处。我当时心里有个奇怪的感觉——好像这几步把他带出这个具体而让人迷乱的世界了。他那个高个子仿佛失掉了实体，弯着腰，舞动着，没有声响地在看不见的东西上面徘徊着；我还可以瞥见他在那个老远的地方莫名其妙地忙些好像是不相干的事情，他的声音打那儿传过来也就没有那么尖刻了，似乎很洪亮、庄重——有点儿因距离远而显得柔和了。

“‘因为你不能够始终闭上眼睛，所以才有了真正的烦恼——内心的苦痛——世上的苦痛。我告诉你吧，我的朋友，对你来说，发现因为你还不够强，不够聪明而不能使你的梦想变成现实，这对你而言不是什么好事。是的！……而且你一向又是这么高明的一个家伙！怎么回事？为什么？天哪！怎么一回事呢？哈！哈！哈！’

“在那些蝴蝶坟墓间徜徉着的人影狂笑起来。

“‘是的！这个可怕的事情是非常有趣。生到这个世界来的人又坠进梦里去，正同一个人掉到海里一样。假如他像那些没有经验的人想努力爬出水面，去吸空气，那么他就淹死了——是不是？……不该这样子呀！我告诉你吧！唯一的办法是把你自己交给这个具有破坏性的物体，在水里靠手和脚的努力，让深海，非常深的海，将你托起。所以如果你问我——怎样过活呢？'

“他的声音一下子变得非常强有力，好像在那个黑暗里，他得了灵感的激发，听到智慧向他耳语，'我要告诉你的！那件事也一样，只有一个出路。'

“随着他的拖鞋发出的一阵急促的窸窣声，他的身影从微明的光圈里面隐约出现，然后忽然走进灯光明亮的光圈中来。他那只伸出来的手对着我的胸膛，好像一支手枪；他那双深凹下去的眼睛好像看穿了我；但是他那双歪扭着的嘴唇却没有说出一个字。在黑暗里我看见的那种有把握的神气也从他脸上消失了，指着我胸膛的那只手垂了下来。他一点点地走近，把这手轻轻搭在我的肩膀上。'有些事情，'他凄然说道，'也许绝不能说出口。'只是他独居的时候太久了，有时简直把那些事都忘却了——忘却了。他在远处阴影里的时候所怀的自信力给灯光毁灭了。他坐下来，两肘靠在书桌上，揉搓着自己的额头。'可是，那也是真话——真话。沉没到具有破坏性的东西里面去……'他压低说话的声音，没有看着我，两手托着他自己的脸，'那才是出路。去追随梦境，再追随梦境——就这样子——永远——直到最后……'他耳语般地向我说着他的信心，好像在我面前开辟了一片广阔而又无常的光景，仿佛是晨辉里平原上微明的水平线——或者也许是在黑夜即将来临的时候？人们没有去下个断语的胆量；不过那的确是一道迷人的、带有欺骗性的光辉，将那朦胧的、不可捉摸的诗意投向陷阱——投向坟墓。他的生活始于牺牲，始于慷慨赴义的狂热；他旅行到很远的地方，走上各种各样的道路，在古怪的道路上走了很远。可是无论他追随的是什么，他总是绝不畏缩，所以也没有什么值得惭愧和遗憾的。在这方面他说的是对的，这的确是个出路；可是不管怎么样，在人们所徘徊的那片满是陷阱和坟墓的大平原上，虽是在微光之下有着不可捉摸的诗意，仍是非常荒凉，中间有影子遮盖，周围是明亮的边缘，好像是被充满火焰的深渊包围了。当我终于打破沉默时，告诉他我以为他是个再浪漫不过的人。

“他慢慢地摇了摇头，然后用一种耐心的、询问的眼神看着我。‘这真是丢脸。’他说。我们两人坐在那里像两个小孩子那样闲谈，而不是一起谋划一些可以实行的方法——一个切实可行的办法——为那桩罪过——那桩大罪过——他重复道，滑稽地、宽容地微笑着。可是话虽是这么说，我们的讨论并没有变得更实际些。我们故意不提吉姆的名字，好像我们想把现实的活着的人物逐出我们的讨论之外似的，或者我们谈论的他无非就是个犯了错误的灵魂，一个正在受苦的无名的幽灵。‘哪！’史泰站起来说道，‘今晚你睡在这儿，明早我们要做些实际的工作——实际的……’他点亮一盏双叉烛台在前边引路。我们穿过好几间黑漆漆的空屋，一路由史泰手举的蜡烛光来做伴。这些闪光溜过油漆的地板，这儿一处那儿一处扫过光滑的桌面，跳过一件家具的部分曲线，或者垂直地一下子在远处的明镜里闪进闪出，当时便可以看见两个人形同两团火焰的闪光，也一下子悄悄地越过玻璃砖里结晶也似的空虚深处。他迈向前一步，弯下腰走着。他脸上有一种深刻的、好像凝神倾听的安详；细长的黄头发里夹杂了几根白发，稀稀地散在微微低下的头颈上。

“‘他太浪漫了——太浪漫了，’他重复说道，‘而这的确很不好——很不好……也可以说很好。'他说。'他真是太浪漫了吗？'我问。

"真的，'他说，手里拿着烛台呆呆地站在那儿，却没有看着我，'显而易见！不然，是什么东西使他内心里的苦痛认识了自己呢？又什么东西使我们觉得他这个人活在世上呢？'

"在那时我们很不容易相信世上有吉姆这个人——他生于乡下牧师家，尘埃似的混迹在芸芸众生中，物质世界上生死两方面互相冲突的要求使他变得沉默了——但是他那个不会毁灭的真面目活现在我心中，有着令人无法拒绝、叫人不得不信的力量！我们走过高大静寂的房子的时候，四围是闪耀的灯光，从明亮不可测的镜子深处，忽然呈现出两个拿着闪光的烛火偷偷走着的人形，我从这情景中清楚地看出，我们好像是走近绝对的'真理'了，这真理同'美'一样，总是半沉半浮地漂在神秘静默的死水上，模模糊糊，不可捉摸。'也许他是个浪漫的人。'我轻笑了一声承认他的话，我的笑声引起一种出乎意料的很大的回响，于是我立刻压低了嗓门。'但是我敢说你肯定很浪漫。'他把头垂到胸前，高高举起烛台，又继续往前走，'呃——我也活在这个人世上呀。'他说。

"他领着我走。我的眼睛随着他的身体转动，但是我所看见的却不是大公司的老板，不是下午茶会的上宾，不是学术团体的通信员，也不是招待远道来访的博物学家的主人；我只看见他命运的真相，他是懂得如何迈步追逐他的命运的，他的生活从卑微的环境里开始，后来却满是慷慨的热情，处处有友谊、爱情同战争——完全是浪漫故事里的高尚成分。走到我那间房间的门口，他转过身来面对着我。'是的，'我说，好像正在讨论着什么，'在许多梦想里面，你还痴痴地梦想着某一只蝴蝶；可是一个晴朗的早上，当你的梦来到眼前的时候，你并没有让那个绝妙的机会溜走。你有吗？而他却……’史泰举起他的手：‘你知道我曾错过了多少次的好机会；有多少次好梦来到眼前了，我却没有抓到手？’他怅惘地摇摇头，‘我仿佛觉得里面有些梦必定是非常有趣——假如我曾经去想法实现。你知道有多少吗？也许连我自己都不知道。’‘不管他的梦好不好，’我说，‘他却知道一个梦，那是他绝对抓不到的。’‘你这样的梦每人都知道有一两个，’史泰说，‘做人的烦恼就是这一点——这是大烦恼啊……’

“他站在门口同我握手，从举起的胳膊下边望着我的房间，‘好好睡罢。明天我们得干些实在的事情——实实在在的……’

“虽然他的房间在我房间的那一边，我却看见他又从原路返回去了。他又去看他的蝴蝶标本了。”

第二十一章

“我想你们这里恐怕没有一个人听说过巴多森这个地名吧？”马洛静默着在那里小心地点燃了雪茄以后，又接着说下去，“这倒无关紧要。夜里我们的四周有一大堆的天体，人类就从来没有听说过，因为那些是在人类的动作范围之外的，跟世上任何人都不相关，除非是天文学家，他们花公家的钱，为的是可以很有学问的样子讨论那些天体的构造、重量同轨道——它的行为是有什么不合规则，星光是怎么样离位——可说是一种科学上的专门扯谎。巴多森也正是如此。巴塔维亚内府里重要的职员很内行的样子提起这个地名，尤其关于那里种种不合规则同离奇古怪的事情；此外商界里也有极少数的人知道世上有这么一个地名。可是谁也没有在那里待过，我疑心没有一人愿意亲自到那儿去，正好像一个天文学家，我想，会极力反对迁居到远处的星球上去，因为在那儿跟地球上的薪俸作别，看到一个崭新的天象，他会弄得莫名其妙了。可是天体同天文学家跟巴多森都不相关，到那里去的却是吉姆。我的意思是叫你们知道，即使史泰安排好把他送到最遥远的星球那里去，他起的变化也不会更大了。他将他在世间的许多缺点同他所得的那种名誉都抛在后头，那边有个完全新的环境让他的想象力去施展，完全是新的，完全是了不起的；而他也出奇地适应了那种环境。

“史泰是唯一晓得巴多森的人，比任何人知道得多。我怀疑政府里面的人们还没有他知道得清楚。我相信他到过那个地方，或者在采蝴蝶标本时候，或者更晚些，反正那个时候他正不可救药地想把一些浪漫的味道加到做生意这盘油腻的碟子上。群岛各处他差不多都走遍了，而且在混沌蒙昧的时候，那时人们还没有为了提高道德的缘故——还有——好吧——也为了增加利润的缘故，把灯光（甚至手电灯）带到里面去。在我们谈论吉姆后的第二天清晨我们用早餐的时候，我向他说出可怜的白力厄利的话：‘让他爬到地下二十英尺的地方，就待在那儿吧。’于是他提起那个地方。他很感兴趣的样子注视着我，好像我是一只罕见的虫儿。‘这也可以办得到。’他说，一面啜他的咖啡。‘用什么方法把他埋起来，’我解释，‘我们当然不愿干这件事，可是看到他是这种性格，那恐怕是最好的办法了。’‘是的。他正年轻。’史泰沉思着。‘可算世上现在最年轻的人。’我肯定道。‘真好，巴多森那个地方，’他用冥想的口吻继续说，‘那个女人现在也死了。’他令人不可解地加上这一句。

“我自然不知道那段故事。我只能猜出从前曾经有一回，巴多森这个地方做了一些罪恶、过失或者厄运的坟墓。史泰这个人，我们是无法怀疑的。他心目中唯一的女子是他称作‘我的妻子公主’的那位马来姑娘，如果偶尔说得详细些，‘我的爱麦的妈妈’。他提到巴多森时所说的那个女人到底是谁，我无从知道；但是从他吞吞吐吐的话里我晓得她是个受过教育、长得非常美丽的姑娘，是荷兰人同马来人的混血儿，有一段悲惨的、或许只好算做一段可怜的生平，里面最可怜的一节当然是她跟一个马六甲生的葡萄牙人结婚，这个人从前在荷属殖民地某家公司里当书记。从史泰的话里，我感到这个人很不行，模糊的性格上劣点非常多。史泰派他当巴多森地方史泰公司分站的经理完全是为了他妻子的缘故；但是就生意而论，这个安排是不对的，至少于公司是不利的。现在那个女人既然死了，史泰倒想把那里的人换一换。那个葡萄牙人叫柯内里，自己觉得有劳苦功高，却没有受到很好的对待，照他的能力倒应该得到个更好的位置。吉姆就是去替换这个人的。‘我想他恐怕不愿离开那地方，’史泰说，‘这与我却不相干。我完全为着那个女人才肯……但是我想起他还留下了一个女孩，那么假如他愿意待下去，我也就让他住在那老房子里了。’

“巴多森是一个偏远的地方，归本地人管理，那儿主要的殖民地也用这个名字。在距大海四十英里的河边一个地方，陆地里头几家的屋子远远地耸立在那儿，我们可以望见一片森林后耸起两座互相接近的陡峭的山峰，看起来中间只隔一条深的裂缝，简直好像是受了什么大力的震撼裂开了似的。其实，中间的山谷不过是个窄峡；从内地看来，好像一个参差不齐的圆锥形小山剖成了两半，稍微分开地相倚着。月圆之后的第三天，我们从吉姆的房子（我去拜访他的时候他有一所很精致的本地式房子）面前的空地望去，月儿刚刚从这两座山后头上升，起先有阵散光把这两大堆的岩石烘托得黛黑地站在那儿，然后那个差不多是全圆的发出红光的月儿出现了，从裂缝中间溜上来，一直浮过山巅，仿佛态度雍容地得到优胜，躲开张着大嘴的坟墓了。‘真是值得一看的妙景，’吉姆在我一旁说，‘是不是？’

"问这句话的时候，他含了一种骄傲的口气。我不禁微笑，仿佛这个绝妙的风景是经他安排过的。他在巴多森那儿做了不少的事情，有些简直是同月星的运动一样，超出了他的控制。

"真是不可思议。不可思议可说是这个地方的特色。史泰同我糊里糊涂把他摔到那里去，没有别的目的，无非是使他躲开自己；你们得知道这是我们的目的，虽然我承认我也许稍稍受了别的动机的影响。我打算回家去住一阵，也许我隐隐地希望，我自己也不知道，把他安顿好——把他安顿好，你们注意——在我动身之前。我正要回家去，他却是从家乡来，带着他那可怜的烦恼同那渺茫的要求，像一个人在雾里走着，背负重担，喘不过气的样子。我不能说我曾经把他看得很清楚过——甚至于到此刻还没有，虽然我再也见不到他了；但是我觉得我越不能了解他，我就越该帮他的忙，因为里面含了一个疑团，那也可说是我们的知识必不可少的成分。我对于自己又何尝有什么更深的了解呢？而且那时，我得再说一遍，我正要回家去——我的家乡十分遥远，那里所有的火炉石在我们看来好像只是一块火炉石了，因此就是我们里面最下贱的人也可以坐在那个炉旁尝一下家庭的乐趣。我们成千上万地在地面上漫游，有的大名鼎鼎，有的默默无闻，却都是到海外去挣得我们的名誉、金钱或者仅仅是一片干面包；但是我觉得我们每个人一提到回家，都好像是去报账的样子。我们回家去见我们的长辈，我们的亲戚，我们的朋友——我们所服从的人和我们所喜欢的人；可是甚至于没有这两种关系的人们，那些最自由、最孤寂、最不负责任、丝毫没有牵连的人们——甚至于家乡没有留下一个亲爱的脸孔、没有留下一个熟悉声音的人们——甚至于他们还得去跟家乡的灵魂相会。那灵魂住在家乡的四周，在家乡的苍天底下。家乡的空气、山谷、高原、田野、河流同树林都蕴藏那个精灵——一个默默无语的朋友、法官和鼓励者。无论你怎么说，假如你想得到家乡的快乐，呼吸家乡和平的空气，跟家乡的真情坦然相对，那么你就得带一个干净的良心回去。这些话你们也许会觉得纯粹是感伤的调子；其实我们里面很少人有那种毅力，有那种本领，能够睁开眼睛去看一下寻常的情感底下到底隐藏了什么东西。家乡有我们所钟情的姑娘，有我们所敬重的男子，有亲情，有友谊，有机会和快乐；但是事实上你必须用干净的双手来领受你的报酬，怕的是这种酬劳在你握有它的时候会变成枯叶，变成荆棘。我想就是那些孤寂的人们，没有一处火炉或者一段爱情可以说是属于他们的，他们不是回到一所房子里去，却是回到那块地方去，跟那儿永久不变的、离体的孤魂相会——我想那些人最能了解家乡的严厉，家乡的超度能力，以及家乡有个永久的特权叫我们该安心，该服从，那又是多么好的恩惠。是的！我们只有很少数人能明白，但是我们却都感到这种情绪；我说我们都感到，没有一个例外，因为那些没有这种乡思的人们是不算在内的。每片草都从一定的地点得到生命，得到精力；人也是一样的，从某一个地点得到生命，同时也得到信仰，他就在那儿生起根来了。我不知道吉姆对于这个道理懂得多少，可是我晓得他觉得，模糊地可是有力地觉得需要这么一个真情或者可说这么一个幻想——我不管你们使用哪一个字眼，这两个字眼其实没有多大的区别，就是有区别也没有什么意思。他这个人所以值得注意，全在他的那种情感。他现在绝不会回家了。他这人绝不肯，绝不会。假如他能有绘声绘色的表情，那么一想到那个念头他就会发抖，而且叫你也发抖；他却不是这种的人，虽然他也有他特别的表情，而且也很动人。一提到回家这个念头，他会绝望地僵硬起来，下巴下垂着，噘着嘴唇，他那双坦白的蓝眼睛从皱眉底下惨淡地冒出怒气，仿佛面前有个不能忍受的东西，仿佛面前有个使他作呕的东西。他那个坚硬的脑壳里有许多想象力，密结丛生的头发盖在上面同帽子一样合适。至于我呢，我却没有想象力（假如我有这种想象力的话，我对于他的情形今天也许会更有把握一些），我并没有那缥缈的意见，我曾想象过家乡的神从多佛的白崖上出现，问我——可说是没有摔断一根骨头，好好地回来了——怎么安排我的小兄弟了？我不会犯这样一个错误。我当时非常清楚像他这种人是没有人会来打听的；我看见过比他更强的人们出去不见了，完全失踪了，却没有引起一点儿好奇或者悲哀。家乡的精灵就没有去理会这数不尽的生命，好比大有为的君主也应该是如此的。流离的人们真可悲呀！我们大家团结在一起的时候才有生命。他在某种程度上也流离过；他没有跟别人团结在一起，可是他自己也晓得这一点，而且是极强烈地感到，这种强烈的程度简直使人感动，正好像因为人的生活比较强烈些，所以人的死比一棵树的死更使人感动。我刚好在他身旁，而且我刚好受了感动。就只这么一回事了。我很想知道他怎么会找到一个解脱的路子。比如说，我会觉得伤心，假如他变成了个酒鬼。世界是这么小，我真怕有一天会被一个烂眼肿脸、名誉扫地的流氓拦住去路，这流氓穿的帆布鞋子没有鞋底，手肘旁有几片破布飘动着。他拿出老朋友的资格，张口向我借五块钱。你知道这班衣服褴褛的人们从他们有体面的过去里出来，得意扬扬地走到你面前，真是可怕；他们还有一个不在乎的糙声，无礼的目光微微避向一边——对于相信人类休戚相关的人们来说，这样的会面真令人难受，简直比一个牧师看到弥留之际还不肯悔过的人还要痛心。实话告诉你们，这是我所看到的唯一危险——不单是对他而且也是对我的；可是我也怕我太缺乏想象力了，说不定会有个更坏的结局，总有些是我所预料不到的，他老不让我忘记他的想象力是多么丰富。你们通常所说的想象力丰富的人无论朝哪个方向总可以荡得更远些，仿佛在人生这个不安的停泊处，给他们的绳缆特别长一些。他们的确如此。他们也喜欢喝酒。也许是我太担心了，小觑了他。我怎么能够知道呢？甚至史泰也只能说他太浪漫了。我只晓得他也是咱们这类的人。当个浪漫的人哪里是他的事情呢？我向你们说了这么多我自己油然而生的感触和糊涂的思虑，因为除此以外关于他是没有什么可说的。他的生活只有对我会发生兴味，你们究竟还是靠着我才对于他的生活感到兴味。我将他牵出来，把他陈列在你们面前。我那平凡的忧虑是没有理由的吗？我不敢说，即使到现在。你们会知道得更清楚些，正如俗话所说的旁观者清？无论如何，我的忧虑是很肤浅的。他并没有找到个解脱的法子，绝没有；而且他还前进得很好，万无一失地、非常大方地前进，可见他不单能够快跑，而且能够久待。我应该高兴，因为这场胜利我也有份；可是我却不像我所该预料到的那么喜欢。我问自己他这么一冲有没有真把他带到那层迷雾外头去，他就隐现在迷雾里面，虽不很大，却有趣味，轮廓是飘浮无定的——一个流离失所的人得不到安慰，渴望能够回到他在队伍里那个卑微的位置上去。而且，最后一句话还没有说出——也许永远不会说出。我们的生命太短了，所以来不及把话说完；我们总是那么口吃，使我们这个唯一的、永久的意图没有达到。我们难道不是这样吗？我已绝望，不想听这些最后的话了，那句话假如能说出，响亮的声调准会震天动地呀！可是总来不及说我们最后一句话——我们的爱情、希望、信仰、悔恨、屈服或者反抗的最后的话。我想，大概因为天地不该受震动罢——至少，不该为了懂得天地的真相的我们。关于吉姆，我最后的一句话很短。我说他肯定能大获成功，可是一说出来，或者听起来，就会打了很多折扣。老实说，我不是不相信我自己的话，却是信不过你们的心。我本来能够说得很生动的，假如我不是那么担心你们这帮家伙为了喂饱你们的肉身搞得你们的想象力缺乏。我并不是故意要冒犯谁，上流社会的人们照例该没有幻觉——很安全——很顺利——很枯燥；可是你们一定也有过一个时候知道生活的热情，那是从零碎小事里生出的具有魔力的光芒，像从冰冷石头上打出的火花一样令人惊异——也是一样短命，唉！”

第二十二章

“得到爱情、名誉，和人们的信心——得到这些东西后的自豪，得到这些东西后的力量，真可做一段英雄故事的好材料；可是这些成功要有外在的东西才能够动人，吉姆的成功却是没有外在的东西。他周围三十英里浓密的森林使外面不关心的世界看不见他，他那个岛旁白浪的声响也将颂扬的歌声压了下去。文化的潮流好像在巴多森以北一百英里地方的一个海岬上就分叉了，一支向东，一支向东南流去，把这个岛上的平原同山谷，老树同陈旧的居民，都弃之不顾了，就这个岛孤单单地站在那儿，简直是一条来势汹汹的大河的两条支流中间一个无关紧要、快碎成齑粉的小岛。你们在从前的航海记录里可以常碰到这个国度的名字。十七世纪的商船到那儿去买胡椒，因为詹姆士一世时代那种追求胡椒的狂热在荷兰同英国的冒险家心里简直像一朵恋爱的火焰那样燃烧着。只要找得到胡椒，有什么地方他们会不愿去！为着一袋胡椒，他们会毫不踌躇地割断彼此的咽喉，会丢弃他们的灵魂，其实他们对于自己的灵魂向来是看护得非常周到的。他们是那么古怪地拼命追求这个东西，因此也不顾死神千般的威吓了；那些谁也不知道的大海，那些可怕的稀奇古怪的疟病，还有受伤、被掳、挨饿、瘟疫同绝望。这狂热使他们变得伟大！天呀！也使他们显得是英雄，可是也使他们动人哀怜，因为他们正贪恋这行生意的时候，顽强的死神却来把他们的老少随便杀死，就算当一笔买路钱了。说起来真是无法相信，单是贪心能够叫人们这样坚持到底，这样闭着眼睛去努力和牺牲。而且这帮拿身体同生命去冒险的人们，可说是为着一点儿的报酬就不顾一切了。他们剩下骨头在异乡的海岸上晒得雪白，为的是钱财可以流到家乡的活人手里去。在我们这帮没有那么辛苦的后人看来，他们好像很伟大，不是因为他们是商业的主动力，而是因为他们是注定了的命运的工具，听从内心的呼声、血液的冲动和将来的好梦，就往渺茫的未知世界里冲去。他们是很了不起；我们得承认他们准备好了随时要这样了不起。他们看到了自己的痛苦、海上的光景、异国的风俗以及土著国王的光荣时，并得意地把这些印象记下。

“在巴多森他们曾发现不少的胡椒，看到本地苏丹的威严同智慧，觉得很惊异；可是不知怎的，经过了一个世纪这样时好时坏的往来，那地方又渐渐没有生意了。也许因为胡椒已经卖枯竭了。不管是怎么样，现在谁也不去理会了；光荣已经成为过去，苏丹也只是个年轻的傻瓜，左手有两根大拇指，从穷苦的人民那里榨出一笔跟叫花子所得差不多的收入，还被他的许多叔叔伯伯们偷走了。

“这些消息自然都是我从史泰这里得来的。他告诉我他们的名字，还稍微说一说他们每人的生平同性格。关于本地土人管辖的许多小国，他有个极充分的知识，简直跟官方的报告一样，可是要比官方的报告更有趣。他‘必须知道这些情形。他在这么许多小岛上做生意，在有些区域——比如说巴多森就是一例——只有他这个公司得到荷兰政府的特别许可，能够在那儿设立一个分站。政府相信他的谨慎，他也自愿承担所有的风险，根本不用说，他雇佣的人也都明白这一点；可是他分明使那件事值得他们一干。那天清晨用早餐时他向我非常坦白。据他所知（最近的消息已经来了十三个月了，他说得很精确），生命财产毫无保障也算是那儿正常的状态。在巴多森有许多敌对的势力，其中一个是阿郎酋长，苏丹最坏的一个叔父，管理当地唯一的大河。他偷窃敲诈无所不为，几乎把生长在本地的马来人压榨的都快灭种了，这帮可怜的人毫无自卫的能力，连迁移走也办不到——‘真的，’史泰说，‘他们能够到哪儿去呢，他们又如何能够离开呢？’他们的确就不想离开。世界（四围是无路可通的高山）已落到贵族的掌握里了，他们也知道这位土王是他们皇室里面的人。后来我倒遇见了这位先生。他是个龌龊、矮小、无精打采的老头子，长着一双邪恶的眼睛和一张不够标准的嘴，每隔两点钟就吞一粒鸦片药丸；他不管通常的礼节，头上不戴帽子，一串一串散乱的头发垂在他那个皱瘪不洁的脸旁。当正式见客的时候，他就攀登到一种狭窄的台上，那台盖在一个像破烂谷仓的大厅里，用腐烂的竹子铺地板，从那些裂缝里你可以看见十二或十五英尺以下有种种的垃圾同秽物乱七八糟地堆在屋子底下。当吉姆同我去礼节性地拜访他的时候，他就在这么一个地方接见我们。房间里大约有四十人，下面大院子里的人也许有三倍这样多。我们背后有不断的转动，来来往往，推推搡搡，窃窃私语。几个穿着华丽绸衣的青年在远处闪着光辉，大多数是奴才同可怜的寄生虫，他们半裸着身子，穿着褴褛的围裙，沾满了灰土烂点，肮脏不堪。我从来没有看见过吉姆这么庄重的样子，这么沉着镇静，仿佛高深莫测，令人的印象很深。在这群黝黑脸膛的人里面，他那英武挺拔的身躯配上白衬衫，满头闪光的淡色头发，好像吸收了从紧闭的百叶窗的空隙里透进来的所有阳光，这个大厅的墙是席子做的，屋顶由茅草铺就。看起来，他不仅是另一类人，简直是跟他们根本不同类。假如他们没有看见他坐着独木舟来到岛上，他们也许以为他是从天上云端里掉到他们中间来的呢；可是他却乘坐一只颠簸不定的木皮船前来，坐在（非常安静地双膝靠在一起，只怕把那条船弄翻了）——坐在一个洋铁箱上——那是我借给他的——膝盖上放着一把海军式的左轮手枪——是分别时我送给他的——可是由于上天的干预，也许由于某一个糊涂的念头，他这个人总是如此，或许完全出于本能上的聪明，总之他决定不在枪中装上子弹。他就是这样子走进巴多森河。没有比这更无聊、危险的了，也不会更古怪，或者弄得更寂寞了。说也奇怪，这么一种听天由命却使他的一切行为都带上逃亡的色彩，仿佛老是出于自然的冲动，不加思索地就把别人扔掉不管了——好像一下子跳进那个未知世界里去了。

“最使我惊奇的正是那种偶然性。史泰同我，打个比方来说，将他举起，随随便便推他过墙的时候，我们都不大知道墙那边的情形到底怎样。当时我只希望使他能够走开。史泰却别致得很，带有感情上的动机。他想还清（我猜他是拿货去抵货罢）他那笔永远忘不了的旧债。他生平的确对于从英伦三岛那边来的人们特别友好。不错，他已故的那个恩人是个苏格兰人——甚至名字都叫作亚力山大·穆纳儿——吉姆却来自土维河南边很远的地方；但是六七千英里的距离虽然绝不会使英国缩小，却成为远景里的一团，就是英国自己的孩子也会觉得这些细节没有什么重要了。史泰是可以原谅的，他所暗示的意向是那么慷慨，我极诚恳地求他暂时保守秘密，不要宣布出来。我觉得不该让自身利益的顾虑使吉姆受什么影响，连这样影响的危险我们都不该去冒，我们得对付另一种现实。他要的是一处避难所，那么不管会不会害他，就给他提供一个避难所——此外什么也不要。

“此外我对于他十分坦白，我甚至于把那件事的危险性夸大了（我当时是这么认为的）。其实我还没有说出实情；他到巴多森岛上的第一天几乎就是他的末日了——会成为他的末日，假如他没有那样大胆，那样克制，假如他把左轮手枪装上了子弹的话。我记得，当我宣布我们替他安排好的那个巧妙的藏身办法的时候，他那种固执的却又疲倦的听天由命的态度就渐渐地变成了惊讶、感兴趣、感到不可思议和同孩子般的热情。这是他一直梦寐以求的那么一个机会呀！他真想不出他有什么地方值得我……他宁肯不辞一死，只要他能明白他为何会得到这么一个恩惠……说是史泰，商人史泰……但是他自然还是该向我……我打断了他的话。他言辞不清，他的这种感谢又使我产生无法解释的痛苦。我对如果他因为这个机会要特别感谢谁的话，那么他该感谢一个他从来没有听说过的苏格兰老头子，这个人已经去世许多年了，人们也记不起他什么了，除了一个大嗓门同一种粗野的诚实。世上的确没有人可以接受他的谢意，史泰无非是将他自己年轻时候所得的帮助现在传到另一个年轻人手里；我也没有费什么神，无非是提起他的名字罢了。听到这话，他脸颊红了起来，手指里捻着一小块纸片，很不好意思的样子说我总很信任他。

“我承认这话是真的，歇了一会儿，我说希望他能够以我为榜样，信得过他自己。‘你以为我不相信我自己吗？’他不安地问，接着又低声说一个人总得先有机会挣到一点面子；然后他兴奋起来，大声声明他绝不给我什么机会叫我后悔太相信他了，而且——而且……

"'不要误会，'我打断他的话，'你也无法叫我后悔什么。'后悔是不会有的，但是即使是有，也完全是我个人的事情；同时我要他明白地了解这个安排，这个——这个——试验，是他自己的事。除了他自己外，并没有任何人来为之负这个责任。'为什么？哎呀！'他结巴地说，'这正是我……'我求他不要糊涂，他显得更莫名其妙了。我说他快要使自己无法过活了。'你是这样认为的吗？'他心绪不宁地问我，但是过一会儿又很信任的样子说道，'可是我一向是继续前进的。难道不是吗？'跟他真无法生气，我不由得微笑了一下，告诉他从前像他这样的人会变成荒原里的隐士。'将天下的隐士都吊死吧！'他很可爱地冲动说道，他自然不怕荒原，'我喜欢那种地方。'他说。他现在去的就是这么一个地方。我大胆向他预言，也许他会觉得那儿挺有意思呢。'是的，是的。"他热切地说。我不为所动地继续说，他有个走出去接着将门狠狠地关上的冲动。'我真是这样吗？'他打断我的话，忽然古怪地来了一阵愁闷，好像一片浮云的影子似的，把他从头到脚包起来。他毕竟还是非常有表现力的。精彩至极！'我真是这样吗？'他痛苦地重复说，'你不能说我对这事有多大的抱怨。而且我也能够用劲干下去——可是，该死！你得给我指出一条出路……''好的，前进吧。'我插嘴。我可以给他一个庄严的承诺，说他走以后，那扇门会紧紧地关上。不管他的命运是如何，绝不会有人关注，因为那个国土虽然腐败到那步田地，人们却认为干涉的机会还未成熟。一旦他到那儿去了，对外面的世界来说，他这个人简直等于没有存在一样。他没有别的，只能站在两片脚底上，而且首先他还得去找那立足之地。‘从来就没有存在过——这正好，天呀！’他低声喃喃自语道。他那双眼睛盯着我嘴唇，闪闪发光。假如他已彻底了解那里所有的形势，那么，在我看来，他尽可以跳进他所看到的第一辆马车，赶到史泰公司去听他的最后的嘱咐。我还没有说完，他已冲到屋子外面去了。”

第二十三章

“直到第二天早上他才回来。他被留了下来吃晚餐和过夜。从没见过像史泰先生这样出色的人。他口袋里有一封给柯内里的信（‘就是将被开除的那家伙，’他解释说，得意的神色暂时收敛了一些），他接着乐呵呵地拿出一枚银戒指，正如当地人戴的那种。戒指已经被磨得很薄了，上面雕镂的痕迹已变得很模糊。

“这是他给一位叫都拉明的老家伙的介绍信。他是那儿的一个重要人物——一个大人物。他是史泰先生在那个国家的一个朋友，他那些冒险生涯都是在那儿度过的。史泰先生称他为‘战友’。战友挺好的。不是吗？史泰先生的英语说得极好，是吧？据说，他是在西里伯斯学的英语——在那么个地方！真是太有趣了。是不是？他说话确实带点儿口音——这点难道我会注意不到？那个叫都拉明的给了他这枚戒指。当他们最后一次见面分手时，交换了礼物。有点儿表示友谊长存的意思。他说这挺好的——难道我不是这个意思吗？当那个穆罕默德——穆罕默德——他被人杀死时叫什么名字来着，他们为了宝贵的生命不得不突然匆匆逃离那个国家。我当然知道这个故事啦。好像是非常卑劣的勾当，不是吗？……

“他就这么滔滔不绝地说着，忘了面前的盘子，手里拿着一副刀叉（他来的时候我正在吃午餐），脸颊微微泛红，眼睛颜色深了许多，这是他正处在兴奋状态的一种标志。戒指是一种信物——（‘这就像你在书中读到的一样，’他很欣赏地插进来这么一句）——都拉明会尽力帮他的忙。史泰先生曾经在某个场合救过那家伙的命；据史泰先生说，那纯属偶然。但是他——吉姆——对此事却有自己的见解。史泰先生这种人，总是注意寻找这样的偶然。不论是偶然也好，故意也罢，那件事对他是非常有好处的。只希望现在那个老乞丐还没得到解脱去上帝那报到。史泰先生也说不清，已经有一年多没有消息了；他们内部陷入了无休止的争斗中，那条河的通航也被关闭了。这就非常尴尬了，很不方便；但是，别担心；他会设法找个缝隙钻进去的。

“他得意地喋喋不休地说着，使我深受感动，也几乎令我害怕。他就像一个在漫长假期的前夕，满心期待着愉快假期的欢呼雀跃的孩子，话特别多。一个成年人竟有这样的心态，况且又是在这样的场合，的确有些反常，有点疯狂、危险和靠不住。我正要规劝他要认真对待世事，他却忽然扔下刀叉（他已经开始吃东西了，或者不如说是在不知不觉间囫囵吞着食物），并开始在盘子旁边找寻起来。戒指！戒指！那鬼东西在哪儿……啊哈！在这儿呢。……他的大手一把将戒指攥住，想把它放进衣袋中，挨个试遍了所有的衣袋。天哪！这玩意儿可丢不得。他盯着紧握的拳头陷入了沉思。有绳子吗？他要把这宝贝儿挂在脖子上！他立刻开始寻找，自制了一根绳子（看上去就像一根棉线鞋带）来挂那东西。这儿！这就行了！那就麻烦了，如果……他好像是第一次看见了我的脸色，这才使他略微安静了一点儿。我也许没有意识到，他以一种天真的严肃神情说道，这个信物对他而言有多么重要。那意味着一个朋友；有朋友是件极好的事。他多少懂得这个道理。他意味深长地冲我点点头，但是见我对此毫无反应，他便用手托着头，默默地坐了一会儿，沉思地玩弄着桌布上的面包屑……'把门砰的一声关上——说得真好，'他叫道，跳了起来，开始在屋里踱来踱去，他肩膀的姿势，头的转动，头一直朝前且不平稳的步伐，使我想起那天晚上他也是这样踱步、自剖、解释——你们爱怎么说怎么说好了——说到底，他还活着——在我面前，在他自己的那小团乌云下面活着。他那种不易被觉察的精明能够从痛苦的根源中得到安慰。他此刻的心情同那时一样，一样却又有些不同，就像一个善变的伴侣，今天引领你走的是正道，明天以同样的眼睛，同样的步子，同样的冲动，把你带到绝望的迷途。他的步态是很有把握的，他那飘忽不定的眼神却似乎在房间里寻找着什么。他的脚步声听起来一只好像比另一只响一些——也许是他鞋子的问题——这就给人一种奇怪的感觉，好像他走路时有一个无形的停顿。他的一只手深深地插入裤兜里，另一只手忽然在头顶上方挥舞着。'把门砰的一声关上！'他喊道。'我一直在等着。我会表现出来的……我会……我准备好了应对任何麻烦事。……我一直在梦想着它……天哪！跳出这个圈子。天哪！这说到底也是运气呀。……你等着吧。我会……'

"他无所畏惧地甩了甩头，我承认，在我们相识的这段时间里，这是我第一次，也是最后一次，发现自己异乎寻常地对他感到彻底地厌恶。为什么要说这些空话？他迈着笨拙的步伐在房间里走来走去，可笑地挥着他的胳膊，并且还时不时地摸摸胸前衣服里的那枚戒指。一个被派到根本没有生意可做的地方当贸易代理人，有什么可值得高兴的？凭什么蔑视天下？对于任何事业来说这种心境都不合适；我说，这种心境不仅对他不合适，而且对任何人都不合适。他直直地站在那儿，俯视着我。我是这么想的吗？他问道，绝对没有强迫的意思，却带着一种微笑，在他的微笑中我似乎突然发现含有某种无礼来。那时我可比他大二十岁呢。年轻人总是盛气凌人的；这是年轻人的权利——有其必要性；它不得不维护自己的权利，而在这充满怀疑的世界里，对这种权利的任何坚持都是一种蔑视，一种傲慢，就是盛气凌人。他走到一个很遥远的角落，然后返回来，打个形象的比方说吧，他转过来就要把我撕碎。我这么说是因为我——就连我这个对他好得都不能再好的人——我甚至记得——记得——关于他的——那桩——对他不利的丑事。何况还有其他人——还有这——这个世界呢？他想归隐，一门心思地想归隐，想跳出这个圈子，一直待在外面——天哪！而我还在谈论什么合适的心境！

"'不是我，也不是这个世界记得，'我嚷道，'只有你——你自己还记得那事。'

"他没有退缩，而是继续热烈地说道，'忘掉所有的事，所有的人，所有的人。'……他的声音低了下来……'除了你，'他补充道。

"'不——把我也忘掉吧——如果这有所帮助的话，'我低声说道。之后，我们都沉默了好一会儿，懒洋洋的，仿佛筋疲力尽了。然后他又开始说起来，并且告诉我说，史泰先生已经指示他等一个月左右，看看他是否有可能留下来，然后再着手为他盖一座新房子，以避免'无谓的浪费'。史泰先生的话真有趣。'无谓的浪费'是挺不错的……

留下来吗？那有什么！当然啦。他要坚持留下来。唯一的问题是——让他进去；他保证他会待下去。永远不出来。待下去挺容易的。

“‘别傻了，’我说，听到他威胁性的口吻，我心里感到很不安，‘如果你活得够长久，你就会想回来的。’

“‘回来干吗？’他心不在焉地问道，眼睛紧盯着墙上挂钟的钟面。

“我沉默了一会儿。‘那么，你永远都不回来了吗？’我说。‘永远不，’他看都没看我一眼就做梦似地重复道，然后突然着急起来，‘天哪！都两点了，我四点要起航！’

“这是实情。那天下午史泰的一艘双桅船要离港西行，人家让他搭乘这艘船，只是没有下达过推迟航行的命令。我猜史泰是把这事给忘记了。他急急忙忙去取行李，我也上了自己的船，他和我约定在他去外面码头的时候，到那里找我。他很快便匆忙地出现了，手里拎着一个非常小的皮革手提包。这可不行，我便把自己的一个旧铁箱给了他。据说这个铁箱不透水，至少会防潮。他换箱子的方式非常简单，把他那只旅行包里的东西统统倒出来，就像你把一袋小麦倒空一样。在他倒出来的那堆东西里，我看见三本书：两本深色封皮的小开本书，还有一本厚厚的绿色夹金的大部头——价值半克朗的《莎士比亚全集》。‘你还看这个？’我问道。‘是的。这是最能振奋人心的物品。’他匆匆说道。我对他的这种欣赏感到很惊讶，但是当时没时间来谈论莎士比亚了。小舱室的桌上放着一把左轮连发手枪和两小匣子弹。‘请把这个带上，’我说，‘它可能会帮助你待下去。’这些话刚说出口，我就觉察到它们暗含的意思有多冷酷。‘可以帮助你进去，’我非常懊悔地纠正道。然而，他并没有因刚才那句话中隐晦的意思所烦恼；他热情地向我表示感谢，然后一路狂奔地跑开了，他又回过头来高声喊着再见。我在船边听见他催促船夫使劲划船的声音，从船尾小窗往外望去，我看见小船在大船后面打着转转。他坐在小船里，身体前倾，用声音和手势激励着船夫；由于他手里一直握着那把左轮手枪，又似乎把枪对着船夫的脑袋，我永远不会忘记那四个爪哇人被吓坏了的面孔和他们拼命划船的场景。船很快就驶出了我的视野。我转过身来，一眼就看见小舱室桌上的那两匣子弹。他忘记带这些东西了。

“我让我船上的船夫立刻划船去追赶他们；但是吉姆船上的船夫由于觉得船上载了这么一个疯子，他们处于命悬一线的境地，因此划得飞快。在我的小船刚走完两船之间距离的一半时，我便看见他翻过船栏杆，上了大船。他的箱子也被递了上去。两桅船的船帆都放了下来，主帆已经竖好，绞盘正在丁零作响，我在此时也登上了那艘船的甲板：船长，一个四十岁左右矮小精干的混血儿，穿着一套蓝色的法兰绒衣服，眼睛很有生气，圆胖的脸呈柠檬皮色，几根稀疏的黑色唇须在他两瓣厚厚的暗色嘴唇边垂下，他傻笑着迎上前来。尽管他表面上很自得、愉快，但是他的性情却很忧郁。在回答我的一句问话时（当时吉姆到下面去了一会儿），他说，‘噢，是的。巴多森。’他要把这位先生送到河口，但是‘绝不驶上去’。从他嘴里说出来的英语好像出自一个疯子编的字典。如果史泰先生希望‘驶上去’，那么他会‘谨慎地’（我想他要说恭敬地——但只有魔鬼才知道）——‘谨慎地提出反对，为了货物的安全起见。’如果反对没被理会，他就会呈上‘辞职信’。十二个月以前，他最后一次航行到那里过。尽管柯内里先生‘捐了很多款’给阿郎酋长和当地的其他‘要人’以便买卖可以正常进行，但是当他的船顺河而下的时候，沿途还是饱受‘无动于衷的帮派’从树林里开火袭击，这导致他的船员们‘从暴露四肢到静悄悄地躲藏起来’，那艘双桅船差点搁浅在河口沙洲的滩头上。在那里它‘会遭到人力无法挽救的毁灭’。他一边因回忆此事觉得愤怒可气，一边为自己流利的叙述感到自豪，因此他那张宽阔简洁的脸庞都不知道用什么表情表达才好。他时而冲我皱眉，时而冲我眉开眼笑，并且很满意地感到自己的措辞有种令人无法否认的效果。平静的海面上迅速掠过一阵暗淡的怒容，双桅船的前桅张着满帆，主帆在船中间，一遇到这种猫掌风[1]，好像就不知所措了。他咬牙切齿地进一步对我说，那酋长是个‘可笑的鬣狗’（想不到他竟然知道鬣狗这个词）；而另外某个人则比‘鳄鱼的眼泪’虚伪得多。他一边用一只眼睛注视着前面船员的动作，一边滔滔不绝地说下去——把那地方比喻成‘野兽的兽窟，因长期没悔罪而变得贪婪无比’。我猜他的意思是不受惩罚。他并不想，他哭着说‘故意暴露自己，导致被抢劫’。水手们起锚时发出的那种拖着长音的号子声停止了，他的声音也随之降了下来。‘巴多森真是令我感到烦透了，’他用力说了这句话，结束了我们的谈话。

“我后来听说，他由于太不小心，曾被人用一根藤索套着脖子绑在酋长房前竖在泥坑中的柱子上。他就在那种不利的境况下待了大半个白天和一整夜，但是有充分的理由相信，那件事不过是开的一个玩笑罢了。我猜，他大概是陷入了那可怕的回忆中，静默了一会儿，他用吵架般的口气地对一个正朝船尾舵轮那儿走去的水手说话。当他再次转向我说话的时候，则显得很是心平气和，全无刚才的火气了。

① 气象学中用语，指一种小区域微风。

他会把那位先生送到巴多克林的河口（巴多森镇‘位于内地’，他说道，‘还有三十英里远’）。但是在他眼中，他接着说道——用一种厌恶疲倦却又无比坚信的口吻取代了他刚才口若悬河的发泄——那位先生已经‘和一具死尸没什么两样’。‘什么？你说什么？’我问道。他装出一副惊人的样子，完美地模仿出从背后刺杀的动作。‘就像一具被人扔掉的尸体，’他解释道，那种令人难堪的自负神气，是他们这种人在表现出他们想象中的聪明之后经常流露出的样子。我看到吉姆在他背后默默地冲我微笑，举手阻止了我已到唇边的惊呼。

“然后，当那个混血儿一本正经地大声下达命令时，当帆桁摇摆着嘎吱嘎吱作响，沉重的吊杆升起来时，只剩下吉姆和我在主帆的下风处，我们紧紧地握了握手，匆匆说完最后几句话。我心里在对他的命运感兴趣的同时，还一直存在着一种怨恨，此时我心里的那种无聊的怨恨情绪消失了。那个混血儿喋喋不休地说着吉姆此行的悲惨凶险，他所描述的要比史泰小心谨慎的叙述更真实动人。在那种场合，我们交往中一直存在的那种拘礼在谈话中消失了；我相信我称他为‘好孩子’，他吞吞吐吐地说了一些表示感谢的话，在这些话中，加了‘老人家’的称呼。好像他冒的危险抵消了我的岁数，使我们俩在年龄和感情上都更为平等。那一刻是真正深刻的亲密，出乎意料却又转瞬即逝，像是瞥见某种永恒的、救人的真理。他打起精神竭力抚慰我，仿佛他是我们俩当中更为成熟的那个人似的。‘没事的，没事的，’他动情且快速地说道，‘我保证会照顾好自己的。是的；我绝不会去干任何冒险的事。什么险都不冒。当然不冒。我的意思是要一直待下去。你别担心。天哪！我觉得好像没什么能触动得了我。怎么啦！这是从倒霉转为交上了好运气呀。我可不会浪费这么一个绝好机会！’……一个绝好机会！好吧，这的确是绝好的机会，但是机会也是人为的，我怎么知道的？正如他所说的，即使是我——即使是我也记得——他的——对他不利的倒霉事。这是实情。对他来说，最好还是一走了之。

“我的小船落在了双桅船的后边，我看见他在船尾，将帽子举过头顶，独自映在西下的夕阳里。我听见一个模糊的喊声，‘你——将会——听到——我的——消息。’听到我的消息，还是收到我的信，我不知道是哪一个。我想一定是听到我的消息吧。我的眼睛被他脚下海面上的闪光弄得太花，以至于无法看清他；我命中注定永远无法看清他；但是我可以向你保证，他绝不像那个满口胡言的混血儿所说的‘和一具死尸没什么两样’。我可以看见那个小人的脸，形状和颜色都像极了一个熟南瓜，从吉姆肘下的什么地方钻了出来。他扬起了手臂，仿佛是要往下推。但愿这不是个凶兆！”

第二十四章

“巴多森的海滨（我将近两年后才看到它）平直而阴沉，面对着一片朦胧的海洋。灌木丛和蔓藤覆盖在低矮的山岩上，浓绿的枝叶下露出几条红色的小径，犹如流淌着铁锈的瀑布。多沼泽的平原在河口处展开，放眼望去，可以看见浩瀚的森林及森林后面那呈锯齿状的蔚蓝色峰峦。海面上有一串晦暗的小岛，好像要破碎的样子，在永不消散的阳光照耀下的朦胧薄雾中脱颖而出，犹如一堵墙壁被海水冲毁后剩下的一些断壁残垣。

“在巴多克林河口处，有一个渔村。那条河一直通向大海，曾经被封锁了很久，当时又通航了。我搭乘史泰的那条双桅小船趁着三次潮汐溯流而上，总算没有受到‘无动于衷的帮派’的骚扰。如果我能够相信渔村那位上了年纪的村长的话，那么这种情况已经属于古老的历史了，村长则是上船来充当引水员之类的角色的。他跟我（他见到过的第二个白种人）谈得很诚恳，而他谈的多半是他所见过的第一个白种人。他称他为吉姆爷，他谈到吉姆时的口气很特别，亲切中又带有几分敬畏。他们村里的人受到了这位爷的特别保护，这表明吉姆在这里并没有遭人忌恨。如果吉姆曾经告诉过我说我会听到他的消息的，那么他的这一预言则完全变成了事实。我现在正在听关于他的消息。已经有一个故事说，潮水早涨了两个钟头，他便乘着潮水溯流而上。这位健谈的老人亲自驾驶着独木舟，并对这一现象感到很惊讶。而且，所有的荣耀都被他们一家占尽了。他的儿子和女婿划桨；但是他们只是些没有经验的年轻人，他们没有注意到那小舟的速度，直到吉姆向他们指出这令人惊异的事实。

“吉姆来到那个渔村，是一件幸事；但对他们来说，如同对我们许多人来说一样，幸事的降临总是让恐怖打头阵。自从最后一位白种人光顾那条河之后，已经过了许多代了，那传说都已失传很久了。吉姆的突然到来，令他们感到很恐慌；他要求人们带他去巴多森的坚决态度更令人感到惊惶；他的慷慨大方令人起疑。这是一个闻所未闻的要求。没有先例。酋长对此会说些什么？他会对他们做什么？为此，他们商议了大半夜；可是那陌生人一生气，他们似乎立刻就会面临巨大的危险，所以他们最后还是准备了一只奇怪的独木舟。当独木舟驶走时，女人们悲伤地尖叫起来。一位毫无畏惧的老巫婆还诅咒了这个陌生访客。

“正如我告诉过你的那样，他坐在独木舟里那只铁箱子上，在膝头摆弄着那只没装子弹的左轮手枪。他怀着戒心——没有比这更累人的——一路坐到了目的地。于是到了这片他注定要在这儿以他的美德而声名鹊起的国土，他的名声从内地青色的山峦一直传到海滨白色的浪花。转过第一个弯道时，他就看不到大海，看不见那起起伏伏、永不停息的滚滚波涛了——那波涛正是人类奋斗的真实写照啊——同时迎面而来的，则是深深扎根于土壤之中不可撼动的森林，迎着阳光茁壮成长，永远在它们古老传说的朦胧力量中，就像生命本身。而他的机会就像位东方的新娘一样，蒙着盖头坐在他的身边，静待被主人揭开。他不也是一个朦胧而有力量的传统的继承人吗！然而，他却告诉我说，他一生中从没有像坐在独木舟中那样感到如此沮丧和疲惫。在整个航行过程中，他几乎是一动不动，像是隐身了一样，最多就是轻轻地把漂在他两只鞋子之间的那半个椰子壳捞起来，小心翼翼地将小舟里的水往外盛。他感觉到坐在铁箱的盖子有多么硬了。他的体格本来很强壮；但是在那次旅途中，他有好几次感到一阵阵的晕眩，在眩晕的间隙，他又迷茫地猜想太阳在他背上晒起了多大的泡。为了解闷，他尽量往前看，想猜出他看见躺在水边的那团乌黑的东西究竟是木头，还是条鳄鱼。不过他很快就不得不放弃了这种消遣的方式。真没意思。总是鳄鱼。有一只鳄鱼扑通一下掉进河里，差点儿打翻了独木舟。但是这种骚动立刻就过去了。接着，他们经过一段长而空旷的河段，他非常感谢一群猴子，它们一直来到河边，在他路过时侮辱般地吵闹了一阵子。他就是以这样的方式接近他的伟业，同每个取得伟业的人一样纯正。他一心盼着日落；与此同时，他的三个桨手正准备执行把他交给酋长的计划。

"'我想必是非常疲倦，累得都迟钝了，要不就是打了一会儿盹，'他说。他发现的第一件事，就是他的独木舟即将靠岸。他立刻觉察到森林已经远远落在后边，已经可以看见位于较高处的第一排房屋，左边有一道木栅栏，他船上的几个水手一起跳到岸上一块低地，转身便跑。他本能地跟着他们跳下船去。起初，他以为自己因一些不可思议的理由被抛弃了，但是他忽然听到兴奋的叫喊声，一道大门被打开了，很多人跑了出来，向他涌去。与此同时，一艘满载着全副武装人们的小船出现在河中，向他那条空荡荡的独木舟靠过来，堵住了他的退路。

"'我太惊讶了，以至于无法保持冷静——你知道吗？如果那把左轮手枪已经装好子弹的话，我可能会打死某个人——或许会是两三个，那样的话我可就完了。幸好它里面没装子弹……''为什么没装呢？'我问。'呃，我不能跟这儿所有的人开战，我也不是因贪生怕死才来他们这儿的，'他说道，瞥了我一眼，目光中隐隐流露出他那倔强的愠怒。我克制住了向他指出，他们可能不知道船舱中实际上是空的。他必须用他自己的方式来满足自己。……'无论怎样，总算是枪里面没装子弹，'他高兴地重复道，'所以我就一动不动地站在那里，问他们是怎么回事。我的这一举动似乎把他们吓得目瞪口呆。我看到这伙贼人中，有几个人搬走了我的箱子。那个长腿的老恶棍加沁（明天我就把他指给你看）跑出来，手足无措地对我说，酋长要见我。我说：'好吧。我也正想见酋长呢，于是我就走进了那道门，就——就——我就待在了这里。'他大笑起来，然后又突然加重语气问道，'你知道这里面最有趣的是什么吗？'他问道，'告诉你吧，那就是我明白一点：如果我被杀掉，受损失的是这个地方。'

"他在房前对我说了这么一番话，就在我提过的那天晚上——在这之前，我们看到月亮从山间的裂隙中飘过，像一个从坟墓里升腾出来的灵魂；它把光泽洒下来，清凉而苍白，宛如死去的阳光的幽灵。月光中似乎萦绕着某种东西，它具有脱离躯壳灵魂的全部冷峻及一些不可思议的神秘。它与阳光相比——阳光是，你们爱怎么说都可以，是我们赖以生存的一切——就像回声和声音：无论情调是嘲弄还是伤感，总是那么的迷惑。它剥夺了所有形态的物质——毕竟，它是我们的领域——剥夺了它们的实质，影子则显得真实且不吉祥。影子在我们周围是非常真实的，但是站在我身旁的吉姆看上去非常结实。好像没有什么东西，甚至连月光神秘的力量——也不能夺走他在我眼中的真实。或许，自他从黑暗力量的攻击中幸存下来之后，已经没有什么东西能触动他了。一切都寂静无声，静止不动；甚至是河面上的月光也如躺在一塘池水之上沉睡了一般。此时正值涨潮时分，片刻的静止加剧了地球上这个遗失角落的孤寂冷清。沿着宽阔明朗却毫无波纹和闪光的河边，挤满了房屋，映在水里，形成了一排拥挤、模糊、银灰色的形状，混合在一团团的黑影中，宛如一大群形状怪异的幽灵，争先恐后地吮吸着一条幽灵似的没有生命的河流。这一处那一点儿的红色光在竹墙里闪烁，温暖而似有生命般的火星，象征着人类的爱心、庇护所和安息。

“他坦白地告诉我说，他常常看着这些微弱温暖的光一个接着一个地熄灭，他喜欢看着人们在他眼前睡去，对明天的安全充满信心。‘这里很太平，是不是？’他问道。他没有展开论说，但是随后所说的话似乎有着深刻的含义。‘看看这些人家；没有一家不信任我的。天哪！我告诉过你，我会待下去的。你随便问这里的任意一个男子、妇女抑或是孩子……’他停顿了一下。‘总之，我现在过得很好。’

“我立刻说道，他最终还是找到了所追求的。我补充说道，我一直对此深信不疑。他摇了摇头。‘你一直是？’他轻轻地按着我胳膊肘上边的臂膀，‘好吧，那么——你是对的。’

“在他那低沉的感叹声中，含有一种得意和自豪，也许还有点敬畏之情。‘天哪！’他喊道，‘只要想想这对我来说意味着什么。’他又按了按我的胳膊。‘你问我是否想过离开。上帝啊！我！想离开！

尤其是现在，在你告诉了我史泰先生的事以后……离开！为什么！那正是我所害怕的。那恐怕——那恐怕比让我死还难受。不——请相信我说的话。别笑。我必须感到——每天，每当我睁开眼睛——我是被信任的——没人有权利——你知道吗？离开！去哪儿？为何？能得到什么？'

"我已经告诉过他（这的确是我此行的主要目的），史泰的意思是，立刻把房子连同一些商品给他，在某些很宽泛的条件下，好让交易完全正规有效。起初他鼻孔里的气呼呼作响。'收起你的神经质吧！'我叫道，'根本不是史泰无偿赠给你的。他给你的这些都是你为自己挣下的。不管怎样，留着你的那些话讲给穆纳儿听吧——当你在另一个世界遇见他的时候。我希望这天不要来得太早……'他不得不接受我的意见，因为他所得到的信任、名誉、友谊、爱情——所有的这一切使他成了主人，也使他成了俘虏。他以主人的目光注视着夜晚的太平，注视着那河流、那房屋、那生命永恒的森林、那古老人类的生活、那片大地的秘密以及他内心的骄傲。但恰恰正是这一切又征服了他，支配了他内心深处的想法，支配了他血液中最轻微的跳动，直至他生命的最后一刻。

"这是值得骄傲的事。我也为他感到骄傲，即使我对这笔交易令人难以置信的价值不太了解。多好啊！我所看重的并不是他的无畏精神。奇怪的是，我对它看得很轻：仿佛这太平常了，和这事的核心无关。不，他所表现出来的别的才能则更为打动我。他证明了自己对这种陌生环境的把控能力以及他在那方面的思维领域的警觉性。还有他的胸有成竹！太神奇了！这一切对他而言，来得犹如一只训练有素的猎犬所具有的敏锐嗅觉。他没有口若悬河，但在这种与生俱来的沉默中有一种尊严，在他结结巴巴讲出的几句话中有一种至高的严肃性。他依然有爱红脸的老毛病。然而，他不时吐出来的一个字、一句话都会表明，他对使自己恢复了名誉的工作怀有多么深沉和严肃的感情。这就是他为什么看起来带有一种强烈的自我主义和一种鄙视不屑的柔情深爱着那里的土地和人民。”

第二十五章

"'我就是在这儿被囚禁了三天,'他喃喃地对我说(在我们去拜访酋长的时候),当时我们正缓缓穿过吞古·阿郎的庭院,穿过仆人们发出充满敬畏的喧闹。'这地方真脏,是吧?当时,我什么吃的都没有,除非我大吵大闹地要,然而得到的仅是一小碟米饭和一条比棘鱼大不了多少的煎鱼——他们这帮混蛋!天哪!我饿着肚子悄悄在这臭烘烘的围墙里找东西吃,那些流浪汉有的还把他们的杯子推到我的鼻子底下。我一开始就把你送我的那把名贵的左轮手枪交了出去。不过我很高兴能丢掉那玩意儿。手里拎着把空膛枪走来走去的,怎么看都像个傻瓜似的。'就在那时,我们来到酋长面前,他对从前俘虏过他的人毫不畏惧,严肃而又深怀敬意。哦!好宏伟啊!每当我想起来就想笑。但是也给我留下了深刻的印象。令人不齿的老吞古·阿郎不禁流露出害怕的神色(虽然他喜欢讲自己年轻气盛的故事,但他根本算不上个英雄好汉);与此同时,在他对待曾是他俘虏的态度中,有一种渴望得到信任的神情。请注意!即使在最憎恨他的地方,他仍然受到信赖。吉姆——就我从他们的对话中所听到的而言——

通过发表自己的意见来改善这里的情况。几个穷苦的村民在去都拉明家的路上被袭击和抢劫，他们带着几块树胶或蜂蜡，想以此来交换大米的。酋长脱口而出道，‘都拉明就是那个贼’。他那羸弱的躯体似乎无力承受这样的震怒。他坐在团垫上古怪地扭动着，手脚并用地比画着，晃动着那缠绕在一起的长胡须——那是他愤怒的表现，但却显得有些怯懦。我们周围的人都睁圆了眼睛，张着下巴。吉姆开始说话了。他坚决而冷静地详细阐述了这样一个道理：任何人都可以正大光明地为自己和孩子获得食物，这不应被阻挠。那个酋长坐在桌前，活像个裁缝，双手按膝，低着头，透过披散在眼前的灰白头发直盯着吉姆。当吉姆讲完后，室内鸦雀无声。大家都屏住呼吸，谁都不出声，直到老酋长微微地叹了口气，抬起头，睁大了眼睛快速地说道：‘你们听着，我的子民们！再也不许要这些小把戏了。’这道法令在众人的沉默中被接受了。一个块头很大的男子，显然是酋长的亲信，眼睛里透着精明，黝黑的宽脸颧骨凸出，态度和善而殷勤（后来我才知道他是刽子手），他从一位低级侍者手中接过铜托盘，为我们献上两杯咖啡。‘你不必喝，’吉姆迅速低声说道。刚开始我没明白他的意思，只是看了看他。他抿了一口，从容地坐着，左手端着茶碟。我当时觉得特别生气。‘搞什么鬼，’我微笑着、态度和善地对他低声说道，‘你竟然让我冒这样愚蠢的风险？’我当然也喝了，并没有什么不良反应，吉姆也没有任何表示，随后我们就立刻离开了。当我们由那个伶俐的刽子手陪同着，走下庭院，返回我们的小船时，吉姆说他很抱歉。当然，这是个难得的机会。就他自己而言，他根本没往毒药这方面去想。根本不可能的事。他向我保证他的好处比危险性多得多，所以……‘但是酋长非常怕你。这点谁都看得出来，’我争辩道，我承认语气中有些气恼，我一直在焦急地密切注意着有没有某种可怕的绞痛症状发作。我非常反感。‘如果我要在这儿做些好事，保持我的地位，’他在小船里坐在我旁边说，‘我必须冒这样的危险：我至少每个月要尝一次。许多人信任我替他们这样做。害怕我！一点儿没错。他怕我，很可能是因为我不怕他的咖啡。’接着，他指给我看栅栏北面一个地方，那里的好几根木桩的尖头都被折断了。‘我到巴多森后的第三天，就是从那儿跳过去的。他们还没在那儿安新桩子。看，跳得不错吧？’过了一会儿，我们路过一个浑浊的小溪口。‘这是我第二次跳跃的地方。为了完成这次跳跃，我得跑一小段路助跑，但是最后还是差一点儿，没能成功。我以为得把这具皮囊留在那儿了。挣扎的时候鞋子也丢了。我一直在想，如果像这样陷在泥里，此时再被那致命的长矛刺一下，可就惨了。我直到现在还记得在泥里扭动的时候感到有多恶心。我说的是真恶心——就像咬了什么腐烂的东西似的。’

“这就是那时的情形——机会从他身边溜过，跳过那道鸿沟，陷在污泥里挣扎……仍然蒙着面纱。你明白吧，是他来得过于突然挽救了他，使他幸免于立刻死在当地人的短剑之下后被抛入河中。他们抓住了他，就像是抓住了一个鬼魂、幽灵或神秘的征兆。这是怎么回事呢？应该如何处理呢？现在和他讲和是不是已经太迟了？是不是立刻把他杀掉会更有利？杀掉他之后又会出什么事？可怜的老阿郎思前想后，很难下定决心，这几乎要令他发疯。他们的讨论中断了几次，这些参与讨论者纷纷离开，走向门口，到外面的走廊去休息一会儿。据说——有一个人竟然跳到楼下——据我估计，离地应该有十五英尺高——摔断了腿。巴多森的总督举止怪诞，比如，在每次激烈的争论中，他总会插入一些夸夸其谈的狂言，而且会越说越激动,直至最后手握一把短剑飞跃着离开他的座位而结束。不过，除了这种偶尔发生的插曲外，有关吉姆命运的讨论却日夜不停地进行着。

“与此同时，他在院子里踱来踱去，有些人回避着他，有些人则时刻盯着他，但是所有的人都提防着他，而他实际上在听任那里一个衣衫褴褛流浪汉的摆布。他睡在一个摇摇欲坠的破茅草屋里；污秽腐烂的臭气使他感到很难受；不过这似乎并没有影响他的胃口，因为他告诉我说——在那段该死的日子里他总是感到饿。时不时会从会议室跑出来个‘大惊小怪的蠢驴’，用甜美的语调问他一些奇怪的问题:‘荷兰人要来占领这个地方吗？这个白人是否愿意沿河原路返回？你到这个可怜地方的目的是什么？酋长想知道这个白人会不会修表？’他们还真给他拿来一只新英格兰制造的镍钟。由于极度的无聊，为了打发时间，他开始忙碌起来，试着把那个闹钟修好。很显然，他是在茅草棚里忙碌的时候，才突然意识到自己处于极其危险的境地。他扔下手里闹钟——他说——‘就像扔掉一个烫手的山芋’，急急忙忙地走了出去，丝毫不知道自己应该做什么，或者说他能做什么。他只知道此刻的处境是无法容忍的。他漫无目的地闲逛着，路过一处只有几根柱子支撑着的摇摇欲坠的小谷仓外，他的目光落在那木栅栏的断木桩上；接着——他说——没有任何思考过程，也没动一点儿感情，他立刻开始逃跑，就好像在实施一个已酝酿了一个多月的计划似的。他若无其事地走着，好让自己好好跑动一下，当他转过头来时，看到一个当地的高官近在他的肘弯处，后面还跟随着两个手持长矛的侍卫,这个高官看见吉姆时正要发问。吉姆就‘从他的鼻子底下’开始逃跑，‘像只鸟一样’窜过去，在另一边落地时跌了一跤，摔得骨头都吱吱作响，头似乎要炸裂开了。他立刻爬起来。他当时什么也没有想；他所能记得的——他说——只是大叫一声；巴多森的第一排房屋就在他面前四百码之外；他看到了那条小河，便不由自主地加快了脚步。大地在他脚下就像飞也似的向后退去。他从最后一块干地一跃而起，感觉自己在空中飞似的，最后直挺挺地落在一块极其柔软、黏糊糊的泥岸上。只有在他尝试着挪动双腿的时候，这才发现双腿已动弹不得，用他自己的话说，‘苏醒过来后’。他首先想到的是那‘要命的长矛’。事实上，考虑到木寨子里的人必须先跑到大门口，来到码头，乘上小船，绕过水中凸出的一块尖地，他已经逃得足够远了，这超出了他的想象。此外，这时正值落潮时分，小溪里都没了水——你们也不能说它干涸了——事实上，在一段时间内他是安全的，除了那种射程很远的枪击。在他前面约六英尺远处有一些高点儿的硬地。‘我以为在那儿也得死，’他说。他伸出手来，拼命地乱抓，结果在胸前只聚拢来一堆可怕的、冰冷的、发亮的污泥——一直堆到他的下巴底下。他觉得好像在活埋自己，接着便疯狂地扭动起来，用拳头乱击打泥巴。飞溅起的泥巴落在他的头上、脸上、眼睛里、嘴巴中。他告诉我说，他突然想起那个院子来，就如同人们想起一个多年前非常快乐地生活过的某个地方一样。他渴望着——这是他说的——渴望能再回到那里，修理那只闹钟，修理那只闹钟——当时就是这种想法。他努力地挣扎着，剧烈地抽泣着，费力地喘息着，这令他眼珠好像都要从眼窝里跳了出来，使他成了瞎子。他最终在黑暗中使出洪荒之力，成功使自己摆脱污泥的束缚。他感到自己有气无力地爬上了河岸，直挺挺地躺在坚硬的地面上，看到了光亮和青天。于是，他有了一种愉快的想法——美美地睡上一觉。他觉得他真的睡着了；他睡了——或许是一分钟，或许是二十秒，亦或许是仅仅睡了一秒钟，但是他清楚地记得那猛然抽搐般的一惊，他醒了。他静静地躺了一会儿，然后爬起来，从头到脚都是污泥，他呆呆地站在那儿，寻思着方圆几百英里就他孤零零的一个人，别指望任何人的帮助、同情和怜悯，就像是一只被围猎的野兽。最近的房屋离他不超过二十码远；一个惊恐的妇人想抱走孩子时发出的拼命尖叫声才把他惊醒。他穿着短袜匆匆朝前走去，一身的污泥，简直不像个人样。他走了距居住区一多半的路程。手脚麻利的女人们四处逃散，反应稍迟的男人们放下手中的一切，目瞪口呆地站在那儿一动不动。他成了个会飞的魔鬼。他说，他注意到小孩子们为了逃命，摔趴在地上，小小的肚子着地，两只脚乱踢。他曲曲折折地穿过两排房屋，来到一个斜坡上，拼命地爬上一个用伐倒的树木筑成的工事（当时巴多森每个星期都打仗），冲过一道篱笆，来到一块玉米地，地里有一个被吓坏了的男孩朝他扔了一根木棍，然后慌不择路地逃跑，一下子撞进几个被吓坏了的男人怀里。他上气不接下气地叫道：'都拉明！都拉明！'他记得被人半推半拉地拖上了坡顶，在棕榈树和果树环绕的一片宽阔的场地被拥到一个魁梧的男子面前，那人颤巍巍地坐在一把椅子上，周围无比喧闹。他手忙脚乱地在满是污泥的衣服里摸索出那枚戒指，却发现他突然仰面躺倒了，他很纳闷是谁把他打倒的。他们只是没有再扶他——你知道吗？——他就站不稳了。斜坡下，响起了一阵枪声，那一片住宅区的屋顶上空升起了一阵不太清晰的惊惶的喧嚣。但他是安全的。都拉明的人正在大门口设置屏障，并往他的喉咙里灌水；都拉明的妻子，对他满怀关切和怜悯之情，尖声使唤着女孩子们。‘那个老妇人，’他柔声说道，‘为了我忙前忙后的，简直把我当成了她的亲生儿子。他们把我放在一张巨大的床上——她的舒适的床——她擦着眼睛跑进跑出，轻轻地拍着我的背。我当时的样子肯定非常可怜。我就像根木头似的躺在那儿，也不知躺了多久。’

“他似乎非常喜欢都拉明的妻子。她对他有一种慈母般的关爱。她长着一张圆圆的、栗色的、柔软的脸，满脸细细的皱纹，大大的嘴唇是鲜红色的（她一刻不停地嚼着槟榔），眼睛眯着、眨着，透着慈祥。她一刻也不停歇，忙忙叨叨地责备着、不停地指示着一大群有着棕色面孔和一双端庄大眼睛的年轻姑娘们——她的女儿们、仆人们和女奴们。你们应该知道这些家庭是怎样：通常很难说出他们的不同之处。她很瘦，就连她穿着那件前面用宝石扣系紧的宽大外衣，也多少显得有些消瘦。她那双黝黑的脚光着，套在产自中国的黄色草鞋里。我曾亲眼看到她轻快地走来走去，密而长的灰白头发披散在肩上。她说出来的话朴实而精明，她出身高贵，脾气古怪且武断。每天下午，她都会坐在一把非常宽大的扶手椅上，面对着丈夫，目不转睛地盯着墙壁上的一个大窗洞，从那里能将这一带的居民区和流经的那条河尽收眼底。

“她总是盘腿而坐，而老都拉明则正襟危坐，犹如一座高山坐落在一片平原之上。他仅是商人阶级出身，但别人对他表现出来的尊重以及他举止中透露出的威严，却让人觉得他非常了不起。他是巴多森第二大势力的首领。来自西利白的移民（大约有六十来户，加上从属人员等，可以召集起二百来个“带短剑”的男子）多年前推举他当了他们的头领。那个种族的人聪明、有进取心、爱报复，但是比其他马来人更勇敢，而且一旦受到压迫就蠢蠢欲动。他们形成了酋长的反对派。当然，他们之间的争吵都是为了贸易。这也是引起那些派系斗争和民众暴乱的首要因素。正是这一原因，使得那里的居民区充满硝烟、战火、枪声和尖叫声。一个个村庄被烧毁，人们被拖进酋长的栅栏里遭到杀害或折磨，其罪名是没有同他而是同其他人做生意。在吉姆到达前的一两天，就在后来受到他特别保护的那个渔村，好几户的户主被酋长的一伙长矛手逼下了悬崖，因为他们涉嫌为一个西利白商人采集可食用的燕窝。阿郎酋长以本国唯一的贸易商自居，谁若打破了这种垄断，就得被处死；然而他的贸易观念同最常见的抢劫方式并无区别。他的残忍和贪婪除了受到他的怯懦限制外，几乎毫无限制。他害怕西利白人组织起来的力量，但是一直到吉姆来之前——他的畏惧还不足以让他安分守己。他利用自己的属民来打击他们，并认为自己是正确的，理应被同情。局面被一个流浪的陌生人，一个阿拉伯混血儿，弄复杂了，我相信他纯粹是出于宗教的立场，煽动内地的部落（按吉姆的叫法，丛林中的人）起来造反，并在那两座山之一的顶峰为自己建了一个带防御工事的营盘。他居高临下地俯视着巴多森镇，就像只老鹰盘旋在家禽饲养场的上空一样，只是开阔的原野在他的蹂躏下变得一片荒芜。整个村庄往往都空无一人，只剩下那些发霉变黑的柱子在流淌着清水的河岸边杂乱地要么立着、要么躺着。墙上的草和屋顶的叶子，纷纷落入水中，形成了一种自然凋零的奇怪效果，好像它们是从一株根部发生了病变的植物上脱落下的一样。巴多森的两大派系都不确定这帮人最渴望掠夺哪一派。酋长同他们保持着若即若离的勾结。一些布吉斯的居民早已厌倦了这种无休止的、朝不保夕的日子，内心有一半倾向于请他来。他们当中的年轻人开玩笑般地建议说，‘将阿利和他的喽啰请来，把阿郎酋长驱逐出境。’都拉明费了好大的力气才制止了他们。他也渐渐老去，虽然他的影响力并没有减弱，但局面已经逐渐超出了他所能控制的范围。当时的情形是：当吉姆匆匆逃离了酋长的寨子，出现在布吉斯人首领的面前，拿出那枚戒指，可以说，他受到了大家真心诚意地接待。”

第二十六章

“都拉明是他那个种族中我见过的最杰出的人物之一。他的体型对马来人来说太大了，但是他看上去并不单单是胖，也挺魁梧雄壮的。这具一动不动的躯体，穿着华丽的衣裳、五颜六色的丝绸和金织的刺绣；那颗硕大的脑袋，包裹在一个红色和金色相间的头巾中；那张扁平的大圆脸上，布满了皱纹，还有两道半圆形的厚褶，从宽大凶猛的鼻孔两侧起，围绕着厚厚的嘴唇；喉部像头公牛；那宽阔浓密的皱起的眉毛罩着圆睁着的骄傲的眼睛——构成了一个让人初次相见便永生难忘的整体。他那冷漠恬静的外表（一旦他坐下，便很少活动四肢）就像是一种尊严的展现。人们从来没听他提高过嗓门。那是一种嘶哑而有力的低语，稍显模糊，仿佛是从远处传来的。他走动时，两个身材矮小、健壮的年轻人搀着他的肘部。这两个年轻人光着上身，下边穿着白色的围裙，头戴黑色无边的便帽；他们扶他慢慢坐下，然后站到他的椅子后面，一直到他想站起来。当他想站起来时，便会慢慢地向左或向右转头，好像很吃力的样子，于是他们就在腋下搀住他，扶他站起来。尽管如此，他身上根本没有一点儿残疾；恰恰相反，他所有笨重迟缓的动作都像是在显示一种强大从容的力量。人们普遍认为，在有关公共事务上他都征求夫人的意见；但是据我所知，从来没有人听他们交谈过一个字。当他们遇到隆重的集会，坐在那宽大的墙洞旁边时，也是沉默不语。透过暗淡的光线，他们可以看见下面广阔的森林，幽暗的沉睡着的深绿色大海，沿着那紫色的山脉蜿蜒起伏；那条泛着波光蜿蜒的河流就像一个银箔制的巨大的字母S；由房屋组成的棕色带子随河两岸的地势走动，耸立在近处的树梢之上的那两座山下。他们形成了非常鲜明的对比：她轻盈、娇小、消瘦、敏捷、有点儿像女巫，安静中含有慈母般的瞎操心；他面对着她，庞大而笨重，像一尊雕刻得很粗糙的石人像，静止不动中有种既宽宏大量又残忍无情的气派。这两位老人的儿子是个非常杰出的青年。

“他们是老年得子。也许他并没有看上去的那么年轻。当一个在十八岁时就已经当了父亲的男人，到了二十四五岁时也就不那么年轻了。当他走进那间地上铺着精致席子、上面用白布糊了顶棚的大房间时，那对老夫妻正坐在一群毕恭毕敬的仆人们中间。他径直朝都拉明走去，亲吻他的手——父亲满含慈爱和庄严地伸出手来让他亲吻——接着，他从父亲那边走过来，站到母亲的座椅旁。我想我可以说这对老夫妇都有点崇拜他了，但我从来没有看到他们公开地看他一眼。的确，那是公共场合。那间房里一般都会挤满了人。问候和告别的庄严礼节，用手势、面部表情和低声耳语所表达的深深的敬意，这简直无法形容。‘非常值得一看，’在我们渡河的路上，吉姆向我保证说。‘他们就像书中的人物，不是吗？’他得意扬扬地说。‘邓华力——他们的儿子——是我生平最好的朋友（除了你）。就是史泰先生所说的好“战友”。我很幸运。天哪！那天我在只剩最后一口气的时候，摔倒在他们当中，是非常幸运的。’他低着头沉思了一会儿，接着又精神焕发地说道：

“‘当然啦，我并没有睡过头，不过……’他又停顿了下来。‘幸运好像是降临到了我身上，’他喃喃地说道。‘我突然明白了我必须要做什么。’

“毫无疑问，这是不期而然地来的；并且也是通过战争的方式来的，这很自然，因为降临他身上的力量是缔造和平的力量。只有在这个意义上，强权才是公理。你们不要以为他立刻找到了他的路。当他到达这儿的时候，布基部落正处于一种十分危险的境地。‘他们都非常害怕，’他对我说——‘人人自危；我看得再明白不过了，他们如果不想一个接一个地向酋长或浪人薛力夫臣服，就必须立刻采取行动。’但是，光明白这一点儿是没有用的。在他有了主意以后，还得打通恐惧和自私的壁垒，将他的想法灌入已经涣散了的人心。他终于将自己的想法灌了进去。但是，依然毫无用处。他必须想出应对这一切的办法来。他谋划了一个非常大胆的计划；而他的使命才完成了一半。他必须用自己的自信来激励那些因许多荒谬的理由畏缩不前的人。他必须消除那些愚蠢的猜忌，打消各种毫无理智的不信任感。假如不是借助都拉明的权威和他儿子的极大热情，他恐怕会失败。邓华力——那个杰出的青年，是第一个相信他的人。他们之间的友谊，是棕色人种和白种人之间那种奇特、深刻而罕见的友谊，在这里，种族的差异似乎通过某种神秘的同情心拉近了两人的距离。说起邓华力，他的族人都很自豪，说他和白人一样懂得怎样打仗。这倒是真的；他有那种勇气——不妨说是那种外在的勇气——但他也有欧洲人的头脑。你有时会遇到他们中的一些人就像那样，你会惊讶地意外发现一种熟悉的思想转换，一个清晰的视野，一个坚定的目标，一种利他主义。邓华力虽然个子小，但是身材匀称得令人称羡，气宇轩昂，举止文雅而又平易近人，性情就像清澈的火焰。他那黑黑的脸和乌黑的大眼睛，活动时富有表情，安静时若有所思。他生性沉默寡言；坚定的眼神，讥讽的微笑，彬彬有礼的斯文态度，似乎暗示着深藏的巨大智慧和力量。这种气质令往往只注重表面的西方人开了眼，使他们看到笼罩在无历史记载时代的神秘中的那些种族和地域所隐藏的种种可能性。他不仅信任吉姆，而且理解他，我坚信这一点。我提起他，是因为他让我倾倒。他——如果我可以这样说的话——他那带有讽刺神情的恬静和他对吉姆的抱负所持的睿智的同情，很吸引我。我似乎看到了那友情的最初起源。如果吉姆是先导，那么随从者却征服了先导的心。事实上，无论从何种意义上来看，作为先导的吉姆都是个俘虏。土地、人民、友谊、爱情，都像妒忌的守护者一样，监视着他的身子。每天都给那奇怪的自由脚镣加上一环。随着我对这个故事一天比一天了解得多，我越来越对此感到深信不疑。

“那故事！难道我没有听说过那个故事吗？在路上，在露营里歇息时，他都把那段故事讲给我听过（他带我在乡下搜寻看不见的猎物）。在那双峰中的一个顶峰上时——那最后的一百英尺是我手脚并用才爬上去的——我又听他给我讲了好长一段那故事。我们的护送者（我们沿途路过一个又一个的村庄，时有村民自愿跟随着我们）当时在半山腰的一块平地上搭起了帐篷，在寂静无风的夜晚，木柴的烟气带着沁人心脾的精美的香味从下面扑鼻而来。声音也传向高处，清晰而又不留痕迹，非常奇妙。吉姆坐在一棵伐倒的树干上，掏出烟斗开始抽烟。生机勃勃的嫩草和灌木正在生长；在一大片荆棘条的下面，有修建过防御工事的痕迹。‘一切都是从这里开始的，’他默默地沉思了良久之后说道。在另一座山上——距我们 200 码外的一个阴森森的悬崖上，我看见一排排高高的烧黑了的木桩，目之所及，一片废墟——那是薛力夫·阿利坚不可摧的营盘的遗迹。

“可是这营盘还是被攻破了。那是他的主意。他把都拉明的旧炮架在山顶上；那是两尊锈迹斑斑的可装填七磅重炮弹的铁炮；此外，还有许多小型黄铜加农炮——很流行的加农炮。虽然铜炮可以代表着财富，但是如果不顾一切地填满炮口时，它们在短距离内也可以发挥很强的作用。问题是要把它们运到山上去。他指给我看他在什么地方系过缆绳，解释他是如何用一段挖空的圆木装在削尖的木桩上转动，做成了一个简易的绞盘，用他的烟斗指点出那工事的轮廓。最后一百英尺的山路是最难走的。他用自己的头颅做担保，他们一定会成功的。他带领所有的参战者忙活了一整夜。山坡上，每隔一段距离就点燃着熊熊的大火，‘但是在这上面，’他解释道，‘用绞盘工作的那伙人不得不在黑暗中忙碌着。’他从山顶上看到山坡上的人们来来往往，就像辛勤工作的蚂蚁一样。那天晚上，他自己就像一只松鼠似的不停地上蹿下跳，沿途一边指挥，一边给人们打气和进行监督。老都拉明让人把他连同他坐的扶手椅一起抬到山上来。他们把他放在山坡上的一块平地上，他坐在那儿一堆燃着熊熊大火的火堆旁——‘一个很了不起的老家伙——真正的老首领，’吉姆说，‘他有双锐利的小眼睛——膝盖上放着一对巨大的、旧式的、用燧火石点燃的手枪。那是一把很棒的手枪，乌木的，镶了银，枪栓很漂亮，枪口就像老掉牙的那种手铳。据说这是史泰送给他的礼物——用来交换那枚戒指，你知道。以前它属于善良的老穆纳儿。天晓得他是如何将它弄到手的。他坐在那儿，手脚一动也不动，身后燃着一堆干柴火。有很多人从他身旁匆匆路过，他们一刻不停地忙碌着，呐喊着——你根本无法想象出一个比他更为庄严和神圣不可侵犯的威严老人了。如果薛力夫·阿利纵容他那帮凶狠之徒攻打我们，让我们的人四处逃散，他可就没多少机会了。嗯！不管怎么说，他来到那里，万一出了什么差错，就准备不惜一死。没错！天哪！看到他像块石头似的坐在那里一动不动，真的令我非常感动。可是薛力夫肯定以为我们都疯了，一直都不屑来看看我们这边在干什么。没有人相信我们可以做到。为什么？我猜，即使是那些在山坡上忙碌着、辛辛苦苦流汗的伙计们，都不相信我们能成功！老实说，我不认为他们会相信……’

“他笔直地站着，手里攥着根冒着烟没燃起的荆柴，嘴角边挂着微笑，眼睛里闪烁着孩童般的光芒。我坐在他脚边的一个树桩上，俯视下方，大地在我们脚下延亘，广袤的森林在阳光的照耀下郁郁葱葱，像大海一样起伏不平，蜿蜒的河流闪烁着光芒，星星点点的灰色村落宛如森林中零星的空地——像点缀在连绵不断的由树梢组成的黑色浪涛中的一座光明小岛。在这片广袤而单调的大地上，笼罩着一种阴郁的气氛；光线照在上面，仿佛照进了深渊。大地吞没了阳光；只有在遥远的海岸，那片在薄雾中显得平滑且光亮的空旷的大海，似乎变成了一堵钢铁般的墙壁拔地而起，直冲云霄。

“我和他一起待在那儿，待在那颇具历史意义的高山顶上，沐浴着阳光。他俯视着森林，俯视着世俗的阴沉，俯视着悠久的人类。他就像一个被树立在基座上的塑像，用他那坚忍不拔的青春代表着从黑暗中崛起的永不衰老的那种人的力量，或许还有美德。我不知道为什么他在我的眼里总是具有象征的意义。也许这正是我为何对他命运感兴趣的真正原因。我不知道回忆起给他的生活指明了新方向的那件事对他是否公平，但就在那一刻，我是清晰地记得的。这件事就像光明中的一个阴影。”

第二十七章

“传说早已赋予了他超自然的力量。是的，据说，有许多股绳子被巧妙地绞在一起，新发明的奇怪绞盘在许多人的用力推动下，可以把每一门炮都缓缓地滚过灌木丛，运到山顶，就像一只野猪用鼻子在草丛中开路一样，不过……最聪明的人都会连连摇头。毫无疑问，所有的这一切中大有玄机；不然，绳索和人膀臂的力量又算得了什么呢？事物中，有一种桀骜不驯的灵魂，必须用强大的符咒和咒语方能克服。老苏拉就是这样——他是巴多森一个非常令人尊敬的户主——有一天晚上我还和他静静地聊了一会儿。然而，苏拉也是一名职业的男巫师，方圆数英里内，凡是有播种和收割稻谷的场合，他都会到场参加，目的是为了制服万物中那顽固的灵魂。他似乎认为这是一项最为艰巨的任务，也许物体的灵魂要比人的灵魂更顽固。至于那些住在偏远村庄里质朴的村民，他们信以为真地说（仿佛这是世界上最自然的事情一样）是吉姆把这些炮背上山的——每次背两门。

“吉姆听到这些传说后，气得直跺脚，并且会面带恼怒地笑着说道，‘对这些笨蛋，你又能有什么办法呢？他们会整晚地坐着谈论那些无聊的废话，谎扯得越大，他们就越喜欢。’你可以从这种恼怒中,看出周围的环境对他产生的微妙影响。这也是他被俘虏的一部分。他对那传说一本正经的否定态度令人觉得好笑。最后，我说，‘我亲爱的朋友，你不会以为我会信以为真吧！’他很吃惊地看着我。‘哦，不！我可没那么想，’他说，并放声大笑起来，‘反正，不管怎么说，炮都在那儿了，太阳刚刚升起时，一齐打响。天哪！可惜你没看到那弹片横飞的景象，’他叫道。邓华力坐在他身旁，微笑着静静地倾听着，他低垂了眼皮，稍微挪动了一下脚。很显然，架炮的成功使吉姆的人有了信心，以致他竟然敢冒险将大炮交给两位年长的布吉斯人——他们曾见过一些战斗场面，他自己则加入了早已埋伏在峡谷里的由邓华力带队的突击队。午夜过后，他们开始往山上爬，当他们爬了大约三分之二的路程后，便埋伏在湿漉漉的草丛中，静候太阳的升起，那是他们共同约定的信号。他告诉我，他是带着多么不耐烦的焦躁心情期待着黎明的迅速到来；他因奔劳忙碌和攀爬山，累得浑身发烫，此刻冰冷的露珠又让他感到刺入骨髓。他非常担心自己等不到进攻的时候，就会像片树叶一样瑟瑟发抖打战。‘那是我一生中度过的最漫长的半个小时，’他说道。天色逐渐放亮，已经可以隐约看见寂静山顶上的栅栏。山坡上散布的人们蹲伏在黑暗的岩石间和滴着露水的灌木丛里。邓华力平躺在他身边。‘我们互相看了看对方，’吉姆说，轻轻地把手搭在朋友的肩上，‘他冲我笑笑，显得很兴奋，而我却连嘴唇都不敢动一下，生怕自己会突然颤抖起来。请相信我，我说的都是实话！当我们利用地形隐藏起来的时候，我就浑身大汗淋漓了——所以你可以想象……’他声明说他对此战的结果并不担心，对这点，我深信不疑。他只是担心自己能否抑制住这颤抖。他对结果如何毫不在乎。不管发生什么情况，他一定要爬到那座小山顶上，并且待在那里。对他来说没有回头路了。那些人发自内心地信任他，并且只信任他一个人！即使他说的是句空话……

“我记得说到这儿时，他当时停顿了一下，眼睛盯着我。‘据他所知，他们还从来没后悔过，’他说，‘从来没有。他向上帝祈祷但愿他们永不后悔。与此同时——真倒霉！——他们养成了把他的每句话都奉为金科玉律的习惯。我简直无法想象！怎么啦？就在几天前，一个他生平从未见过的老傻瓜从几英里外的一个村子里跑来找他，只是想问问他自己是否应该同老婆离婚。这是事实。很严肃的话。就是这类事……他都不会相信。我会信吗？他蹲在走廊上嚼着槟榔，唉声叹气，满地吐痰，就这么在那个地方待了一个多小时，在他带着那个未解开的谜题出来之前，像个殡仪员一样闷闷不乐。这种事可不像看上去的那么有趣。那个老家伙说什么了？好老婆？——是的。好老婆——尽管是有些老了；于是他絮絮叨叨地讲起了一个关于铜壶的长篇故事。一起生活了十五年——二十年——反正也记不清了。总之，是很久很久了。好老婆。有时打她几下——不经常打——就那么几下，那时她还年轻。为了他的面子，不得不这样做。如今她老了，却突然把三把铜壶借给她姐姐的儿媳妇，而且开始每天都对他破口大骂。他的敌人都嘲笑他；他的脸都被丢尽了。铜壶彻底地丢了。为此他们大吵了一架。对这种事根本无法做出评判；吉姆让他先回家去，并答应会亲自来处理此事。这事真叫人哭笑不得，也很棘手！要走一整天穿过森林，再花一整天来哄许多愚蠢的村民，弄清事情的曲直。这事如果处理不好有可能会闹出人命来。每个村民都有自己的立场，不是拥护这一家就是偏袒那一方，村里有一半人会随时操起顺手的家伙去和另一半人拼命。这是真话！绝不是开玩笑！……哪里还有什么精力去料理他们的庄稼。当然，还是把那该死的铜壶还给了他——这才让各方的人平息下来。解决这类纠纷倒不麻烦。当然不麻烦啦。在这个地方，哪怕是双方有不共戴天之仇，他只需要弯下小手指头，便能将其平息下来。麻烦的是要弄清事情是非曲直的真相。时至今日，我也不能肯定他对各方是否都很公平。这令他很不安。还有那谈话！天哪！简直没一点儿头脑。无论在任何时候，宁可去攻打二十英尺高的旧寨子，也不愿如此。真是！比起那样的谈话来，这就跟小孩玩的游戏一样。也不会花太长的时间。嗯，是的；总的来看，是挺可笑的——那傻瓜看起来老得都可以当他的祖父了。但是从另一个角度来看，这可不是开玩笑。自从打败了薛力夫·阿利之后，所有的事只要他一句话就可以决定下来。'一种可怕的责任哪，'他重复道，'不，说真的——如果那是三条人命，而不是三把该死的铜壶，其结果是一样的……'

"他就这样说明了他在战争获胜后所产生的道义影响。确实是产生了巨大的影响。它使他从冲突走向和平，从死亡进入人们最深处的生活；但是这片土地的阴郁，在阳光下得以扩散，保留着它那神秘莫测的、世俗的宁静状态。他那新鲜的年轻的声音——尤为特别的是，他的声音中竟几乎没流露出历经风霜的痕迹来——轻轻地飘荡着，飘过森林那永不改变的表面，就像在那个潮湿寒冷的早上，他听到大炮的轰鸣声时一样。当时，他对什么事都不关心，只想着如何能控制住自己的身体发颤。当第一缕阳光从这些不可动摇的树梢上斜射过来时，一座山的峰顶发出了震耳欲聋的轰鸣声，山顶上弥漫着一股股的白色烟雾。与此同时，另一座山顶则突然爆发出一阵令人惊异的叫嚣声——愤怒的、惊讶的、惊慌的叫喊声。吉姆和邓华力最先冲到了木栅栏。最广为流传的说法是，吉姆用一根手指碰了下那门，门就倒了。他当然急于否定这份功劳。整个寨子——他会坚持向你解释——很不结实（薛力夫·阿利主要凭借的是那里易守难攻的地理优势）；而且，不管怎么说，那寨子早已经被打得七零八落了，只是凭着侥幸才没有倒。他像个小傻瓜似的，用肩膀往上面撞去，结果一头栽了进去。天哪！要不是邓华力，那个满脸麻子、刺着文身的流浪汉就会用长矛把他钉在一块木板上，就像史泰的一只甲虫标本一样。第三个进去的人好像是吉姆的仆人唐比丹。这是一个来自北方的马来人，他独自流浪到巴多森，被阿郎酋长强制扣留了下来——在阿郎的专用船上当划桨手。他瞅准了一个机会，脱身逃走，混迹在布基居民当中，暂时找了个不太稳定的栖身之所（只是几乎没什么吃的），之后便依附了吉姆。他的皮肤很黑，脸平平的，眼睛鼓着，流着黄水。他对他的'白人老爷'忠诚得有点儿过分，甚至是有点儿狂热。他和吉姆形影不离。每逢有重大场合，他便会亦步亦趋地紧紧跟随着吉姆，一只手按着剑柄，一边用他那充满敌意而又含有沉思的目光使普通民众躲得远远地不敢接近。吉姆派他当了这部落里的头头，所以整个巴多森都把他当成一个很有权势的人，非常尊敬他。在攻打木寨的过程中，他以他那有条不紊的凶猛厮杀而大出风头。突击队来得如此之快——吉姆说——尽管守备的敌人惊慌失措，但'在木寨里还是进行了一场五分钟的激战，直到有个大傻瓜放火来烧那大树枝和干草搭的棚屋，我们才不得不为了逃命而各自散开。'

"看来，敌人好像是彻底溃败了。都拉明在山坡上的椅子上一动不动地静候着，硝烟缓缓地从他的大脑袋上方散去，他听到这个消息时，发出一声低沉的咕噜声。当得知他儿子安然无恙，正率众追击时，他一声不响地拼命想要站起来；他的侍从们急忙过来扶他，恭恭敬敬地把他扶起来，在仆人的帮助下他则十分威严地挪到一个阴凉的地方，躺下来睡觉，身上盖了一条白色的被单。巴多森的人们欣喜若狂。吉姆告诉我说：在山上，他转过身来，背朝着寨子和寨子里的余烬，黑灰和半烧焦的尸体，他可以看见河两岸那些房屋之间的空地上，一次又一次突然涌满了沸腾的人流，转眼间又消逝得无影无踪。他的耳朵隐约听见下方锣鼓喧天；人群中狂热的欢呼化为一阵阵隐隐约约的咆哮，不断传入他的耳中。许多彩色的旌旗在飘动，就像白色、红色、黄色的小鸟在棕色的屋脊间飞舞。'你一定很喜欢这场面吧，'我喃喃地说道，有种感同身受的冲动。

"'这真是……这真是太了不起了！太了不起了！'他大声叫道，向外张开双臂。这突如其来的动作吓了我一跳，我仿佛看到他将心中的秘密暴露在了阳光下，暴露在了郁郁葱葱的森林里，暴露在了钢铁般的大海中一样。在我们脚下，那镇子以流畅的曲线静静地躺在河的两岸，河中的流水似乎已经睡去。'太了不起了！'他第三次重复道，声音低得似乎是说给他自己听。

"了不起！那无疑是非常了不起的；取得了成功是他这些话的最好证明，被征服的土地任他踩在脚下，人们对他的盲目信任，他从战火中获得的自信，他取得成就之后的孤独。所有的这些，正如我警告过你们的，用嘴说出来，就显得渺小多了。我不能单纯地用语言来向你们描述对他那完全孤立的印象。当然啦，我知道不管怎么说，他在那里是孤立的，但是他没被怀疑的天性使他和环境如此接近，这孤立似乎只是被他的权力反衬出来的效果罢了。这种孤独使他的形象更为高大。目力所及的范围内，没什么东西可以和他相比，就好像他是那种杰出的人物，只能用他们的名望来衡量；而他的名望，记住，是许多天的长途跋涉之后得到的最伟大的事。你得划桨、撑篙，或者徒步在丛林里走很长一段路，直到筋疲力尽，才能到达他的名望所不能达到的地方，听不到颂扬他的声音。这种声音不是那种声名狼藉的女神的大吹大擂——不炫耀，也不响亮。这种声音，在无历史记载的土地那寂静和阴郁中定下腔调，在那片土地上，他的话被日复一日地奉为唯一的真理。这种声音和那宁静含有几分相通的性质，它将带你到达未被探索的深处，时刻在你的耳畔响起，穿透心扉，传向远处——在低声诉说的人们嘴唇上，带着奇妙而神秘的色彩。”

第二十八章

“被打败的薛力夫·阿利逃离了这个国家，没再进行抵抗。当悲惨的被驱逐的村民从丛林里爬出来，回到他们破败的房屋时，吉姆和邓华力商量着给他们那里任命一些头领。就这样，他变成了这片土地上的实际统治者。至于老酋长阿郎，他最初简直是惶惶不可终日。据说在听到山上的寨子被攻克时，他脸朝下一头栽倒在大厅的竹地板上，一动不动地躺了整整一天一夜，发出一些可怕的窒闷的声音，以致没有人敢走到距他一杆长矛以内靠近他那直挺挺的身体。他已经可以看到自己被不光彩地赶出巴多森的情景，受尽凌辱，衣服被剥得精光，没有了鸦片，没有了他的女人们，也没有了追随者，每个人都可以肆意地欺负他。在薛力夫·阿利之后，就该轮到他了，谁能抵挡这样一个魔鬼率领的进攻呢？我去拜访吉姆时，阿郎能活着并保持着这样的权威，多亏了吉姆的公平观念。布基人非常想找他算老账，那个不露声色的老都拉明则希望看到自己的儿子成为巴多森的统治者。在我们的一次会面中，他故意让我瞥见这个隐秘的野心。没人能够采取像他那样从容周密的委婉方式了。他自己——

他刚开始便称——在他年轻的时候用了他的力量，但是现在他已经老了，也疲倦了……他那魁伟的身躯和傲慢的小眼睛里流露出精明的一瞥，让人不禁想起他像极了一头狡猾的老象；他那宽阔的胸脯有力且规律地缓缓起伏着，好像平静的大海的波动。他表明，他也对吉姆爷的智慧有着无限的信心。如果他能得到一个允诺！一个字就够了！……他的呼吸平静下来，声音也变得很低沉，就像一场就要结束的暴风雨的最后挣扎。

“我试图转移话题。但是这很困难：毫无疑问，吉姆拥有了权力；在他的新领域内，似乎没有什么事物是他所不能把控和给予的。但是，我再重复一遍，那和我在全神贯注地听着的时候突然想到的那个念头相比，简直是小巫见大巫，那就是，他似乎终于快要能够掌握自己的命运了。都拉明对这个国家的前途忧心忡忡，我被他转换的话题所震惊。上帝把土地放在哪儿，它就待在哪儿不动；但是白种人——他说——他们来到我们这儿，待一段时间就离开了。他们离开了。被他们留下的那些人不知道何时才能把他们盼回来。他们回到自己的故土，回到他们亲人那里去了，所以这个白人也会……听到这儿，我不知道是什么促使我坚定地说出‘不，不’。这种冒失是显而易见的，因为都拉明把脸完全转向了我。他脸上的表情凝固在粗糙的深褶里，始终不变，像个巨大的棕色假面具一样，他若有所思地说，这的确是个好消息；然后便想知道这里面的原委。

“他那小小的像个慈祥的母亲，又像个女巫一样的妻子坐在我的另一侧，蒙着头，盘着腿，透过那个大百叶窗往外凝视。我只能看见她一缕飘忽不定的灰白头发，一个高高的颧骨，还有那尖尖的下颏微微咀嚼的动作。她并没有把视线从沿着群山那绵延不绝的广阔森林中移开，只听她用怜悯的声音问我道，他那么年轻，为什么要离乡背井，冒那么多的危险，到这么远的地方来？他在故乡难道没有家，没有亲人了吗？他没有时刻会牵挂他的老母亲吗？……

“我完全没想到她会这么问我。我只能含糊其辞，一脸茫然地摇摇头。后来我清楚地意识到，我在试图摆脱这个难题时，显得很狼狈。然而，从那时起，那位老土著首领变得沉默寡言了。我恐怕他有点儿不太高兴，很显然我了给他思考的缘由。奇怪的是，就在那天晚上（我留在巴多森的最后一晚），我再次遇到了同样的问题，关于吉姆命运的无法回答的原因。这令我想起了他的爱情故事。

“我想你们都以为这是一个你们自己都可以想象出来的故事吧。我们听过太多这样的故事了，大多数人根本不相信它们是爱情故事。我们大都把它们看作是机缘巧合：充其量只是激情中的一段插曲，或者仅仅是青春和诱惑，最后注定被遗忘，即使它们经历过柔情和遗憾的现实。这种看法大部分是对的，也许适用于当前的这个故事……但我却不敢妄下结论。要讲这个故事，绝不像我们想象中的那样简单——如果我们只是站在普通的立场进行讲述的话。从表面上看，这是一个与其他故事非常相似的故事：然而，对我来说，从它的背景中可以看到一个女子忧郁的形象，一个被埋在孤坟中的冷酷的智慧的影子，紧闭着双唇，无助地、渴望地盼望着。一天清晨散步时，我偶然发现了那座坟墓，那是个不太规则的棕色土墩，基座镶着整齐的白色珊瑚块，围在一个用劈开的小树苗做成的圆形篱笆里，篱笆的上面还带着树皮。细嫩的柱子顶端，围着用叶和花编织成的花环——那些花朵都是新鲜的。

“因此，不管那影子是不是我想象的，我都能指出有一个没被遗忘的坟墓这个重要的事实。当我告诉你们，是吉姆亲手编织的那个朴素的篱笆时，你们马上就会看出不同之处来，那是这故事的独特一面。在他对另一个人的怀念和爱恋中，带有他特有的严肃天性。他有一颗赤诚之心，一颗带有浪漫色彩的赤诚之心。在她的一生中，这位无法形容的柯内里的夫人除了她的女儿之外，再没有其他伴侣、知心好友和朋友。这个可怜的女人在同她女儿的父亲离异后是怎么嫁给那个可怕的胆小鬼——出生在马六甲的葡萄牙人；她为何会同前夫离异，究竟是因死神（有时是很慈悲的）的驱使还是由于无情的世俗压迫造成的，这对我来说是一个谜。就我从史泰（他知道很多的故事）无意间对我说的那些话来看，我相信她不是一个普通的女人。她的父亲是个白种人；当过大官；他是个才华横溢之人，不是那种呆板得只以成功为目标的人——这种人往往在穷困潦倒中终其一生。我想她一定缺乏那种可以补拙的呆板——她的生涯在巴多森结束了。我们共同的命运……哪儿有那样的男人——我指的是真正有情感的男人——不会模糊地回忆起在志得意满之际，却被某个比生命更宝贵的人或物抛弃的经历？……我们共同的命运以一种特殊的残忍紧紧地套住了女人们。它并不是像主人那样惩罚人，而是施加挥之不去的折磨，仿佛是为了满足一种隐秘的、无法平息的怨恨。人们可能会以为，它是被派到尘世做主宰的，却试图报复那些最接近于超脱尘世的谨慎人；因为只有女性才会时不时地在她们的爱情中加入一些能够吓你一跳的因素——一种超越尘世的情致。我好奇地问自己——这个世界在她们眼中是什么样子——是否有我们所知道的形状和物质，是否有我们所呼吸的空气！有时我幻想，那必定是个非理性的超常境界，因她们冒险灵魂的骚动而沸腾，又被所有可能的风险和克己的荣光所照亮。然而，我怀疑这世上的女人非常少——虽然我也明白人类数量很多以及男女的比例是如此相近，但是我敢肯定，这位母亲和她的女儿一样，都不愧为一名真正的女性。我在脑海中不由自主地为这两人画起像来，起初是位年轻的少妇和孩童，后来变成了老妇人和少女，两人惊人的相似，时间如白驹过隙，广袤的森林将外界隔绝开来，寂寞和动荡围绕着这两个孤独的生命，她们交谈的每个字中都透着悲伤的意味。虽然没有多少事实，但是我想她们一定推心置腹地谈了许多涉及内心深处情感的私话——悔恨——恐惧——预感，毫无疑问：这种预感，直到年长者去世之后年轻人才会逐渐理解——吉姆走了进来。那时我确信她已经懂得了许多——并不是什么都懂——懂得最多的似乎是恐惧。吉姆给她起了个名字叫珍珠，其意思是宝贵的，像宝石一样珍贵。挺好听的，不是吗？而他什么都能应付。他能应付他的幸运，如同他必定能应付自己的厄运一样。他叫她珍珠，他叫这个名字就像他可能叫过'珍妮'一样，你们是否知道——那是带有一种夫妻间的、亲切的、平和的效果。我第一次听到这个名字是在我踏进他的院子十分钟后，当时他使劲地抓住我的手，差点儿没把我的胳膊拉脱臼。他飞快地跑上台阶，在屋檐下的门口做出一种兴高采烈的孩童般的躁动。'珍珠！噢，珍珠！快过来！来了一位朋友，'……他忽然从昏暗的走廊里偷着看了看我，恳切地嗫嚅着说，'你知道——这——这可不是什么莫名其妙的废话——我无法告诉你，我欠了她多少情——所以——你懂得——我——就好像……'他慌张急切的低语被打断了——一个白色人影在房间里快速地动了一下，发出一声轻微的惊叹，露出一张孩童般的充满活力眉清目秀的脸，一瞥深邃、专注的目光透过室内的昏暗向外张望了下，就像鸟儿从窝里向外张望一样。当然，我被这个名字打动了。但是直到后来，我才把它和我旅途中听到一个惊人的传闻联系起来，那是在巴多森河以南约二百三十英里靠海边的一个小地方。我搭乘的史泰的双桅船停在那儿，为的是要收集一些土特产。上岸后，我非常惊讶地发现，在这么个偏僻的鬼地方居然有一个三等常驻副公使助理，一个粗大肥胖、脑满肠肥、老是眨眼的混血儿，他的嘴唇油亮，还向外翻着。我看见他仰面躺在一把藤椅上，衣服也没有系扣子，冒着热气的头顶上盖着一片绿色的大叶子，手里拿着另一片绿叶懒洋洋地当扇子一样挥动着……去巴多森？噢，是的。史泰的贸易公司。他知道。有许可证吗？不关他的事。现在那儿没那么糟糕了，他漫不经心地说道，接着他又拖长了声音说，'我听说，那儿来了个白种人流氓？啊？你说什么？他是你朋友？原来如此！……那是真有这么一个家伙了——他是干什么的？就这么去找他，这流氓。啊？我可说不准。巴多森——他们在那儿割人喉咙——不管我们的事。'说到这儿他打住了，呻吟起来。'噢！老天哪！太热了！太热了！好吧，那么，也许这故事里可能还有一些花样，毕竟，而且……'他闭上一只令人非常厌恶的呆滞的眼睛（眼皮在继续颤动），同时用另一只眼睛凶狠狠地盯着我。'听着，'他神秘兮兮地说，'如果——你明白吗？——如果他真的搞到什么非常好的东西——根本不是你们的那些绿玻璃——懂吗？——我可是政府官员——你告诉那流氓……啊？什么？是你的朋友？'……他继续舒服地躺在椅子里摇晃着……'你这样说过；倒没错；我很乐意给你透点信儿。我猜你也想从中捞一把吧？别打岔。你只需要告诉他，我已经听说这事儿了，但是我还没有向政府报告。

还没有。懂吗？为什么要向政府报告呢？啊？如果他们让他活着离开这个国家的话，告诉他来这儿找我。他最好还是当心点儿。啊？我保证不会问任何问题。悄悄地——你明白吗？你也一样——你也会从我这里得到点儿好处。作为麻烦您的报酬。别打岔。我是个政府官员，却没有报告。这是公事。明白吗？我知道有些好人，他们会买任何值得拥有的东西，而且给的钱比这恶棍这辈子见过的都多。我知道他这种人。’他睁开两只眼睛，目不转睛地盯着我。我站在他面前俯视着他，感到非常惊讶，我问自己他究竟是疯了，还是喝醉了。他大汗淋漓，气喘吁吁，无力地呻吟着，不停地抓搔着，神态镇定自若得可怕，看着他这副怪样我难以忍受，所以便没来得及一探究竟。第二天，我在与当地小衙门里的人随意交谈时，才发现一个故事正在沿着海岸线慢慢地流传着，说是一个神秘的白人在巴多森得到了一颗价值非凡的宝石——一颗巨大的翡翠，而且是无价之宝。翡翠似乎比其他任何宝石都更能吸引东方人的想象力。人们告诉我，那白种人之所以能得到它，一方面靠的是他神奇的力量，另一方面靠的是狡猾，他从一个遥远国家的统治者那里得到了它，得到后便立刻逃离，非常狼狈地来到了巴多森。可是他非常的极端和残暴，似乎没什么可以制服他似的，当地的百姓都非常惧怕他。告诉我这些事的人大都认为，那颗宝石可能很不吉利——就像塞加达拿国王那块著名的宝石一样，曾给那个国家带来了无数战争和数不尽的灾难。也许就是同一块宝石——可谁也说不准。的确，关于那颗大宝石的故事和到那群岛的第一个白人的故事一样古老；人们非常执着地坚信这个故事是真的，三十多年前，荷兰官方还就此传说的真相进行过调查。这样一颗宝石—— 一位给当地小酋长当书记员之类的老者这样向我解释，关于吉姆的惊人神话我大多是从他那里听来的——这样一颗宝石，他一边冲我眯起那视力差得可怜的眼睛（他出对我的尊重，坐在小屋的地板上），一边对我说道，最好的保存办法就是藏在一个女人的身上。然而，并不是每个女人都愿意这样做。她一定非常年轻——他深深叹了一口气——而且对爱情的诱惑无动于衷。他怀疑地摇了摇头。但是似乎确实存在这样一个女子。他听说有个高个子的姑娘，那个白人对他非常尊重和关心，无人陪伴，她从不独自出门。人们说，几乎天天都能看到那个白人跟她在一起；他们公然并肩而行，他把她的手臂挽在他的臂下——放在他的侧边——就像这样——这是一种非常特别的方式。他承认，这有可能是胡说，因为无论是谁这样做都太奇怪了：从另一方面来说，毫无疑问，她戴着那个白人的珠宝，就藏在她胸前。”

第二十九章

“这是众所周知的吉姆夫妇每晚散步的情景。我不止一次地作为第三者加入其中，每次都很不愉快地觉察到柯内里偷偷地跟在附近。柯内里异常古怪地扭着嘴，仿佛老是咬牙切齿似的，他觉得自己作为一个父亲的地位受到了伤害，所以深怀怨恨。但是你是否注意到，在电报电缆和邮船航线的终点三百英里以外，我们文明的憔悴的功利主义谎言在枯萎凋亡，取而代之的是纯粹的想象活动。这种纯粹的想象活动像许多艺术作品一样华而不实，但却经常有其摄人心魄的魅力，有时也有深藏其内的真理。浪漫的故事单单选中了吉姆——这才是这故事的真实部分，其他的都是以讹传讹。他并没有把珠宝藏起来。事实上，他对此非常自豪。

“现在想起来，总的来说，我只见过她几次面。我记得最清楚的是她那均匀、呈橄榄色的皮肤；她那浓密的、闪着光泽的蓝黑色头发，从她那顶深红色的小帽子下面飘逸地披散下来，她把帽子戴得很靠后。她的举止毫无拘谨，显得很自信，她害羞时，脸会涨得通红。吉姆和我交谈时，她会走来走去，且时不时飞快地瞥我们一眼，所过之处，给我们留下一种优雅、迷人的印象，并且很明显地暗示着她的关注。她的举止表现出一种羞怯和泼辣的奇怪结合。每一个美丽的微笑都很快被一种沉默、压抑的焦虑神色所取代，仿佛被某种永无终止的危险的回忆所驱散。有时她会同我们一起坐下来，用她小手的指节将她柔软的脸颊压出一个个小涡，她会静静地听我们谈话；她那双清澈的大眼睛会一直盯着我们的嘴唇看，仿佛每个说出声来的字都有一个可见的形状似的。她母亲教过她读书写字；她又从吉姆那儿学了不少英文，她说英文时非常有趣，和吉姆一样会吞音，语调如孩童所说的一般。她的柔情就像扇动的翅膀一样盘旋在他头上。她完全生活在他的思维里，以致无形中她也学到了一些吉姆的外在习气：她的动作，像伸胳膊、转过头来、瞥眼瞧人的样子，都让人想到他。她那戒备的爱有一种紧张，几乎凭感觉就能洞察到；它仿佛确实存在于周围空间的物质中，像一种特殊的香气包围着他，又像一个颤动的、柔和的、充满激情的音符一样停留在阳光里。我想你们大概以为我也很浪漫吧，但这是错误的。我给你们说的，是对一段青春的清醒印象，是我偶然遇上的一段奇怪的、令人不安的浪漫经历。我饶有兴趣地观察了他的——好的——好的运气。他被人嫉妒地爱着，可是她为什么要嫉妒呢？嫉妒什么呢？我也不清楚。那儿的土地、人民、森林都跟她串通一气，他们警惕地防备着他，带着一种隐逸的、神秘的和不可战胜的姿态。毫无通融的余地；他被囚禁在他的权力所造就的自由中，而她呢，虽然准备随时把头给他当脚凳，却始终坚守着她的战利品——仿佛他很难守住似的。那个唐比丹，在我们的旅途中紧跟着他的白人老爷大步前进，头往后仰着，雄赳赳的，俨然土耳其皇帝的卫兵，全副武装，带着短剑、砍刀和长矛（此外还扛着吉姆的枪）；甚至连唐比丹都毫不客气地摆出毫不妥协地监护的架势，就像个不讲情面、忠于职守的狱卒，时刻准备为他的俘虏献出自己的生命。有几晚，我们熬夜到很晚都没有休息，他那静悄悄、朦胧胧的身影会在走廊里走来走去，脚步非常轻，一点儿声音都没有，要不然，我猛然间抬起头来，就会意外地看见他笔直地站在阴影里。一般来说，他过一会儿就会悄无声息地消失；但是当我们站起来的时候，他就像是从地底下冒出来似的，一下跳近我们，准备好接受吉姆可能要发出的任何命令。我相信，那姑娘在我们道晚安分别之前，也绝不会去睡觉。我透过房间的窗户，不止一次看见她和吉姆一起悄悄地出来，依靠在粗糙的栏杆上——两个白色的身影紧紧地靠在一起，他的胳膊搂着她的腰，她的头靠在他的肩上。他们温柔的低语声传入我的耳边，清晰，温柔，在万籁俱寂的夜晚带有一种平静而哀婉的情调，就像一个人在用两种语调进行自我交流一样。后来，我躺在床上的蚊帐里辗转反侧时，我肯定听到了轻轻地咯吱声，微弱的呼吸声，还有一个小心翼翼地清嗓子的声音——我知道唐比丹在巡夜呢。虽然他在那园里有一所房子（托那位白人老爷的福），也‘娶了妻子’，最近还生了个孩子，但我相信，在我逗留期间，他每晚都睡在走廊里。要让这位忠诚而冷酷的仆人开口说话，真的非常困难。就连他回答吉姆的问话也都是非常简短的词句，好像是被逼迫说出来的抗议一样。他似乎是在表示，谈话与他无关。我听见他主动说的最长一句话是一天早上，他突然向院子伸出手，指着柯内里说，‘基督徒来了。’尽管我就站在他的身旁，但是我认为他不是在同我说话；他的目的似乎是要唤起全天下的愤怒和注意。接着他又含混地说起狗，称赞烤肉很香，他说得很恰当，这令我感到很惊讶。那院子是一块很宽敞的空地，被灿烂的阳光烤得既热又亮，柯内里沐浴在强烈的阳光里，缓缓地移过来，直至到跟前可以看清，他那偷偷摸摸、神秘兮兮、鬼鬼祟祟的样子简直无法形容。他使人想起所有令人厌恶的事。他那缓慢费力的走动就像一只令人感到恶心的甲壳虫在爬行，只有两条腿在费力地挪动，而身体却平稳地滑行。我猜他是笔直地直奔他想去的地方，可是由于走路时一个肩膀朝前，他的前行似乎也显得偏斜了。人们经常看到他在茅屋间慢慢地绕来绕去，仿佛是在跟踪猎物的踪迹；经过走廊时，他会偷偷地朝里面瞥几眼；然后从某个棚屋的拐角处不慌不忙地消失了。他似乎和这地方脱离了关系，这也证明吉姆荒谬的疏忽，或者说是吉姆对他非常蔑视，因为柯内里在一个本来可能令吉姆致命的事件中，扮演了一个很可怀疑的角色(至少可以这么说)。事实上，事件的结果倒为吉姆增添了不少荣耀。归根到底，所有的一切都为他添彩；这也是命运对他的嘲弄吧，他曾经对命运特别关注，但现在他似乎是时来运转了。

“你们必须知道，他到达都拉明的地盘后不久，便很快离开了。——事实上，对他的安全来说，离开得太快了，当然啦，这也是在战事发生以前很久。在这一点上，他是受了责任心的驱使；他必须去料理史泰的生意，他说。难道他可以不去吗？为此，他全然不顾个人的安危，渡过河，和柯内里住在一起。后者是如何在困境中设法生存下来的，我不得而知。毕竟，作为史泰的代理人，他一定在某种程度上得到了都拉明的保护；他总以这样或那样的办法逃过所有致命的复杂局面，而且我毫不怀疑，无论他被迫采取什么办法，都带有一种卑鄙的印记，就像他这个人的印章一样。这是他的特性；

他骨子里和外表上都透着卑鄙，就好像其他人的外表带有宽厚、高贵或可敬的气质一样。他天生的禀性，渗透在他的一切行为、脾气和情感中；他的发怒显得卑鄙，微笑显得卑鄙，甚至连悲伤都显得卑鄙；他的彬彬有礼和愤怒同样显得卑鄙。我敢肯定他的爱情必定是所有情感中最卑贱的一种——但是你能想象一个讨厌的虫子在恋爱吗？他那令人作呕的丑态也是卑鄙的，卑鄙得就连一个令人非常厌恶的家伙站在他身边都会显得高贵起来。他既不在这个故事的背景中，也不在故事的前景中；人们只是看到他在故事的边缘蠕动，神秘兮兮的，肮脏无比，玷污了故事的青春芬芳和它的天真烂漫。

“他的地位在任何情况下都只能是极其悲惨的，然而他还是有可能从这里面占到了些便宜。吉姆告诉我，他最初遇到他时，他满脸堆笑、热情地迎接，展现的是一种最友好的情感，其内心则无比卑鄙。‘那家伙显然高兴得不能自已了，’吉姆鄙夷地说，‘他每天早晨都向我飞扑而来，握住我的双手——去他妈的！——可我从来都无法确定是否有早餐。如果我能在两天之内吃上三顿饭，那么我就会觉得自己非常幸运，而他每周都让我签一张十美元钱的账单。他说，他确信史泰先生并不是让他白养我。好吧——他简直是在白养活我呢。他把这归咎于这个国家的动荡不安，做出要把自己的头发扯下来的样子，每天二十次祈求我的原谅，搞得我烦不胜烦，最后只好安慰他别担心。真令我感到恶心。他的房子有一半的屋顶都塌了，整个一副破败不堪的样子，到处是伸出来的干草，每面墙上都有破旧席子的边角在摆动。他尽力证明，在过去三年的贸易中，史泰先生欠着他的钱，但是他的账本都撕了，有些账本丢了。他试图暗示那是他已故妻子的过错。这令人作呕的混蛋！最后，我不得不禁止他提自己的亡妻，因为那会使珍珠哭起来。我不知道所有的货物跑哪里去了，仓库里除了老鼠，什么也没有。那些老鼠在牛皮纸和旧麻袋的垃圾堆中过得倒逍遥自在。从各方面打探来的消息都可以证实，他有很多钱，被埋藏在某个地方，但是我休想从他那里得到任何东西。我在那间简陋的房子里过得是最悲惨的生活。我尽量履行对史泰的职责，但是我还有其他的事要考虑。当我逃到都拉明那里时，老阿郎酋长吓坏了，他把所有的东西都归还了我。他归还我的方式非常迂回，非常神秘，是通过一个在这儿开了间小店的中国人给我的；但是我刚离开布基人的部落，和柯内里住到一起后，就有人公开传言，说酋长已经下定决心不久就会派人将我杀掉。很有趣，是不是？如果他真的下定了决心的话，我看不出有什么可以阻止他的。最糟糕的是，我总觉得，我无论对史泰还是对我自己，都没有什么好处。噢！简直是糟糕透了——整整六个星期的生活。'”

第三十章

“他进一步告诉我，他不知道是什么使他总舍不得离开——但是，当然了，我们可以猜一猜。他深深地同情那个无依无靠的姑娘，任凭那个‘卑鄙的、怯懦的恶棍’摆布。很显然，柯内里令她过着一种可怕的生活，只差没有对他拳打脚踢地进行虐待罢了，我猜他还没有胆量这样做吧。他逼迫她喊他父亲，而且‘还要恭敬地——恭恭敬敬地’，他尖声叫嚷着，对着她的脸挥动着蜡黄色的小拳头。‘我是个值得尊敬的人，但你是什么东西？告诉我——你是什么东西？你以为我会白白的把别人的孩子养大，却连一点儿尊敬都得不到吗？我让你这么做，你应该感到高兴才是。来吧——说，是的，父亲……不说？……你等着。’于是他便开始骂那已故的女人，直到那姑娘用手捂着耳朵逃也似的跑掉。他便在后面追她，围绕着房子，在那些茅屋之间跑进跑出。他最终会把她逼到某个角落里，令她无路可逃。她便在那里双膝跪下，用手捂着耳朵。于是他站得远远的，在她背后用不堪入耳的恶毒语句咒骂她，连续半个小时不住口。‘你母亲就是个魔鬼，一个诡计多端的魔鬼——而你，也是个魔鬼，’他会在最后一次爆发中尖叫着，捡起一块土或抓起一把泥〔房子周围有好多泥巴〕，砸向她的头部。不过，有时候她也会满怀蔑视地毫不退让，默默地面对着他，她的脸色阴沉、面部的肌肉因愤怒抽搐着，只是偶尔会说上一两个词，这令他气得暴跳如雷、痛苦万分。吉姆告诉我这些场景很可怕。在这种荒蛮之地，遇到这种事毫不为奇。这种微妙而残酷的情形没完没了，令人骇然——如果你去想一想，可敬的柯内里（马来人称呼他‘因奇内里’，提到这个名字的时候，他们便会做一个意味深长的鬼脸）是个非常失意之人。我不知道他对结婚抱有什么期待和目的；但是很显然，多年来史泰贸易公司的货物被他毫无顾忌地偷盗、贪污、私自挪用，他用各种适合的方式干这些勾当。史泰贸易公司的货物（只要他的船长们肯把货带到那儿，史泰就会毫不犹豫地一直进行补给）对他来说，似乎还不足以弥补他牺牲光荣名字的损失。吉姆恨不得狠狠揍柯内里一顿；但转念一想，这场面是如此痛苦和可恶，以至于他宁可躲到看不见也听不见的地方去，以免惹得那姑娘伤心。他们留下她在那里，沮丧不安，哑口无言，绷着铁青绝望的脸，时不时抓住自己的胸膛，然后吉姆就慢悠悠地走上前去，痛苦地说，‘现在——过来——真的——有什么用呢——你总得尽量吃点儿呀，’或者向她表达一些类似的同情。柯内里像条悄无声息的鱼一样，会不时地偷偷溜过门口，穿过走廊，再回来，眼睛里射出满含恨意、狐疑和阴险狡诈的目光。‘我可以阻止他的勾当，’吉姆有一次对她说，‘只要你说句话。’你们知道她是怎么回答的吗？她说——吉姆用给我留下极深刻印象的方式告诉我——如果她不确信他自己也是个很痛苦的可怜人，她就会鼓起勇气亲手杀死他。‘真想不到！这个可怜的姑娘，几乎还是个孩子，竟被逼得说这种话，’他惊恐地感叹道。看来，不仅不能把她从那个卑鄙的下流痞子手中救出来，而且也不大可能把她从自身救出来！并不是因为他太可怜她了，他肯定地说；这不仅仅是怜悯；只要那样的生活继续下去，他在良心上就不得安宁。离开那个家，则似乎是卑鄙的逃脱。他终于明白了：再待下去也没什么指望，无论是账目还是钱款，都休想弄个清楚明了；但他若是选择继续待下去，则会将柯内里逼到愤怒的顶点，不是说他会发疯，而是指他会铤而走险。与此同时，他感到周围正在暗暗聚集各种对他不利的危险。都拉明已经两次派可靠的仆人来警告他，除非他再次渡过河，同当初一样和布基人生活在一起，否则无法保证他的安全。各种各样的人都来找他，经常是在深夜跑来找他，来向他透露暗杀他的阴谋。有人要毒死他。有人要在浴室里刺死他。有人正密谋策划，从河里的一只小船上开枪射杀他。这些通风报信的人都声称是他极好的朋友。他告诉我——让他永远不得安宁——这就够他受的了。这种事有些是极有可能发生的——不，可能吧——但是那些胡编的警告只能使他感到周围，四面八方都在暗中进行着致他死命的诡计。再没有比这更能震撼他刚强的神经了。最后，一天晚上，柯内里亲自准备了许多吓人的鬼话，用严肃而又阿谀的腔调，宣布了一个小小的计划：这计划只要花一百美元——甚至只需八十美元；咱们就说八十美元好了——他，柯内里，会找一个值得信赖的人，偷偷把吉姆安全无恙地送过河去。现在没其他的办法了——如果吉姆还有一点儿爱惜他生命的话。八十美元算什么呢？一点儿小意思。一笔微不足道的费用。而他，柯内里，不得不留下来，冒着生命的危险来证明他对史泰先生的年轻朋友的忠诚。看着他那副卑鄙的鬼脸——吉姆对我说——

真令人难以忍受：他抓着自己的头发，拍打着胸脯，双手紧紧地按着腹部摇来摇去，实际上还假装流出眼泪。'你的血就要溅到你头上了，'他终于尖叫一声，冲了出去。柯内里在这场表演中，究竟投入了几分真诚，倒是个非常令人好奇的问题。吉姆向我坦承，那家伙走后，他就没合过眼。他仰面躺在铺在竹地板上的一张薄薄的席子上，百无聊赖地试图分辨出一根根光溜溜的椽子，听着屋顶破败的茅草窸窣作响。透过屋顶的一个破洞，他突然看见一颗星星在闪烁。他的头脑一片混乱；但是，不管怎么说，就是在那个晚上，他制定完善了战胜薛力夫·阿利的计划。平时，他除了毫无希望地调查史泰的事务外，只要一有时间，他就开始思考这个计划，但是那个想法——他说——是灵光一闪想出的。他仿佛看到大炮架到了山顶上。他睡意全无地躺在那里，觉得很热，也很兴奋。他跳起身来，光着脚走到外面的走廊上。他悄无声息地走着，突然遇到了那姑娘，她一动不动地靠着墙，好像是在守夜。以他当时的心情，看见她没睡，听见她焦急地低声问柯内里可能在哪里，他都不感到惊奇。他只是简单地回答不知道。她轻轻叹了口气，便开始朝院子里窥探。一切都很安静。他彻底被那个想法给迷住了，当时满脑子里都是那个想法，所以忍不住立刻将那个想法告诉了那姑娘。她听着，轻轻地拍了拍手，柔声低语地表达了她的钦佩之情，但是很显然，她一直都很警惕。他似乎一直都把她视作知己——而她也确实是他的知己。毫无疑问，她能够而且也确实给过他很多关于巴多森事务的有用的提示。他不止一次地对我保证说，他从来没有发现自己比那天晚上更需要她的建议。不管怎么说，在当时的那种情况下，他正继续将计划详细地解释给她听时，她却突然按了下他的胳膊，然后从他身边消失了。

这时，柯内里不知从什么地方冒出了来，看到吉姆，赶紧侧身闪到一旁，好像被枪打中了似的，随后又在幽暗中站得笔直。最后，他小心翼翼地走上前来，就像一只多疑的猫。'那里有一些渔夫——带着鱼，'他用颤抖的声音说道。'卖鱼——你明白吧。'……当时一定是深夜两点钟了——大概是卖鱼的人出现的时候！

"然而，吉姆直接忽视了这句话，听后什么都没想。当时，他满脑子想着别的事，何况他没看见也没听见什么。他只是心不在焉地说了声，'哦！'接着从立在那儿的一个大水罐里喝了口水，把柯内里一个人留在那儿陷入某种莫名其妙的情感里——他用双臂抱着走廊上被虫蛀的栏杆，仿佛他的两条腿已经垮掉了似的——而他又走进了屋，躺到席子上思考起来。渐渐地，他听到了蹑手蹑脚的脚步声。脚步声停住了。从墙壁外面传来一个颤抖的低语声，'你睡着了吗？''还没有！有什么事？'他迅速回答道，外面突然响动了一下，然后一切又归于寂静，好像那个悄声说话的人被吓了一跳。吉姆对此大为恼火，便急急忙忙地跑了出来，柯内里轻轻地尖叫了一声，沿着走廊一直逃到台阶处，在那里紧紧抓住一截断栏杆。吉姆很困惑，便远远地叫住了他，问他到底在干什么。'你考虑过我跟你讲的事了吗？'柯内里问道，他说这些话时显得很费力，就像是从一个在发烧打寒战的人口中说出一样。'没有！'吉姆怒吼道，'我没考虑，也不想考虑。我打算就住在这儿，住在巴多森。''你会死——会死——在这儿的，'柯内里回答道，他的身体在剧烈地颤抖着，声音有点儿像要断气了似的。其整个表演是既荒唐又令人恼火，以至于吉姆都不知道是该高兴还是应该生气。'你放心好了，在你滚蛋之前我是死不了的，'吉姆高声说道，心里甚是恼火，却又很想放声大笑。他假装认真地（你们知道，他正在为自己的想法兴奋着）继续高声说道，‘什么都不能靠近我的身体！你尽可使出最卑鄙的手段来吧。’不知怎的，那个躲在远处的鬼影似的柯内里，好像变成了吉姆一路上遇到的所有烦恼和困难的化身，令人憎恶。他爆发了——他的神经已经过度紧张了好几天——他骂出各种难听的话——骗子、谎言家、卑鄙的流氓：事实上，他的行为有些失态了。他承认他什么也不顾了，真有点儿疯了——哪怕是整个巴多森也休想吓走他——他用一种威胁、夸张的口气声称他将让他们全都按照他的调子跳舞，听命于他，等等。完全是胡说八道、非常荒谬，他说。现在回想起来，他都感到耳根发烫。他一定是有点儿疯了吧……那个和我们坐在一起的姑娘冲我很快地点了点她那小巧的头，微微皱了皱眉，她用带有孩子般的严肃说道，‘我听见他说的那些话了。’他大笑起来，涨红了脸。他说，最后制止他的是远处那个模糊的人影：完全是死一般的寂静，好像是快要倒塌了一样吊在那里，一动不动地伏在栏杆上。他猛然回过神来，突然停止了叫骂，对自己的行为感到极其惊讶。他看了一会儿。没任何动静，一点儿声音都没有。‘就像我在那儿大喊大叫的时候，那家伙已经死了一样。’他感到十分羞愧，一言不发地匆匆返回屋内，然后倒头躺下。不过，这场爆发对他似乎挺有好处，因为他后半夜像个婴儿似的睡得很香。他有好几个星期没睡过那样的觉了。‘但是我没睡，’那姑娘插嘴道，一只胳膊肘撑在桌上，托着她的脸颊，‘我守着呢。’她那两只大眼睛闪闪发光，微微转动了下，然后专注地盯着我的脸看。”

第三十一章

“你们可以想象我是带着多么浓厚的兴趣倾听的。所有这些细节在二十四小时之后都被证实具有重要的意义。第二天早上，柯内里根本没提昨天夜晚发生的事。当吉姆正要跨进独木舟，准备去都拉明所在的村庄时，柯内里则畏畏缩缩地走上前来。‘我想你大概还会回我这可怜的家里来吧，’他闷闷不乐地咕哝道。吉姆只是点了点头，根本没看他一眼。‘毫无疑问，你觉得那很有趣呢，’柯内里酸溜溜地嘀咕道。吉姆和那位老酋长一起待了一整天，他向布基部落的主要人物宣讲采取积极有力行动的必要性，这些头面人物被召集来，就是听这番宏论的。他愉快地回忆起当时他是多么的雄辩和有说服力。他说‘那一次，我设法为他们撑腰，鼓励他们要挺直腰杆，没错。’薛力夫·阿利的最后一次袭击席卷了居民区的外围，属于这个镇子里的一些女人被掳到了山寨里。前一天，有人在市场上看见薛力夫·阿利的密探们，戴着白色的斗篷，趾高气扬地走来走去，夸耀着酋长同他们主人的交情有多好。其中一个密探站在树荫下靠前方的位置，倚着一把长筒来复枪，告诫人们要祈祷和忏悔，并奉劝他们杀掉他们当中的所有陌生人。他说，这些陌生人是异教徒，另一些人更坏——他们是披着穆斯林外衣的撒旦的子孙。据说，在这些听众中有几个是酋长的人，他们高声喝彩，表示赞成。这令普通百姓陷入了极度的恐惧之中。吉姆对他那一天的工作非常满意，在日落前便渡河返回了。

“他促使布基人义无反顾地采取断然行动，并且以他自己的脑袋担保肯定会成功，所以他非常高兴，心情也轻松了许多，因此他在同柯内里讲话时，客气了许多。没想到这令柯内里受宠若惊，简直有些欣喜若狂。吉姆说，听他那假装出来的尖细笑声，看他扭动着身子和眨着眼睛，突然抓住下巴，趴伏在桌面上，心神不定地凝视着，简直令人无法忍受。那姑娘没有露面，吉姆早早地退了出去。当他站起来道晚安时，柯内里跳了起来，把椅子也碰倒了，然后闪身不见了，仿佛要捡起他掉下来的什么东西。他是从桌子底下用沙哑的声音说了声晚安。吉姆惊讶地看着他从桌子下面钻了出来，呆呆地瞪着惊恐的眼睛。他紧紧地抓住桌子的边缘。‘你怎么啦？不舒服吗？’吉姆问道。‘是的，是的，是的。我肚子绞痛得非常厉害，’那一位说；吉姆认为，他说的完全是实话。如果真是这样的话，那么从他默默观察的动作来看，那是一种还不够完美的麻木不仁的卑鄙表现，对此人们必须对他表示叹服。

“不管怎么说，吉姆的睡眠被一个梦扰乱了，他梦见天国里反复回响着一个铜钟鸣响般的巨大回音，召唤他醒来！醒来！这声音是如此洪亮，以至于尽管他绝望地想要继续睡下去，但实际上还是醒了。在半空中燃着熊熊大火的红光映入他的眼帘。一团团黑黑的浓烟盘绕在某个幽灵的头上，那是个神秘的、非人间的生灵，全身白色，脸上的表情严肃、紧张、焦虑。过了一会儿，他认出了那姑娘。她高举着一把燃烧着达马脂的火把，用一种执着而又急促的单调声音重复着：‘起来！起来！起来！’

“他突然跳了起来；她立刻将一把左轮手枪放到他手里，那是他自己的左轮手枪，本来是挂在一颗钉子上，不过这一次装填了子弹。他默默地紧紧握住枪，在火光的照耀下有些不知所措，眼睛直眨。他不知道自己能为她做些什么。

“她急忙低声问道，‘你能用这个对付四个男人吗？’讲到这儿，回想起自己当时那彬彬有礼的敏捷劲儿，他不禁笑了起来。看来他很好地炫耀了一下。‘当然啦——这还用说——给我下令吧。’他还没有完全清醒过来，在这种特殊的情况下，还想得体地表示他的忠心耿耿和愿意随时准备献身。她离开了房间，他跟着她；在过道上，他们惊扰了一个老婆子——她有时帮家里做做饭，虽然她已经老得连人家说话都听不大懂了。她爬起来，一瘸一拐地跟在他们后面，掉光了牙齿的嘴里喃喃地说着什么。在走廊上，柯内里的一张帆布吊床碰到了吉姆的胳膊肘，轻轻地摇晃起来。吊床里面是空的。

“像史泰贸易公司的所有贸易站一样，巴多森的这家分店最初也是由四座建筑组成。其中两座只剩下两堆木桩、折断的竹子和烂茅草，上面东倒西歪地斜躺着四根硬木的角柱，场景甚至凄凉：不过最主要的库房还屹立在那儿，正对着代理人的家。那是座长方形的茅屋，用泥土盖成的；一端有一扇宽大的厚木板门，门上的合页到现在为止还没掉下来。其中的一面墙上有一个方形洞，算是个窗户，上面安着三根木条。在走下几级台阶之前，那姑娘转过脸来，匆匆说道，‘当你睡着以后，会有人来袭击你的。’吉姆告诉我他当时有一种被欺骗的感觉。又是那些老话。对这些有人想要他命的警告，他都厌烦了。他向我保证说，他非常生那个姑娘的气，因为她欺骗了他。他一直跟着她是以为她需要帮助，此刻他感到很厌恶，想转身返回去。‘你知道吗，’他意味深长地评论说，‘当时，整整有好几个星期我都觉得不太像我自己了。’‘哎，哪儿的话呀。你还是你自己嘛，’我忍不住反驳道。

“但是她仍旧迅速地往前走，他跟着她进了院子。院子四周的篱笆早就已倒了；清晨，邻居的水牛会不慌不忙地缓步穿过这片空地，鼻子里发出低沉的哼哼声；丛林也已经蔓延到了这里。吉姆和那个姑娘在杂草丛生的地上停了下来。他们站在火光里，在火光的衬托下四周显得漆黑一片；在他们的头顶，是一颗颗耀眼的星星。他告诉我，那是一个美丽的夜晚——非常凉爽，因为从河上吹来阵阵微风。他似乎注意到了那夜的友好美丽。请记住，我现在给你们讲的是个爱情故事。一个可爱的夜晚，似乎向他们发出的都是温柔的爱抚的气息。火把的光焰不时地摇曳着，像一面旗帜发出呼啦啦的响声，在当时的那段时间内，那是唯一的声音。‘他们在仓库里等着呢，’那姑娘小声说；‘他们在等着暗号呢。’‘谁来发暗号？’他问。她摇了摇火把，火把上掉了许多火星之后，燃烧得更旺了。‘只因你一直睡得不太安稳，’她继续低声说道，‘我也在守着你入睡。’‘你！’他惊叫道，然后伸长了脖子向四周张望。‘你以为我只守了这么一个夜晚！’她说，语气中带着一种失望的愤怒。

“他说，听她这么说就好像胸口挨了一记重拳。他喘着气。他觉得自己就是个狼心狗肺的可怕的畜生，他感到非常懊悔、感动、幸福、得意。让我再次提醒你们一次，这是个爱情故事；你可以从这种愚蠢的举动中看出，那不是令人厌恶的愚蠢，这些过程中的愚蠢反倒显得有些崇高。他们站在火光里，好像他们是故意到那儿的，说那些话，为的是开导藏在暗处的杀手们。如果薛力夫·阿利的密探们有——像吉姆说的——一点点胆量的话，现在也该冲出来了。吉姆的心怦怦直跳——倒不是因为害怕——但是他似乎听到了草丛里的窸窣响动声，他敏捷地走到火光照不到的地方。有个黑漆漆的、看得不太清楚的东西迅速消失在他的视线之外。他大声喊道，'柯内里！噢，柯内里！'接下来便是深深的寂静：他的声音似乎没有传出二十英尺以外。那姑娘再次站到他的身边。'快跑！'她说。那老妇人正朝他们走过来；她佝偻的身影在火光的边缘一瘸一拐地跳跃着；他们听到了她模糊的喃喃自语声，伴随着一声轻轻的、呻吟般的叹息。'快跑！'女孩激动地重复道，'他们现在害怕了——这火光——这些声音。他们知道你现在醒了——他们知道你很高大、强壮、无所畏惧……''如果我真是那样就好了，'他刚开口，就被她打断了。'是的，今天晚上！但是明天晚上会怎么样？后天晚上会怎样呢？还有以后很多很多个晚上呢？我能一直这样看守着你吗？'她抽泣着哽咽起来，把吉姆感动得说不出话来。

"他告诉我，他从未觉得自己是如此渺小，如此无力——至于勇气，那又有什么用呢？他是如此无助，以至于连逃跑似乎都没用；她不停地嘀咕着说，'去都拉明那里，去都拉明那里，'简直是在狂热地坚持这一叮嘱。但是吉姆意识到，对他来说，没有一处避难所能使他躲开那种孤寂，那种使他的危险增加了百倍的孤寂——除了她。'我想，'他对我说，'如果我离开她，恐怕一切就都完了。'因为他们当时不能一直待在那院子中间，所以他决定到仓库去看看。他让她跟着他，想都没想到她会有什么劝阻，仿佛他们早已结下了不解之缘。‘我无所畏惧——是吗？’他从牙缝里咕哝道。她拉住他的手臂。‘等着，直到听到了我的声音，’她说。她手里高举着火把，步子轻盈地迅速跑到拐角处。他独自一人藏在黑暗中，脸对着门：没有一点儿声音，也没有一丝气息从另一侧传来。那老婆子从他身后某个地方发出一声沉闷的呻吟。他听到一声来自那个姑娘、音调很高的尖叫声。‘现在！推吧！’他猛地用力一推门，门嘎吱一声闷响摇晃着开了，在火把摇曳红光的照耀下，露出里面低矮、阴森如地牢般的景象，这令他看后为之一惊。一团烟雾在地板中间的一个空木箱上盘绕，一堆烂布和稻草好像要飞起来的样子，但只是在穿堂风中微弱地抖动着。她将火把通过窗户的板条缝塞了进去。他看见她那光溜溜的圆胳膊僵硬地举着火把，像个铁支架似的。一堆破烂的旧草席堆得像个圆锥形，占满了远处的一个角落，几乎快堆到了屋顶，屋里就这些东西了。

“他向我解释说，他深感失望。他坚毅的耐心经受如此多警告的考验，几个星期以来他被太多危险的暗示包围着，以至于他想见到某种真正的现实，某种有根据的东西来获得解脱。‘这样至少两三个小时就可以将紧张的气氛流通一下——如果你明白我的意思的话，’他对我说，‘天哪！这些天来，我胸口上就像压了块石头一样，令我喘不过气来。’现在他以为终于可以找到什么了，结果——什么都没有！没有一丝痕迹，没有任何迹象。当门猛地打开的时候，他便举起了武器，但是现在他又将胳膊放了下来。‘开枪！保护好你自己，’那姑娘在外面用极度痛苦的声音喊道。她在黑暗中，胳膊从窗户的那个小洞里伸进来，肩膀挡住了视线，所以看不到里面的情形，她又不敢把火把收回去跑过来一看究竟。‘这儿没有人！’吉姆轻蔑地嚷道，他有种想爆发出一阵愤愤不平的苦笑的冲动，但是却悄无声息地消失了：他正要转身走开时，却发觉他的目光和草席堆中的那一双眼睛正好对视上了。他看到那双眼睛眼白移动的闪光。‘出来！’他愤怒地大吼道，心中不免有一点儿疑惑。只见一个面部黝黑的脑袋，一个没露出身子的脑袋，在那堆垃圾里奇怪地同身子分了家的脑袋，皱着眉头注视着他。很快，整个草席堆都动了起来，随着一声低哼，一个人迅速从里面跑了出来，扑向吉姆。在他身后，那堆席子似乎也在飞舞跳跃。那个人抬起弯着臂肘的右臂，伸出的拳头里露出一把短剑的钝刃，略微高过他的头顶。他的腰部紧紧地裹着一块布，在他那棕色的皮肤映衬下，更显得白得耀眼；他那赤裸的身体闪闪发光，好像是湿漉漉的。

“吉姆看清了这一切。他告诉我，他正在体验一种难以言表的彻底解脱的感觉，一种复仇的快意。他说，他是故意没立刻开枪的。他大约等了十分之一秒，够那个人朝他再走三大步—— 一段完全不能被理解的时间。他等着，只为体验那种愉快——暗自说：‘那家伙死定了！’他有绝对的把握，非常有信心。他放他过来，因为那无关紧要。不管怎样，他都死定了。他注意到那张脸上张开的大鼻孔，睁大的眼睛，专注、急切的表情，然后他开了枪。

“在那个狭窄的空间里，子弹的炸裂声真令人震惊。他往后退了一步。他看见那家伙脑袋猛地一抬，双臂往前一伸，丢掉了手中的短剑。他事后确认，子弹是从那家伙的嘴里打进去的，稍微偏上一点儿，从后脑壳上方穿了出去。那家伙借着冲力还直往前冲，他的脸突然裂了个口子，变了形，张开两只手在前面摸索着，好像是眼睛瞎了似的，额头重重地碰到地上，差点儿碰到吉姆光着的脚趾头。吉姆说，所有的这一切他看得非常清楚，哪怕是连最小的细节都没放过。他发现自己很镇静，也很平静，没有怨恨，也没有不安，仿佛那个人的死已经弥补了所有的一切。狭小的屋子里渐渐充满了因火把燃烧带来的黑烟；火把那没有丝毫摇曳的火焰烧得血红，没有一丝闪动。他毅然决然地走进去，跨过那具尸体，用左轮手枪瞄准了另外一个模模糊糊的赤裸的身影。正当他要扣动扳机时，那个人用力地扔出一根短而重的长矛，服服帖帖地蹲下来，背对着墙，双手紧扣，抱着两腿。'你想不想活命？'吉姆问道。那个人没吭声。'你们还有多少人？'吉姆又问道。'还有两个，老爷，'那家伙轻声回答道，瞪着两只迷惘的大眼紧盯着左轮手枪的枪口。于是，另外两人也从草席堆下面爬了出来，摊开他们空空的双手表示投降。"

第三十二章

“吉姆占了个非常有利的位置，将他们像赶牲畜一样赶出了门洞：这期间，火把一直保持着笔直的状态，紧紧地握在一只纤细的小手中毫不动摇。那三个人很听话，全都一言不发，机械地挪动着。吉姆把他们排成一行。‘手臂挽着手臂！’他命令道。他们照做了。‘谁要是先把胳膊缩回来，或者转头，我立刻就打死他，’他说。‘向前走！’他们僵硬地一齐走了出去；他跟在后面，那姑娘走在旁边。她穿着一件拖曳的白色长袍，一头乌黑的头发直垂腰际，手里拿着火把照着。她挺直的身体摇晃着，好像在脚不着地似的滑行；唯一的响声就是那长袍拂过长长的草叶发出的沙沙声。‘停下！’吉姆大声喝道。

“河岸很陡峭；一股新鲜的空气在升起，光照在平滑、黑暗的水边，水中泛着泡沫，却没有一丝涟漪；左右两边房屋的形状躲在房顶鲜明的轮廓下面。‘代我向薛力夫·阿利问好——稍后我会亲自拜会他的，’吉姆说。三人都一动不动地站在那儿。‘跳！’他响雷般地命令道。三个飞溅的水花汇聚成一股大水花，三个黑乎乎的脑袋抽搐般剧烈地上下来回浮动着，很快就消失不见了；但是急促的喘息声和飞溅的水声还在继续，渐渐弱了下去，因为他们正在拼命地潜水，生怕离开后被枪击。吉姆转向那姑娘，她始终沉默不语，很专注地看着这一切。他的心脏似乎突然间变得太大了，以致他的胸膛都装不下，堵在了他的嗓子眼儿里。他刚才很久没有说话，很可能是这个原因。那姑娘用凝视回报了他，然后手臂一挥，将燃烧着的火把扔进河里。红红的烈焰拖着一道长光，划过很长的一段夜空，发出恶毒的嗞嗞声沉了下去；而那平静柔和的星光毫无阻碍照耀在他们身上。

“他没有告诉我在他终于恢复声音后说了些什么。我不认为他会有多好的口才，能滔滔不绝地讲个不停。周围的世界仍旧一片寂静，黑夜的气息笼罩着他们，那样的一个夜晚似乎是专为庇护柔情而创造的，在某些时候，我们的灵魂仿佛从黑暗的禁锢中被释放出来了一样，闪耀着一种细腻的情感，使某些沉默比言语更清晰。至于那个姑娘，他告诉我，‘她因过度兴奋有点儿累坏了——你可知道。是兴奋后的反应。她一定是累坏了——还有诸如此类的事情。而且——而且——管它呢——她很喜欢我，你看不出来吗……我也……当然并不知道……我脑子里从来就没过这种想法……’

“然后，他站起身来，开始有点激动地来回踱步。‘我——我深深地爱着她。爱得简直难以言表。当然啦，无人能言表。当你逐渐明白了，当有人使你每天都明白了你的存在对另一个人来说是必不可少的——你看，是绝对的必不可少，那你就会对你的行为有不同的看法了。有人令我体会到了那种感觉。太棒了！但只要想想她所过的日子。太可怕了！不是吗？而我在这儿发现了她是这个样子——就像你偶尔出去散步时，突然发现有人在一个孤独的、黑暗的地方将要被淹死了一样。天哪！没时间浪费。嗯，这也是一种信任……

我相信我能胜任……'

"我必须告诉你们，在这之前，那姑娘就离开了，留下我们俩单独聊。他拍了拍胸脯。'是啊！我感觉到了这点，但是我相信我当得起我的所有幸运！'他天生就有那种本事，不管遇到什么事，他都能在其中找出特殊的意义来。这是他对爱情的见解；带有田园诗般的韵味，有点庄严，却也很真实，因为他的信仰具有所有年轻人那种不可动摇的严肃性。在那之后的另一个场合，他对我说：'我在这儿才待了两年，现在，我敢说，我无法想象我还能在别的什么地方生活。只要一想到外面的世界，我就害怕；因为，你没看出来吗，'他继续说道，低垂的眼睛注视着他的靴子忙着把一小块干了的泥巴彻底擦去的动作（当时，我们正在河边散步）——'因为我还没有忘记我来到这儿的原因。还没有！'

"'我尽量不看他，但是我认为我听到了一声短促的叹息；我们默默地转了一两圈。'凭我的灵魂和良心说，'他又开始说，'如果这样的事可以被遗忘，那么我认为我有权利将其抛之脑后。可以问这儿的任何一个人……'他的声音变了。'这难道不奇怪吗，'他用一种温和的、几乎是渴求的语气说，'所有这些人，所有这些愿意为我做任何事情的人，都永远让他们无法明白？永远不能！如果你不相信我，我就不能告诉他们。不知何故，这似乎很难。我很笨，不是吗？我还能想要别的什么？如果你问他们谁更勇敢——谁更真诚——谁比较公正——谁值得他们用生命去信任？——他们会说，吉姆爷。但他们永远也不可能知道那真正的，真正的真相……'

"这是我和他在一起的最后一天时，他对我说的话。我没放过任何一声喃喃低语：我觉得他会说得更多些，也会更接近问题的根源。

太阳凝聚的强光使地球缩小成一团飘浮不定的尘埃的微粒，此刻太阳已沉到森林的后面；乳白色天空发出的漫射光仿佛投射在一个没有阴影、没有光辉的世界上，给人一种静谧且深沉的伟大的错觉。我不知道为什么在听他讲话的时候，我竟会如此清楚地注意到河流和天空的逐渐变暗；夜色不可抗拒地缓缓降临，静静地笼罩在所有看得见的形体上，抹去了那些轮廓，将那些形状埋得越来越深，就像一团无法触摸的灰尘在持续往下掉。

"'天呀！'他突然说道，'有些时候，一个人太荒唐了，什么事都应付不了；只是我知道我能告诉你我喜欢什么。我讲到跟它了结的话——那躲在我脑后的该死的事……彻底忘记……如果我知道，就绞死我！我会默默地想起它来。它究竟证明了什么？什么也没有。我想你不这么认为吧……'

"我低声哼了声，表示抗议。

"'不打紧，'他说，'我很知足……差不多。我只要看看走过来的头一个人的脸，就能重拾信心。他们无法理解我的内心，那又有什么关系？来吧！我做得还没那么糟糕。'

"'不太糟，'我说。

"'但是都一样，你不愿意让我乘你的船了吧？'

"'去你的！'我大叫道，'不要这么说。'

"'啊哈！你看，'他说，平静地对我做出自鸣得意的样子。'不过，'他接着说，'你只要把这件事告诉给这里的任何一个人，他们便会认为你是个傻子、骗子，或者比这更糟。所以我可以承受得了。我曾为他们做过一两件事，但这就是他们对我的回报。'

"'我亲爱的朋友，'我喊道，'在他们心中，你将成为一个永远无法解开的谜。'于是，我们都沉默了。

"'谜，'他重复了一遍，然后抬起头来，'好吧，那就让我永远待在这儿吧。'

"太阳落山后，黑暗似乎乘着阵阵微风，向我们袭来。在一条两旁围着篱笆的小路中间，我看见了唐比丹的侧影：克制、憔悴、十分警惕、看上去好像只有一条腿；透过昏暗的空间，我看见支撑屋顶柱子的后面有个白花花的东西在来回移动。当吉姆带着紧随其后的唐比丹开始晚上的巡逻时，我便立刻独自走到房子那边去，出乎意料地在路上被那个女孩拦住了去路：很显然，她是在等待着这个机会。

"很难准确地告诉你们，她究竟想从我这里逼问出什么。显然，这是很简单的事情——世界上最简单却不可能办到的事；这好比让你准确地形容一朵云彩的形状。她想要一个保证，一个声明，一个承诺，一个解释——我不知道怎么称呼它：这东西根本就没有名字。凸出的屋檐下一片漆黑，我所能看见的，只有她身上长袍那飘动的纹路，她那苍白的椭圆形的小脸，还有她那洁白牙齿的光泽，以及她那双看着我的大而阴沉的眼睛：那里面似乎有一种轻微的波动，就像你将凝视的目光投向深不可测的井底时，你仿佛觉得你能窥见的那种波动。那里是什么在游动？你问自己。是个瞎了眼睛的怪物，还是一道来自宇宙的消失了的光？我突然想到——别笑——所有的事物都不一样，比起司芬克斯向过往的路人提出的幼稚谜语，她的幼稚无知更让人捉摸不透。她被带到巴多森时，还没睁开眼睛呢。她是在那里长大的；什么世面也没见过，什么也不知道，对任何事都没概念。我问自己，她究竟是否相信还有其别的事物存在。我无法想象她对外面的世界到底形成了什么样的认识：她对外面世界的居民所知道的就是一个遭到了背叛的妇人和一个险恶的浪荡子。她的恋人也是从那个外面的世界来的，他极具诱惑力；如果他回到了那个似乎总要把自己人拉回去的无法想象的地区，她又会怎样呢？她母亲在临死前曾含泪警告过她这一点……

“她紧紧抓住我的胳膊，我一停下来，她就急忙把手缩了回去。她既胆大包天又畏缩不前。她什么也不怕，但她被深邃的不确定和极端的奇怪现象所羁绊，就像一个在黑暗中摸索的勇敢的人。那个未知的世界随时都有可能把吉姆给拉回去，而我就属于那个未知世界的人。我仿佛深知那个世界的秘密和意图——深知一种使人感到威胁的神秘性——或许已被这种力量武装起来！我相信，她以为只要我说句话就能把吉姆从她的怀中拉走；我明明知道且相信：在我和吉姆长谈时候，她一定经历了许多猜疑和恐惧的苦恼；那是种真实而且又难以忍受的痛苦，如果她灵魂的愤怒和她所遭受的痛苦大致相当的话，这种痛苦可能会驱使她策划暗杀我的阴谋。这是我的印象，也是所有我可以讲述给你们的了：我逐渐明白了整个事情的来龙去脉，当它变得越来越清晰的时候，我被一种缓慢的、令人难以置信的惊奇惊呆了。她使我相信了她，但是我的嘴上却说不出一个词来表达那急速且感情强烈的耳语，那轻柔且充满激情的语调，那突然屏住气息的停顿和那迅速伸展开雪白手臂时的那种恳求的举动。她的手臂垂了下来；她幽灵般的身影像风中的一棵细长的树一样在风中摇曳，苍白的椭圆形的脸低垂着；我无法看清她的容貌，她眼睛中的黑暗像是深不可测的深渊；两只在黑暗中高举的宽大衣袖，就像展开的翅膀一样，她静静地站着，双手托着她的头。”

第三十三章

“我深深地被打动了：她的年轻，她的无知，她的娇美，像朵野花一样所具有的那种纯朴的妩媚和娇嫩的活力，她的令人怜悯的倾诉，她的孤苦无助，几乎以她自己不可理喻却又出于自然的恐惧的力量深深地打动了我。她和我们一样害怕未知的世界，而她的无知使那未知变得无限广阔。我就代表着那个未知的世界,代表着我自己，代表着你们这些家伙，代表着那个既不关心吉姆又根本不需要他的整个世界。假如我没有想到他也属于她所恐惧的那个神秘的未知世界，假如我没有想到无论我代表了多少，却代表不了他，我本来是有足够的准备来对这世上芸芸众生的冷漠负责的。这让我犹豫了。这种绝望的痛苦化为喃喃的低语，从我的嘴唇发出。我开口争辩说，至少我来这里并没有把吉姆带走的企图。

“那么，我为何而来呢？她稍微动了一下，就又像尊大理石雕像一样静静地伫立在夜色中。我试着尽可能简单地解释一下：友谊，生意；如果说在这件事情上我还有什么企图的话，那么我倒希望他一直待在那里……‘他们总是离我们而去，’她喃喃道。她虔诚地用鲜花装点的坟墓传来一阵悲哀的智慧的气息，似乎在微弱的叹息中消失了…… 我说没有什么能把吉姆和她分开。

“我现在坚定地这样相信；当时也是这样坚定地相信；从所有的情况来看，只能得出这唯一的结论。她用自言自语般的口吻低声对我说，‘他对我发过这样的誓’，这就更确信无疑了。‘你问过他吗？’我问道。

“她走近了一步。‘没有。从来没有！’她只请求过他离开。那是在那天晚上，在河岸边，他杀了那个人之后——因为他老是那样看着她，她将火把扔到水里之后。天渐渐亮了，当时的危险总算过去了——仅仅是过去了一会儿——过去了一会儿。然后他说，他不会把她丢给柯内里而不管。她坚持让他离开。她想让他离开她。他说，他不能——那是不可能的。他说这番话时，浑身在发抖。她也明明感到他在颤抖…… 人们不难想象那场景，甚至几乎能听到他们的低语。她是在为他担心。我相信，她当时在他身上看到的只是一个命中注定要成为危险的牺牲品的人，她对危险要比他自己更清楚。虽然他只凭着自己的存在就控制了她的心，充满了她的思想，使她把所有的感情都倾注在他身上,但是她却低估了他成功的机会。很显然，在那个时候，所有人都倾向于低估他成功的机会。严格地说，他似乎根本就没有什么机会。我知道，柯内里就是这么认为的。他向我承认过这些，目的是为了掩饰他在薛力夫·阿利密谋消灭那个异教徒的阴谋中所扮演的阴险角色。现在看来，可以肯定的是，即使是薛力夫·阿利本人，对那个白人也非常鄙视。我相信，他们要谋害吉姆的主要原因是出于宗教的因素。一个纯粹出于虔诚的举动（到目前为止，这是非常值得称赞的），否则就没有什么意义了。柯内里同意这后一部分意见。‘尊敬的先生，’他抓住费尽心机与我独处的唯一一次机会，卑鄙地狡辩说，‘尊敬的先生，我怎么知道呢？他是谁？他能做些什么来让人相信？史泰先生派那样一个孩子来跟一个老伙计吹牛，到底是什么意思？给我八十美元，我就准备救他。仅仅需要八十美元。那个傻瓜为什么不走？我能为了一个陌生人而冒被人刺伤的危险吗？’他在我面前做出奴颜婢膝的谄媚样，弯下身子，双手在我的膝前悬着，仿佛要抱住我的双腿似的。‘八十美元算得了什么？一笔微不足道的钱，给的是一个无依无靠的老头子——他这一辈子都被那个死去的女魔头给毁了。’讲到这里，他不禁哭了起来。但这是后来的事，我这里提前说的。那天晚上我并没有碰见柯内里，我是在同那姑娘谈完话以后才见到他的。

“当她催促吉姆离开她，甚至离开那个国家时，她是无私的，完全没为自己打算。她想的首先是他面临的危险——即使她也想自救——也许是无意识的：但是，看看她所受到的警告，看看她从最近结束的生活的每一点中所汲取的教训，她所有的记忆都集中在这里。她拜倒在他脚下——她这样告诉我——就在那河边，在星星点点的星光下，星光下除了大片大片寂静的影子，广袤无垠的苍穹，什么也看不清。星光照在宽阔的河面上微微地颤动，使它显得像大海一样辽阔。他把她扶起来。他扶起她来，于是她就不再挣扎了。当然不再挣扎了。坚强有力的手臂，温柔的声音，还有一个可以让她那可怜、孤独的小脑袋依靠的结实肩膀。她需要——无限地需要——所有的这一切，都是为了那颗痛苦的心，为了那迷乱的心灵——那是青春的鼓舞——必不可缺少的一刻。你们想要什么呢？大家都明白——除非他不能理解太阳下的任何事。因此，她很满足于这样被扶起——被搂着。‘你知道吧——天哪！这是非常严肃认真的——绝不是逢场作戏呀！’就像吉姆在他家的门口匆忙地用一副忧心忡忡的面孔低声说话一样。我不太懂得逢场作戏，但是在他们的浪漫爱情史中并没有什么轻松愉快点的心情：他们在人生灾难的阴影下走到了一起，就像骑士和少女相遇在魔鬼出没的废墟中彼此交换誓言。星光对这个故事来说太好了，它是如此的微弱和遥远，以至于它照出来的影子都不能成形，却又照出了河的对岸。那天晚上，我的确从那个地方看了看那条河：河水静悄悄地翻滚而过，黑魆魆的宛如冥河。第二天，我就走了，但是我不太可能忘记，当她恳求吉姆趁时间还来得及赶紧离开她时，她想逃避的是什么。她告诉了我那是什么，情绪很平静——她当时太亢奋了，单纯的刺激已经无法打动她了——在朦胧的黑暗中，她的声音就像她那若隐若现的白色身影一样幽静。她告诉我，‘我不想流着泪死去。’我还以为我没听清呢。

“‘你不想流着泪死去？’我又问了一遍。‘像我母亲那样，’她随口回答道。她白色的身影一动不动。她解释说：‘我母亲死前哭得很伤心。’不知不觉中，一种不可思议的恬静似乎已经从我们周围的地面上升起，就像夜间悄悄漫上来的洪水，淹没了我们所熟悉的情感标志。一种突如其来的恐惧，对如深渊般的未知因素的恐惧，向我袭来，仿佛我在洪水中失去了立足之地。她继续解释说，在最后的时刻，只有她和母亲孤单地在一起，她不得不离开病床到另一边，用脊背顶住门，以便将柯内里阻挡在门外。他很想进来，不停地用两只拳头砸门，只是偶尔会停一下，沙哑着嗓子喊道：‘让我进去！让我进去！让我进去！’在不远处的一个角落里，草席上躺着一个奄奄一息的女人，她已经说不出话来，也无法抬起胳膊，她转过头来，手无力地动着，似乎在说：'不！不！'而她那个听话的女儿，正竭尽全力用肩膀抵住门，远远地看着躺在那里的母亲。'泪水从她的眼睛里流淌出来——然后她就死了，'那姑娘用一种平静而单调的声音总结道，她那单调的声音及母亲临终前被逼迫的恐怖场景，比其他所有的一切，比她那白色雕像般的一动不动，比所有能用言语表达的，更深深地扰乱了我的心。它的力量驱使我忘掉了存在的概念，忘掉了我们每个人为自己搭的避难所，以便危险的时候躲到里面去，就像一只乌龟缩进壳里那样。有那么一瞬间，我看到世界似乎陷入了广泛而忧郁的无序状态，然而，事实上，由于我们不懈的努力，这个世界依旧是那样的阳光灿烂，有人类头脑中所想象出的一些小小的舒适的安排。但是——那只是一刹那罢了：我还是直接回到我的壳里去了。每个人都这样呀——你不知道吗？——虽然在这一片混乱的黑暗思想中，我似乎把在这范围之外曾想了一两秒钟才想起的那些话都忘得干干净净。不过，这些很快又回来了，因为这些话也属于光明与秩序的庇护概念，是我们的避难所。在她低声说这番话之前，我的话早就准备好了。她柔声说：'当我们俩单独站在那里的时候，他发誓永远不会离开我！他对我发誓！'……'你有可能——你！不相信他吗？'我问，心里的确有点儿责备她，也确实感到很吃惊。她为什么不能相信？因为不相信，所以才会有这种极度的猜忌，才会有这种根深蒂固的恐惧，仿佛这种猜忌和恐惧是她爱情的保障似的。这真可怕。她应该在那种真诚的感情中为自己建一个攻不破的和平的栖身之所。她没有那种知识——或许是没有那种技能吧。夜幕已经降临；我们所处的地方，天已变得漆黑一片，她没有动弹，就像个桀骜不驯、爱捉弄人的精灵，其形态渐渐隐去。突然，我又听到了她低声耳语：‘别人也发过同样的誓。’这就像是对某些充满了悲伤和敬畏的思想进行深刻的评判一样。她把声音尽可能地降低后补充道，‘我父亲就发过誓。’她停顿了一下，悄无声息地吸了口气。‘她的父亲也发过誓。’……这就是她所知道的！我立刻说道：‘啊！但他可不是那样的人。’她似乎无意争辩；但是，过了一会儿，那奇怪的、做梦似的、在空中飘荡的低语又悄悄在我耳边响起。‘他有何不一样呢？难道他比别人更好吗？难道他……’‘我以名誉担保，’我插嘴道，‘我相信他是的。’我们把音调压低到一种神秘的程度。在吉姆的工人们的茅草棚之间（他们大多是从薛力夫·阿利的木寨里解放出来的奴隶），有人用拖了长音的尖声唱起一首歌。河对岸一大堆火（我想是都拉明那里的）化为一团熊熊火球，孤零零地照耀着夜空。‘他比别人更真实吗？’她喃喃道。‘是的，’我说。‘比其他所有人都真实，’她用带有很强的口音重复道。‘这里没有人，’我说，‘做梦也不敢怀疑他的话——没有人敢——除了你。’

“我觉得，听了这话时她动了一下。‘更勇敢些，’她换了个腔调继续说道。‘恐惧永远不会把他从你身边赶走，’我有点儿紧张地说。那首歌在一个尖音符上戛然而止，紧接着远处传来几个人的交谈声。其中有吉姆的声音。她的沉默使我吃惊。‘他跟你说了什么？他会跟你讲过些什么吧？’我问道。她没有回答。‘他告诉过你什么？’我坚持问道。

“‘你认为我能告诉你吗？我怎么会知道？我怎么会明白呢？’她终于大哭起来。她又动了一下。我相信她是在搓手。‘有一件事，他永远不会忘记。’

"'对你来说更有好处,'我忧郁地说。

"'是什么事?是什么事?'她那恳求的语气中,蕴含有一种非凡的感染力。'他说他很担心。我怎么能相信这话?我是个疯女人吗,竟然相信这话?你们都记得一些事!你们都会回想起那事。是什么事呢?你告诉我!这是什么事呢?这事还没完——还是已经过去了?我讨厌它。它很残忍。它有没有脸,有没有声音——这个祸害?他会看见它吗——他听得见它吗?也许在他睡梦中,在他看不见我的时候——他起身离开了。啊!我永远不会原谅他。我母亲曾经原谅过——但是我绝不会原谅!那会不会是一个信号——一声召唤?'

"那是一次美妙的经历。她不相信他的沉睡——而且她似乎认为我能告诉她为什么!就像一个被幽灵的魅力所诱惑的可怜凡人,可能会绞尽脑汁想从另一个幽灵那里获取另一个世界的秘密,那是一个脱离了躯体而迷失在这个世界的情网之间的灵魂的秘密。我脚下的土地似乎也在融化。这倒是非常的简单;但是,如果我们的恐惧和不安所唤起的精灵不得不在我们这些魔术师面前担保彼此的坚贞,那么,我——在我们这些活生生的人当中,只有我——对这样一个任务感到毫无希望而瑟瑟发抖。一个信号,一声召唤!她这样的表述,说明她是多么的无知。寥寥几个字!我无法想象她是怎么认识这几个字的,又是怎么把这几个字说出来的。女人会在感到压力时找到灵感,而那些时刻对我们来说仅仅是可怕的、荒谬的或是无能为力的。发现她毕竟还有声音,就足以令我内心充满敬畏之情了。假如一块被唾弃的石头痛苦地喊出声来,也不见得是更伟大、更可悲的奇迹。这些在黑暗中飘荡的声音使他们两个愚昧的生活在我的脑海中充满了悲剧的意味。让她明白是不可能的。我默默地为自己的无能为力感到懊恼。至于吉姆，也是——一个可怜鬼！谁会需要他？谁会记得他？他得到了他想要的。此时，就连他的存在很可能已经被遗忘了。他们已经掌握了自己的命运。他们的命运好悲惨。

“她一动不动地站在我面前，显然是有所期待，而我的职责就是从遗忘阴影中为我的兄弟说话。我对自己的责任和她的不幸大为感动。我愿意付出一切来抚慰她那脆弱的灵魂，那灵魂在不可克服的无知中折磨着自己，就像一只被关在笼子里小鸟在奋力扑打鸟笼那残忍的铁丝。没有比说‘别怕！’容易的了！但同时也没有比这更加困难的了。我想知道，怎样才能消除恐惧？你怎样才能射杀一个萦绕心头的幽灵，砍下它的头，抓住它的喉咙呢？那是一种你梦中竭力完成的壮举，但是当你醒来时，你则乐于披着湿漉漉的头发，四肢颤抖着要逃避了。子弹还没射出，刀刃还没磨好，那个人还没出生呢；甚至是那长了翅膀、含有真理的字眼，像铅块一样落在你脚前。要冒这样孤注一掷的危险，你需要一支被施了魔法、在谎言里浸泡过的毒箭，那谎言非常的巧妙，在这个世上根本找不到。那是梦里才会有的壮举呀，我的主人！

“我以一颗沉重的心情开始祈祷，同时心里也带有一种阴郁的愤怒。吉姆突然用一种严厉的语调提高了嗓门，声音是从院子外边传过来的，他正在责备河边一个被批得哑口无言的、闯了祸的家伙太粗心大意了。什么也没有——我清晰而低声地说道——在她竭力幻想出来的那个未知世界里，没有什么能抢走她的幸福，不管是死的还是活的都不会，没有脸、没有声音、没有权利能把吉姆从她身边抢走。我吸了口气，她轻轻地低声说道，‘他也这么跟我说过。’‘他和你说的是真心话，’我说。‘没有什么，’她叹了口气，突然转过身来，用一种紧张得几乎听不见的语气对我说：‘你为什么从外边的世界来我们这里？他经常谈起你。你让我感到害怕。你——你需要他吗？’一种偷偷地激烈情绪悄悄潜入我们急促的低语交谈中。‘我永远不会再来了，’我痛苦地说，‘我并不需要他。也没有人需要他。’‘没有人，’她用怀疑的语气重复道。‘没有人，’我肯定地说，感到自己因某种莫名的兴奋而晃动起来。‘你认为他强壮、聪明、勇敢、伟大——为什么不相信他也诚实呢？我明天就走了——所有的事情到此为止。你永远不会被来自外面未知世界的声音所打扰了。你不知道的这个世界太大了，大到根本不会在意他是否存在。你明白吗？太大了。你已牢牢地抓住了他的心。我相信你一定感觉到了这一点。你也一定知道。’‘是的，我知道，’她喘着粗气，一动不动地站在那里，像一尊雕像在低声耳语。

“我觉得自己什么也没做。而我想要做的又是什么呢？我现在还不确定。当时我被一种不可言喻的热情所激励，仿佛面临着一些伟大而必要的任务——那是我的精神状态和情感状态一时受到的影响。在我们所有人的一生中，都有这样的时刻，这样的影响，来自外界的，因为它无法抗拒，也不可理解——仿佛是由行星神秘的组合所带来的。她拥有了他的心，就像我对她说的那样。她拥有了这个，还有其别的一切——只要她能够相信。我必须告诉她的是，在这个世界上，没有人需要他的心、他的思想、他的手。这是一种共同的命运，但是无论是说到任何一个人，似乎都是一件可怕的事情。她一言不发地听着，此时她的沉默好像是对一种无法说服的怀疑的抗议。我问道，森林之外的那个未知世界，有什么需要她来担心的呢？在人烟稠密的那个辽阔无比的未知世界中，我安慰她说，只要他活着，他就绝不会从那里得到任何对他的召唤或记号。永远不会。我有点儿失控了。永远不会！永远不会！现在回想起来，我对当时表现出那种固执的激烈仍感到有些惊讶。我有种终于掐住了那幽灵喉咙的幻觉。事实上，整个实际的情形也的确留下了一个详细且惊人的梦幻般的印象。她为什么害怕？她明明知道他强壮、真实、聪明、勇敢。这全是他所具备的。当然不会错。他具备的还不止这些呢。他伟大——不屈不挠——而这个世界并不需要他，已经将他忘记，甚至都不知道有他的存在。

“我停了下来；此时的巴多森寂静无声，在河中间的某个地方，划桨撞击着独木舟的船侧，发出微弱干涩的响声，似乎使那寂静显得无边无际了。‘为什么？’她低声问道。我感到了人们在一场激烈争斗中的那种愤怒。那幽灵正试图从我手中溜走。‘为什么？’她提高了声音重复道，‘告诉我！’当我还在困惑的时候，她却像个被宠坏了的孩子似的跺起脚来。‘为什么？你倒是说啊。’‘你想知道？’我愤怒地问道。‘是的！’她大声嚷道。‘因为他不够好，’我粗鲁地说。在这片刻的停顿中，我留意到河对岸的火熊熊燃烧起来，光圈也变得越来越大，好像一个吃惊的凝视目光，突然又缩成一个针尖大的红点。当我感到她的手指抓住我的前臂时，我才知道她离我有多近。她没有提高声音，但声音中却充满了尖刻的轻蔑、痛苦和绝望。

“‘这就是他说过的话……你撒谎！’

“她是用当地方言对我喊出最后两个字的。‘听我说完！’我恳求道；她颤抖着屏住呼吸，推开我的胳膊。‘没有人，没有人是足够好的，’我以最诚恳的口吻说道。我听到她痛苦的抽泣声，呼吸也变得很急促。我低下了头。有什么用呢？脚步声越来越近；我一言不发地悄悄溜走了。……”

第三十四章

马洛摇晃着把两腿分开，迅速站起身来，有点踉踉跄跄的，好像他在从高处直冲下来似的。他背靠在栏杆上，面对着一排摆放凌乱的长条藤椅。懒洋洋地躺在藤椅里的那些身体，似乎被他的动作从昏睡中惊醒。有一两位好像是受了惊吓一般坐了起来；这一处那一点的燃着的雪茄烟火在闪动；马洛用一个好像刚从遥远的梦中归来人的眼神看着这些人。有个人清了清嗓子；一个冷静的声音满不在乎地鼓励道："好。"

"没什么，"马洛微微一惊，说道。"他已经告诉过她了——仅此而已。她不相信他——没别的了。至于我自己，我不知道我是该高兴还是该难过才算是公正、恰当、得体。就我而言，我不能说出我所相信的——事实上，直到今天我也不知道，而且可能永远也不会知道。但是那个可怜鬼相信了什么呢？真理终归要被彰显的——难道你不知道 Magna est veritas et[①]……是的，只要真理得到了个

① 拉丁语：真理是伟大且……

机会。毫无疑问，这是一条法则——同样，这条法则也控制了你掷骰子的运气。正义并不是人类的仆人，可是意外、冒险、运气——耐心的时间的同盟——保持着公正而审慎的平衡。我们俩都说过同样的话。我们是否都说了真话——还是我们其中的一个说的是——还是我们俩都没说真话？……”

马洛停顿了一下，双臂交叉着抱在胸前，换了一种声调说：“她说我们说谎。可怜的灵魂哪。好吧——我们就全凭运气吧，时间是它的盟友，急不得，死亡是它的敌人，却又不会等待。我退缩了——我必须承认，我有点害怕了。我试着与恐惧搏斗，但却被它摔倒了——那是自然。我只是成功地暗示了某种神秘的暗中勾结，一个莫名其妙却又难以理解的阴谋要把她永远蒙在鼓里，这更增添了她的痛苦。而这是由他的行为和她自己的行为轻易地、自然地、不可避免地引起的！我仿佛看到了呈现在眼前的无情的命运的捉弄，我们都是受害者——也是它的工具。想到我留下那姑娘呆呆地站在那儿，真让人害怕；吉姆穿着沉重的系着带子的靴子，从我身边走过，却没有看见我，他那沉重的脚步声带有一种冥冥之中命中注定的意味。‘什么？没有灯光！’他用一种响亮而惊讶的声音说道，‘你们两个在那黑灯瞎火的地方干什么？’我猜，他马上就看见她了。‘喂，姑娘！’他兴奋地叫道。‘喂，小伙子！’她立刻用惊人的勇气回答道。

“这是他们惯用的彼此打招呼的方式，她会在她那种高昂、甜美的声音中故意带点娇气，显得非常滑稽、俏皮和孩子气。这使吉姆很高兴。这是我最后一次听他们这样亲热地打招呼，我心里不禁感到一阵寒意。她那高昂、甜美的声音，她那机敏的努力，她那娇气；但这一切似乎都过早地消失了；那顽皮的呼唤听起来像是一声呻吟。

太可怕了。‘你和马洛在干什么？’吉姆问道；然后又问，‘他已经走了吗？奇怪了，我竟然没有碰见他……你在那儿吗，马洛？’

“我没有回答。我不想进去——至少现在还不合适。我真的不能答应啊。他叫我的时候，我正忙着从一扇通往一片新垦地的小门逃走。不，我还不能面对他们。我低着头，沿着一条被行人践踏出来的小路急急忙忙地走着。地面缓缓地升高了，几棵大树和树下的灌木丛被砍倒，草也被烧光了。他想在那儿尝试着开辟一个咖啡种植园。那座大山耸立的双峰——在一轮初升明月的黄光里，呈现出墨黑色，似乎把它的影子投在为那个试验而准备的空地上。他准备尝试许多新试验；我非常钦佩他的精力、他的进取心和他的精明。现在，世上没什么比他的计划、他的精力和他的热情更不真实的了；我抬起眼睛，看到部分月亮的闪光穿过峡谷底部的灌木丛射下来。有那么一瞬间，那光滑的圆盘看上去仿佛是从天上掉到地上，滚到了悬崖的底部：它上升的运动就像是悠闲的反弹；它挣脱了纠缠在一起的树枝；在山坡上生长的树伸出的光秃秃的枝条，横挡着月亮，在它的脸上留下了一道黑色的裂缝。月亮仿佛是从一个洞穴里将它水平的光射向远处，在这凄惨的、月食般的亮光里，砍伐树木后留下的树桩兀自矗立着，显得非常幽暗，四周浓厚的阴影落在我脚边，我自己的影子在移动，也有横亘在我必经小路上的永远用鲜花点缀起来的孤坟的影子。在暗淡的月光下，交织着的花朵呈现出对人的记忆来说异样的形状，眼睛也难以辨认其色彩，仿佛它们都是些没人采摘的特殊花朵，它们也不是在这个世界上生长出来的，注定只能献给死者。它们强烈的芳香弥漫在温暖的空气中，使空气变得浓而重，就像熏香时的烟气。白色的珊瑚块围绕着幽暗的坟堆发亮，就像是用漂白的骷髅头编织而成的花圈。周围的一切都很安静，当我静静地站在那里一动不动时，仿佛这世上所有的声音和运动都停止了。

“那是种伟大的和平，好像这地球就是个坟墓，我在那儿站了一会儿，脑子里想的主要是那些被埋在遥远地方的人，他们不为世人所知，却依然注定要分享人类悲惨或怪诞的苦难。也要分担人类高尚的奋斗——谁知道呢？人心是巨大的，大到足以容纳整个世界。能担起重担的人是勇敢的，但是能卸下这副重担的勇气在哪里呢？

“我想我一定是陷入了一种伤感的情绪中；我只知道我站在那儿的时间很长，长到足够使那种完全彻底孤独的感觉完全抓住了我，以至于我最近所看到的一切，所听到的一切，甚至人类的语言本身，似乎都消失了，不复存在了，仅仅在我的记忆中停留了一会儿，仿佛我是人类的最后一个。这是一种奇怪而忧郁的幻觉，像我们所有的幻觉一样，在不完全意识的状态下产生，我怀疑它只是对遥远的、无法企及的真理的幻象，只能模模糊糊显现。这确实是地球上众多被人抛弃、被人遗忘、未知的地方之一；我已经透过它朦胧的表面看到了底下；我觉得，明天我永远离开它时，它就会悄悄溜走，只存活在我的记忆中，直到我自己被遗忘。我现在对自己就有那种感觉；或许正是这种感觉促使我把这个故事讲给你们听，以便把它的存在，它的真实传递给你们——这是在那瞬间的幻觉中显露出的真理。

“柯内里打破了我的幻觉。他像害兽一样从长在空地低洼处的长草丛中蹿了出来。我相信他的房屋在附近什么地方，正在腐烂，虽然我从没看见过他家，也没有走到离他的房屋很近。他沿着小路向我跑来；他的脚上穿着脏兮兮的白鞋，在黑黑的地上闪闪发光的；他停止奔跑，躲在炉筒式的高帽子下面装可怜。他那干瘪的小皮囊被一套黑色宽绒布衣服完全吞没了。那是他在节日和盛典上才穿的礼服，这倒提醒了我，这已经是我在巴多森度过的第四个星期天了。在我逗留的这段时间里，我隐约地感觉到，他总是想趁旁人不在时，能单独跟我在一起，向我说些知心话。他焦急地徘徊着不肯离去，憔悴的小黄脸上流露出渴求的神色；但他的怯懦令他退缩了，就像我天生不愿同这样一个令人讨厌的家伙打交道一样。然而，如果不是别人看他一眼他就急忙溜掉的话，也许他早就能达到目的了。他会在吉姆严厉的注视下，在我的注视下偷偷溜走，尽管我竭力装出无动于衷的样子，甚至连唐比丹那粗暴高傲的一瞥也会使他溜走。他总是在躲避，无论什么时候看见他，他都是不定向地偷偷挪动，脸靠在肩上，要么是发出一种不信任的咆哮，要么是装出一副凄惨、令人怜悯、默默无语的样子；但是，再装腔作势的表情都不能掩饰他天生的这种不可救药的卑鄙，就如一套再好的衣服也不能掩盖他那可怕的、畸形的身体一样。

“我不知道这是否因我在不到一小时前在和一个恐惧的幽灵的遭遇战中彻底失败，士气低落的缘故，我竟然被抓住了，没有丝毫的反抗。我注定要听他的许多亲切的私话，面对无法回答的问题。这非常令人难受；但是他那丑陋的样子所引起我的轻蔑，毫无道理的蔑视,才使我好受了一些。他不可能有多大关系。没什么事会有关系的，因为我已确定，我唯一关心的人——吉姆，已经终于掌握了他自己的命运。他告诉我说他很满足……差不多很满足吧。我猜，在这儿的没有人敢这样说吧？……”

马洛停了下来，好像在等人回答。但是没人说话。

“很好,”他又开始了。“但愿没人知道，因为真理只有通过某种残酷的、微小的、可怕的灾难才能从我们脑海中挤出来。但他也是我们当中的一员，他可以说很满足了……差不多满足了。只要想想看！差不多满足了。人们几乎要嫉妒他的灾难了。差不多满足了。在这之后，什么都不重要了。谁怀疑他，谁信任他，谁爱他，谁恨他，都不重要——尤其是恨他的是柯内里。

“然而，这毕竟是一种认识。你可以根据一个人的敌人或结交的朋友来判断这个人，然而吉姆的这个敌人是如此的不堪，以至于任何一个正派的人都不会羞于承认他是自己的敌人，如果不会因此太抬举他的话。这就是吉姆所持的观点，我也同意这种观点；但是吉姆一般都不理睬他。‘我亲爱的马洛，’他说，‘我觉得如果我一直往前走下去，什么也碰不到我。事实上，我也是这样做的。现在你在这里待的时间足够长了，四周的情形也了解得很清楚了——坦诚地说，你不觉得我在这里很安全吗？这一切都取决于我，而且，天哪！我对自己充满信心。我想，他所能做的最坏的事就是杀了我。我根本不相信他会这么做。他不会的，你知道——即使我亲手将一把上了膛的步枪递给他，转过身去背对着他，让他杀了我，他也不会。他就是那种人。假设他真想——假设他能够？那——那又能怎样？我并不是为了逃命才来这儿的——是不是？我来这里就是要背水一战，我要留在这里……’

“‘直到你完全满意为止，’我插嘴道。

“当时我们正坐在他小船尾部的顶棚下；二十把桨一起闪闪发光，划得像一把桨那样，一边十把，击打河水发出的声音整齐划一。与此同时，在我们背后，唐比丹默默地将小船左右划动，眼睛远远地盯着下游的河面，聚精会神地在这一段长长的湍急水流中掌控好那只长长的独木舟。吉姆低着头，我们最后一次的谈话似乎很快就要结束了。他在为我送行，要一直送我到河口。那艘双桅船在前一天趁着退潮顺流而下离开了，而我又多逗留了一夜。现在，他在送我。

“吉姆因我提起柯内里而感到有点儿生气。其实，我也没有说什么。这个人太微不足道了，根本算不上什么危险人物，尽管他心中充满了仇恨。他每说两句话，就称我一声‘尊敬的先生’；当他紧贴着我的胳膊肘跟着我从他‘已故妻子’的坟墓旁走到吉姆院子的门口时，他一直在向我哀诉。他说自己是最不幸的人，一个受害者，像条虫子一样被碾死；他恳求我看他一眼。我非常不愿意转过头来看他；但能我从眼角用余光看见他那谄媚的身影跟在我的身后缓缓滑动，而此时悬挂在我们右手上方的月亮，似乎正宁静地幸灾乐祸地看着这奇观。他竭力解释——就像我已经给你们讲过的那样——他在那个颇具纪念意义夜晚的事件中所起的作用。那只是一个权宜之计。他怎么知道谁会占上风呢？‘我本打算救他的，尊敬的先生！我只要八十美元便会救他，’他用悦耳的声调争辩道，紧紧跟随在我身后。‘他自己救了自己，’我说，‘而且他已经原谅你了。’我听到一阵窃笑，便转过身子看着他；他立刻摆出一副拔腿要跑的样子。‘你在笑什么？’我一动不动地站着问道。‘别被骗了，尊敬的先生！’他尖声叫道，似乎完全控制不住自己的感情了。‘他救了自己！他什么也不知道，尊敬的先生——什么也不知道。他是谁？他在这里想要什么——这个大贼？他在这里想要什么？他扬尘土蒙蔽了所有的人眼睛；他也蒙蔽了你的眼睛，尊敬的先生；但是他蒙蔽不了我。他就是个大傻瓜，尊敬的先生。’我轻蔑地笑了笑，然后转身继续往前走。他快步跑到我胳膊肘边，用力地低声说道，‘他在这里不过就是个小孩子而已——就像个小孩子—— 一个小孩子。’我自然没理会他，看到时间很紧迫，因为我们正走近那个竹篱笆——在烧黑了的新垦地上闪闪发光，他开始说到重点了。刚开始的时候他装出痛哭流涕的样子。他的极大不幸影响了他的头脑。他希望我能大度地忘了他说过的话，他说那些话并没有其别的意思，只是因为很烦恼才促使他说的。只是尊敬的先生不知道被毁坏、摧残、蹂躏究竟是怎么回事啊。在这番开场白之后，他渐渐说出了心中所牵挂之事，但是他说话的方式漫无边际，东拉西扯的，有时候又吞吞吐吐的，所以我听了很久，始终没弄清楚他到底想要说什么。他想让我替他向吉姆求情。似乎是关于金钱上的事。我一再听到这样的字眼，‘适量的物品——合适的酬劳’。他似乎在为某种东西争取价值，他甚至用带有几分热忱的语气说，如果一个人被抢走了一切，那他的生命也就没有了价值。我当然什么都没有说，但是我也没把耳朵给堵上。我逐渐明白了这件事情的关键，他认为作为对那个姑娘的交换，他有权得到一笔钱。他把她抚养成人。她还是别人的孩子。在抚养她长大成人的过程中非常的辛苦和麻烦——现在他也老了——理应得到相应的报酬。如果尊敬的先生肯帮忙说句话……我一动不动地站着，很好奇地望着他，我猜他大概是以为我认为他这是在敲诈，便急忙做出让步。考虑到立刻就付给一笔‘合适的酬劳’，他宣称愿意承担照顾那姑娘的责任，‘没有其他任何附加条件——等那位先生回家的时候’。他那张小黄脸好像被挤压到了一起似的，全都皱起来了，流露出最焦虑、最热切的贪心。他以谄媚的声音哀诉道，‘不会再有别的麻烦了——自然的保护人——一笔钱……’

“我站在那儿，惊叹不已。对他来说，那种事情显然是一种天职。我突然在他那卑躬屈膝的态度中发现了一种自信，好像他一辈子都是这么自信地处理事情似的。他肯定以为我在冷静地考虑他提的建议，因为此刻他变得像蜂蜜一样甜了。‘每位绅士在要回家的时候，都会给一些物品的，’他拐弯抹角地说道。我砰的一声关上了那扇小门。‘既然如此，柯内里先生，’我说，‘那个时刻永远不会到来。’他花了好几秒钟来琢磨我这句话。‘什么！’他几乎尖叫了起来。‘为什么，’我站在门这边说道，‘你没听他自己这么说过吗？他永远都不会回家的。’‘哦！这太荒唐了，’他喊道。他不再称呼我为‘尊敬的先生’了。他静静地待了一会儿，然后毫不谦卑地低声说道：‘永远不走——啊！他——他——鬼晓得他是从什么地方来到这儿的——来到这儿的——鬼晓得是为什么——作践我到死啊——啊——作践，’（他轻轻跺了跺两只脚）‘像这样作践——没有人知道为什么——一直到我死……’他的声音模糊得几乎听不见了；他开始有点轻微的咳嗽；他往前走近篱笆，用一种亲切且惹人怜的腔调低声对我说，他不愿再被作践了。‘忍耐——忍耐，’他击打着胸脯喃喃道。我已经对他嘲笑够了，但是我没想到他竟然冲我狂笑起来。‘哈！哈！哈！我们走着瞧！我们走着瞧！什么！想偷我的？偷走了我的一切！一切！一切！’他的头垂到一边的肩膀上，双手在他面前轻轻地握在一起。人们会以为，他是怀着无比的爱来珍惜那姑娘的，以为是残忍的掠夺了那姑娘才使他的精神崩溃了，心也碎了。突然，他抬起头来，吐出一句无耻之尤的话来。‘像她的母亲一样——她就像她那惯于欺骗人的母亲一样。完全是一模一样。就连她的脸也像。连她的脸也像。魔鬼！’他用额头靠着篱笆，以那个姿势用葡萄牙语说出许多威胁和可怕的骂人话，说得有气无力、断断续续的，其中夹杂着悲惨的哀诉和呻吟，随着肩膀的起伏发出来，仿佛是突然被一场致命的疾病所击倒。那真是一场无法形容的怪诞而卑鄙的表演，我赶紧走开了。他试图在我后面嚷嚷什么。我相信，肯定是一些贬低吉姆的话——虽然声音不是很大，但我们离房屋太近了。我唯一听得清楚的是：‘不过就是个小孩子而已——一个小孩子。’”

第三十五章

“但是第二天早晨，在那条河流的第一个拐弯处，巴多森的房屋便完全从我的视野中消失了，关于这一切的情景，连同其颜色、图案和意义，就像一幅全凭想象在画布上创作的图画，经过漫长的凝视之后，却在最后扭头而去。它静止不动地保留在我的记忆中，没有褪色，生命也被压抑着，在永不变的光线中。有野心、有恐惧、有仇恨、也有希望，它们都留在我的脑海里，就像我当初看到的一样——强烈，仿佛当时的表情永远凝固不变了。我已经从那幅画前转身去，准备回到那个人事变化无常、光线闪烁不定的现实世界去，那里的生活像是在一条清澈的小溪中流淌，无论是流过污泥还是流过石头。我可不打算一头扎进去；我要做许多事情来保证我的头能够一直露出水面。但是至于我留下了什么，我无法想象会有什么变化。庞大而慷慨的都拉明和他那瘦小而慈母般的女巫妻子，一起凝望着那片土地，心中暗藏着他们作为父母望子成龙的梦想；吞古·阿郎形容枯槁，焦头烂额；聪明又勇敢的邓华力怀着他对吉姆的信心，目光坚定，态度冰冷而友善；那姑娘陷入了对他的崇拜中，在这崇拜之中又夹杂着惊恐和猜疑；唐比丹粗暴而忠诚；月光下，柯内里将前额顶在篱笆上——我还能清楚地记得这些人。他们历历在目，仿佛是在魔法师的魔杖下。但是被这一切所围着转的人物——尽管那个人还活着，我却对他有点捉摸不透。没有一个魔法师的魔杖能将他固定在我的眼前。他就是我们当中的一员。

"正如我告诉过你们的，吉姆在我返回他所放弃的那个世界的第一段旅途中陪伴着我，这段旅途有时似乎穿越了罕有人迹荒野的核心地带。烈日下，空旷的河面闪闪发亮；在两岸高墙般的植被之间，热气笼罩着河面，受到猛力推动的小船冲破已在高大树木的遮蔽下变得浓密而又温暖的空气前行。

"即将到来的分别的阴影已经在我们之间造成了一个巨大的隔阂，当我们说话的时候，显得很费劲，好像要逼迫我们低沉的声音穿过一个巨大的、越来越远的距离似的。小船行驶得飞快；我们肩并肩地挨着，在停滞不动的闷热空气中热得发昏，污泥的气味，沼泽的气味，肥沃土壤的原始气味，似乎刺痛了我们的脸；直到突然到了一个转弯处，仿佛远处有一只巨大的手举起了沉重的幕布，推开了一扇巨大的门。光线本身似乎微微摇动，我们头顶上的天空变宽了，远处传来一阵低语声，一股清新的空气笼罩着我们，填满了我们的肺腑，加速了我们的思维，我们的血液，我们的遗憾——正前方，森林靠着大海深蓝色的脊背沉了下去。

"我深深地吸了口气，为那开阔的海天交界线的辽阔而着迷，深爱那似乎伴随着人生的辛劳，伴随着一个完美无瑕世界的精力而振荡的不同氛围。这片天空和这个大海向我敞开了大门。那个姑娘是对的——海天中有一种迹象，有一声召唤——对它，我用生命的每一根纤维来回应。我极目远眺，就像一个从束缚中解脱出来的人，伸展他那曾被捆得紧紧的四肢，奔跑啊，跳跃啊，回应着振奋人心的自由。‘这是光荣的！’我大喊道，然后我看了看坐在我身边的那个罪人。他坐在那里，头垂在胸前，眼睛都没抬一下地说‘是的，’仿佛害怕看见对他的浪漫的良心的谴责会放大写在晴朗的天空中。

“我仍记得那天下午最细微的细节。我们登上一片白色的海滩。海滩后面是一个低矮的山岩，山脊上长满了树木，蔓藤从山顶一直覆盖至山脚。在我们的下面，是一片平静的大海，一片清澈而浓烈的蔚蓝，微微向上倾斜着，一直伸至和我们眼睛等高的那条海天交界线。闪烁的巨浪沿着幽暗的海面轻轻飘动，像被微风追逐的羽毛一样迅速。一连串断断续续的、巨大的岛屿正对着河流那宽阔的入海口，呈现在一片暗淡的玻璃般的水面上，忠实地反映着海岸的轮廓。在毫无色彩的阳光中，一只全身黑色的孤鸟高高盘旋着，在同一个地方落下来又冲上去，翅膀轻轻摇动着。许多破旧、被烟熏黑的席棚由一大堆弯曲的乌木色的高桩支撑着，栖息在它们自己的倒影上。一艘黑色的小独木舟从那些席棚中间划了出来，舟上载着两个全身黑色的小矮人，他们拼命地划着小舟，卖力地在幽暗的水中划桨：那独木舟好像是在一面镜子上痛苦地滑行着。这些可怜的棚屋就是那个以受到白人老爷特别保护而倍感荣耀的渔村，对面划舟过来的那两个人便是这个渔村的村长和他的女婿。他们上了岸，踩着白色的沙子走向我们。他们非常消瘦，皮肤颜色呈深棕色，就像是被烟熏干了一样，裸露着的肩膀和胸部的皮肤上有些灰白色的斑块。他们的头上裹着肮脏但缠得很讲究的头巾，老人见到吉姆后立刻滔滔不绝地抱怨起来，他伸出一只瘦长的胳膊，用那双昏花的老眼满怀信任地紧盯着吉姆。酋长的人是不会跟他们善罢甘休的；他的人在那边的一些小岛上捡了许多乌龟蛋，这给他带来了一些麻烦。他伸直手臂靠在桨上，用一只褐色的瘦骨嶙峋的手指向大海。吉姆头也没抬地倾听了一会儿，最后温和地告诉他等一等。他稍后再听他细讲。他们顺从地退到不远的地方，盘腿坐了下来，把桨横放在前面的沙滩上；他们的眼中闪着银光，耐心地注视着我们的一举一动。大海的辽阔无边，海岸的寂静，从北到南远超出了我的视线，形成了一个巨大的现实，注视着我们这四个小矮人，孤零零地在一片闪闪发光的沙滩上。

"'麻烦的是，'吉姆闷闷不乐地说，'世世代代以来，那个村子里这些靠打鱼为生的穷人们一直被视为是酋长的私人奴隶——那个老浪荡子无论如何也想不到……'

"他停顿了一下。'想不到你改变了这一切，'我说。

"'是的。我改变了这一切，'他用忧郁的声音喃喃说道。

"'你已经有机会了，'我进一步说道。

"'是吗？'他说道，'嗯，是的，我想是这样吧。是的，我重拾了对自己的信心——一个好名声——但有时候我希望……不！我将固守我拥有的一切。不能再有任何奢望了。'他向大海挥舞着胳膊。'无论如何，绝不能再从那儿指望什么了。'他在沙子上跺了跺脚。'这就是我的底线，因为差一点儿都不行。'

"我们继续在沙滩上踱步。'是的，我改变了这一切，'他接着说道，同时斜睨了一眼那两个耐心在那里等着的渔夫；'但是只需试想一下，假如我走了，会是个什么样子？天哪！难道你没看见吗？魔鬼都被释放了，地狱都变宽松了。不！明天我要去碰碰运气，再喝一回那愚蠢的老吞古·阿郎的咖啡；我要为这些臭乌龟蛋没完没了地忙碌。不。我不能说——够了。永远不能。我必须坚持下去，永远坚持我的主张下去。确保没有任何事情能打动我。我坚守他们对我的信任，这令我感到安全并且——并且……’他竭力想找出一个字眼来，似乎要在海上找到它……‘能保持接触’……他的声音突然变得有些低沉，后变成了一种喃喃自语……‘和那些也许我永远再也见不到的人接触。比如说，和——和——你。’

“他的话令我无地自容。‘看在上帝的分上，’我说，‘别抬举我了，我亲爱的老兄；你自己当心就好了。’我对那个流浪者心怀感激和爱，他的眼睛单单选中了我，把我从一群无足轻重的人中提出来。毕竟，这又有什么可夸耀的呢！我将发烫的脸转了过去；低矮的落日光闪闪的，渐渐暗淡了下去，绯红色，就像是从火堆中取出的一块未完全燃烧的炭——辽阔的大海躺在夕阳之下，以其无限的寂静去承受那炽热圆球的靠近。他两次想说话，但是又克制住了；最后，他仿佛找到了一个准则似的——

“‘我会忠贞不渝的，’他平静地说。‘我会忠贞不渝的，’他重复道，并没看我，而是第一次让他的眼睛在水面上徘徊。在落日的余晖下，蔚蓝的海水变成了暗淡的紫色。啊！他很浪漫，很浪漫。我想起了史泰说过的一些话。……‘沉浸在毁灭性的因素里！……追随着梦想，再次追随着梦想——就这样——总是这样——usque ad finem[①]……’他很浪漫，但是一点儿也不失真实。又有谁能够讲出，他在西边的霞光里，看到什么样的形态，什么样的幻象，什么样的

① 拉丁语：直到最后。

面孔，什么的宽恕呢！……一艘小船离开了那艘双桅船，缓慢地移动着，两只桨有节奏地击打着水，朝沙洲岸边划来，将我接走。'不过还有珍珠，'他说，他的声音穿透大地、天空和海洋的巨大的沉默，这沉默已经完全掌控了我的思想，以致他的声音竟使我非常吃惊。'还有珍珠。''是的，'我喃喃道。'我不需要告诉你她对我来说意味着什么。'他停顿了下，然后接着说道，'你都已经看到了。她迟早会明白……''但愿如此，'我插嘴道。'她也相信我，'他若有所思地说，然后换了个语气。'不知我们何时能再次相见？'他问道。

"'永远不会相见——除非你能走出来，'我答道，避开了他的目光。他似乎并不惊讶；只是沉默了好一会儿。

"'那就再见啦，'他说，又停顿了一下。'或许这样也好。'

"我们握了握手，我向船头搁在沙滩上等候的小船走去。双桅船的主帆已经升起，船头的三角帆迎着风，船身在紫色的海上腾跃；船帆略带有玫瑰色。'你会很快回家吗？'正当我的腿跨过小船船沿的时候，吉姆问道。'如果我还活着的话，大概需要一年左右吧，'我说。船头摩擦着沙子发出刺耳的声音，船漂浮起来了，湿漉漉的桨闪闪发光，浸到水里，一下，两下。吉姆站在水边，提高了嗓门。'告诉他们……'他开口道。我示意船夫停止划桨，诧异地等着他说完。告诉谁呢？沉没了一半的太阳正对着他；我看到他呆呆地看着我的眼睛里闪烁着太阳的红光……'没——没有什么，'他说，轻轻地挥了挥手，示意小船离开。直到我爬上双桅船，我都没再向海岸上看一眼。

"那时太阳已经落山了。朦胧的暮色笼罩着东方，海岸变成了黑色，无限延伸着它那阴沉的墙壁，仿佛那是夜的堡垒；西边的海平线成了一大片金红和深红色的烈焰，烈焰中浮着一大团孤云，暗淡且静止不动，在下面的水面上投下了一个石板似的阴影。我看见海滩上的吉姆正注视着双桅船渐渐变小，加速前进。

“我刚走，那两个半裸的渔民就站起身来；毫无疑问，他们正在向那白人老爷哭诉他们的卑微、痛苦和备受压迫的生活。毫无疑问，他在倾听，把他们倾诉的事当成他自己的事，因为那不正是他运气的一部分吗？——‘从“去”这个字开始’的运气，他向我保证他完全担当得起的运气。我应该认为他们也挺幸运，而且我相信他们的执拗也当得起这运气。早在我看不见他们的保护者之前，他们皮肤黝黑的身体早就在黑暗的背景里消失了。他从头到脚都是白色的，始终可以看见他背后是黑夜的堡垒，脚下是大海，机会伴随在他身边——仍然蒙着面纱。你说什么？是不是还蒙着面纱？我不知道。对我来说，那站在岸边和海的寂静中的白色身影，似乎站在一个巨大的谜的中心。暮色正从他头顶上方的天空中迅速消失，他脚下的那片沙滩早已沉没，他自己仿佛也变小了，像个小孩子般大——随后只有一点点大小，一个很小很小的白色斑点，似乎要把这黯淡世界余下的所有光明全都抓住……突然间，我看不见他了。……”

第三十六章

说完这些，马洛就结束了他的叙述，听众立刻在他茫然、沉思的目光下纷纷离去。人们或成双结对或独自一人离开走廊，没有片刻的逗留，也没人说一句评语，仿佛那个不完整故事的最后形象，故事本身的不完整和讲述者的语气，都使得任何讨论显得多余，无法进行评论。他们每个人似乎都带走了自己对这个故事的印象，把这印象当作一个秘密似的带走。但是在所有的这些听众中，只有一个人可以听到这故事的结尾。两年多以后，这个故事的结尾来到了他的家中，装在一个厚厚的邮包里，上面的地址显示这是马洛端正而棱角分明的笔迹。

这位享有特权的人打开邮包，朝里面看了看，然后把它放下，走到窗前。他的房间在一幢高楼的最高层，他的目光可以透过明净的玻璃窗看得很远，就像是从一座灯塔的塔楼向外瞭望似的。一座座屋顶的斜坡闪耀着光芒；错落有致的黑色屋脊一个接着一个，绵延不绝，就像是阴沉的、没有波峰的浪花；从他脚下的城市深处，传来一阵混乱的、没完没了的嘈杂声。教堂的尖塔，数不胜数，杂乱无章地耸立于四处，像是在一个没有通道的迷宫般的浅滩上的灯塔一样；瓢泼大雨与冬夜的暮色交相辉映；塔楼上的大钟隆隆响，报着时刻，发出巨大的、刻板的轰鸣声飘荡而过，在这声音的中心处有一种高频的震颤般的呐喊。他拉上那厚厚的窗帘。

他那读书用的、带灯罩的台灯的光，好像一个被阴影遮挡住的池塘，他的脚步落在地毯上没发出任何声响，他流浪的日子已经结束了。再也不会有如希望那般无边无际的海平线，不会有如庙宇般庄严肃穆森林里的薄暮晨光，再没有翻山越岭、横渡河流，不畏惊涛骇浪去热切探寻那从未被发现过的国度。时钟正在报时！再也没有了！再也没有了——但是在灯光下打开的邮包又唤回了昔日的声音、昔日的景象和往事的滋味——许多变得模糊的面孔，一阵阵低沉的嘈杂声，在那热烈却又不能给人以安慰的阳光之下的遥远海滨上，正在逐渐逝去。他叹了口气，坐下来进行阅读。

起初，他看见三个不同的封套。许多页纸紧紧地用别针别在一起，上面有一层厚厚的黑污渍；一张散开的淡灰色方纸上，用他以前从未见过的笔迹写了几个字，还有一封马洛写的解释信。从这封信里又掉出另一封信，因为时间太久了，信纸已经有些泛黄，折叠处也已磨损。他把那封信捡起来，放在一边，回头看马洛的信，先飞快地看了开头的几行，随即又克制住自己，非常慢地仔细看下去，就好像一个人以缓慢的脚步和警觉的眼睛走近那一瞥之下的尚未被发现过的国度。

"……我想你还没有忘记，"那信上说，"只有你曾对他表现出浓厚的兴趣，他在我们讲述这个故事的时候还活着。虽然我清楚地记得，你不承认他已经掌握了自己的命运。你曾经预言说，他对获得的荣耀，对自己的使命，对因怜悯和年轻而产生的爱情感到厌倦和嫌恶，这会为他带来灾难。你说过你很了解‘那种事’，同它虚幻的满足，还有那不可避免的欺骗性。你也说过——我想起来了——‘把你的生命交给他们——’（他们是指所有棕色、黄色或黑色皮肤的人）‘就好比把你的灵魂卖给野人’。你争辩说，‘那类事情’只有在对我们自己的真理坚信不疑的基础上，才可以忍受和持久，秩序和道德伦理的进步就是在这个基础上建立起来的。‘我们需要它的力量作后盾，’你曾经说过，‘我们需要对它的必要性和公正性怀有一种信仰，好使我们对生命牺牲得值当而清醒。如果没有这种信仰，牺牲只是忘却，奉献之路便是毁灭之途。’换句话说，你认为我们在队伍中必须战斗，否则我们的生命就不算数。有可能！你应该知道——这么说毫无恶意——你曾经一个人冲入一两个地方，又很聪明地撤出来，毫发无损。然而，关键是，在这人世间，他除了跟自己外，便不再跟别人打交道。问题是，他最后是否承认了一种比秩序和进步的法则更伟大的信仰。

“我不下什么断言。或许你可以发表点意见——等你看完以后。毕竟——俗话说‘如堕雾里’——也是有些道理的。我们不可能把他看得非常清楚——尤其是通过别人的眼睛看了他最后一眼。我毫不犹豫地把我所知道的有关最后一幕的情形都告诉你，像他曾经说过的，‘找上了他’。人们诧异，这到底是不是那至高无上的机会，一个我一直怀疑他在等待的那最后的、令人满意的考验，当时他还没有构思给这完美无瑕的世界留言。你还记得我最后一次离开他的时候，他问我是否会很快回家，并突然在我身后喊道：‘告诉他们！’……我等了一会儿——我承认自己是出于好奇，同时也满怀希望——却听到他又喊道，‘不——没什么。’当时就这些——以后也不再会有什么了；不会有留言，除非我们每个人都能根据事实的语言做出各自的解释，而这往往比最巧妙的文字组合还令人迷惑。他确实又做了一次发表意见的尝试；但是同样失败了，如果你看看封在这里的那张灰色的大信纸，就能看出来。他曾尝试着写；你注意到那普通的笔迹了吗？开头的寄信地址处写着‘巴多森城堡’。我猜他已经实施了他的计划，把他的住宅变成堡垒。那是个绝妙的计划：一条深沟渠，土墙顶上筑有木栅栏，所有拐弯处的平台上都架着角炮，可以扫射广场的任意一面。都拉明同意为他提供枪支；所以他那一派里，每个人都知道有个安全的地方，一旦遇到突发的危险，每一个忠诚的支持者，都可以在这里避险和集合起来。这一切都表明了他的远见卓识和对未来的信念。他所谓的‘我自己的人’——从薛力夫那里被解放出来的俘虏——会在巴多森建成一个特殊的区域，他们的草棚和小块的场地会受到堡垒铜墙铁壁般的保护。在那里面，他将是位不可战胜的主人。‘巴多森城堡’。如你所见，没有日期。在日复一日中，一个数字和一个名字又算得了什么呢？当他拿起笔的时候，他心里想的是谁，已不可能知道了：史泰——我自己——泛指整个世界——或者仅仅是一个孤独的人面对自己的命运发出的毫无目的的惊叫？‘发生了一件可怕的事情，’他在第一次放下笔之前写道；看看这些字下面的墨迹，就像一支箭头。过了一会儿，他又尝试了一次，笨重地、潦草地又写了一行，仿佛写字的手是铅做的。‘我现在必须马上……’写字的笔头淌了些墨水，这回他干脆放弃，不写了。再没别的了；他看到一个宽阔的海湾，一眼望不到边，声音也传不过去。我能理解这一点。他被那些无法解释的事情压垮了；他被自己的性格所压倒——他已经尽了最大的努力去掌握命运的恩赐。

“我还给你寄了一封旧信——一封非常旧的信。这是在被他小心保存的文件箱里发现的。这是他父亲寄给他的，根据信上的日期，可以推测出他必定是在加入‘帕特那号’几天前收到这封信的。因此，这一定是他从家里收到的最后一封家信。这些年来他一直珍藏着它。那位善良的老牧师非常喜欢当水手的儿子。我在信里这儿看一句，那儿看一句地大致浏览了下。这里面除了爱什么也没有。他告诉他‘亲爱的吉姆士’，他的上一封长信非常‘诚恳和有趣’。他不愿意让他‘苛刻地或匆忙地对人做出评价’。这封信有四页，都是些寻常的道德规劝和家庭琐事。汤姆已经‘授了圣职’。卡丽的丈夫有‘经济损失’。这老先生继续心平气和地相信天命和宇宙间的既定秩序，但是也明白存于其间的小危险和小慈悲。人们几乎可以看见他，白发苍苍，宁静地躲在舒适的书房里，那里是他神圣不可侵犯的庇护所：里面摆放着一排排的书籍，有些书籍已经褪色。四十年来，他在那里面一遍又一遍地思考着信仰和美德的问题，思考着生活的准则和死亡的唯一正确方式；他在那里写了许多布道词，他坐在那里同远在地球另一边的儿子交谈。但是距离又算得了什么呢？全世界的美德都是一回事，而且只有一种信仰，一种可以想象的生活方式，一种死亡的方式。他希望他‘亲爱的吉姆士’永远不要忘记，‘一个人，一旦屈从于诱惑，立刻便有完全堕落和万劫不复的危险。因此要下定决心，不管出于什么动机，一定不要做你认为是错误的事。’此外，还有一些关于一只爱犬的消息；还有一匹‘你们这些男孩子过去常骑的’小马，因年老而失明，不得不被射杀。这位老先生祈求上帝赐福；母亲和当时在家的所有姑娘们都纷纷送上她们的祝福和爱……不，这么多年来，在他所珍爱的那封已经泛黄的有些磨损的信中，其实并没有多少内容。这封信从未得到回信，但是又有谁能说出他可能同这些平静的、无趣的男男女女们交谈过什么呢？他们聚居在世界的那个安静角落，就像坟墓一样没有危险或冲突，平和地呼吸着不受纷扰的正直的空气。他，这么多事‘找上了’他，竟然这么不可思议地偏偏找上了他。他们没有遇到过什么大的事变；他们从来不会不知不觉地被带走，从来不会被要求去同命运搏斗。他们现在都在这儿，被父亲温和的闲谈所唤醒，所有这些和他骨肉相连的兄弟姐妹们，瞪着清澈而无意识的眼睛凝视着，我仿佛看见他终于回来了，不再仅仅是一个极其神秘的事物中心的一个白色斑点，而是一座完整的全身像，不受人注意地站在他们那不受干扰的影像当中，带着严肃而浪漫的表情，但总是一言不发，朦朦胧胧——如堕雾中。

“关于故事的最后结尾，你将在这几页纸中找到。你必须承认，它是浪漫的，超出了他童年时期最疯狂的梦想，但在我看来，这其中还有一种深刻且可怕的逻辑，仿佛只有我们的想象才能释放出一种压倒一切命运的力量。我们思想上的轻率报应到我们的头上；玩忽刀剑者必死于刀剑之下。在这一惊人的冒险中，最令人震惊的便是它的真实，步步逼近，就像是一个不可避免的结果。这种事，有些是一定会发生的。你自己重复着这句话，同时却惊奇地发现这样的事情竟会发生在前年。但是它已经发生了——这一逻辑毋庸置疑。

“我在这儿把它记录下来给你们看，就好像我是目击者一样。我的信息是零碎的，但是我已经把这些零碎的信息拼凑了起来，这些信息足以拼成一幅清晰的画面。我不知道他自己会如何讲述它。我不知道他自己会怎样叙述它。他曾经向我讲述过许多知心话，有时候仿佛他立刻会走进来用他自己的话来讲述这个故事——用他那漫不经心却又充满感情的声音，举止随便，有一点儿困惑，有一点儿烦恼，有一点儿受伤，但是时不时会有一个词或一个短语让人瞥见他本来的面目，而这一点是你有意识地专门看时，永远发现不了的。很难相信他永远不会来了。我再也听不到他的声音了，永远也看不到那光滑的、被晒成粉红色的面孔了，永远也看不到他那额头上的一条白道，那因激动而变得深邃、呈现出一种深不可测的蓝色的充满青春的眼睛。”

第三十七章

“所有这一切都是从一个叫白朗的人干的一桩惊人之事开始的，他成功地从桑波恩岬附近的小海湾里神不知鬼不觉地偷了一条西班牙双桅帆船。在我找到那个家伙之前，我所知道的信息很有限，但是最出乎意料的是，我竟然在他即将放弃傲慢的灵魂前几小时出现在了他跟前。幸运的是，在他喘病发作的间歇，他愿意而且能够和我谈话，一想到吉姆，他那受尽疾病折磨的躯体便带着恶意的狂喜而扭动。他一想到终于‘报复了那个自命不凡的叫花子’就非常高兴。他对自己的行为幸灾乐祸。如果我想知道，我就得忍受他那双眼角布满鱼尾纹、深陷眼眶的两眼发出的凶狠的目光；我就这样忍受了下来，心想，邪恶的某些形态是多么近似于疯狂啊，它源自强烈的自我主义，反叛之心把它点燃，将灵魂撕裂成碎片，并赋予身体以反常的活力。这个故事还揭露了可怜卑鄙的柯内里深不可测的狡猾，他那卑鄙和强烈的仇恨像是种微妙的灵感一样起了作用，指出了一条正确无误的复仇之路。

“‘我一眼就看出他是个多么愚蠢的人，’垂死的白朗喘着气说，

‘他算是一条汉子！见鬼！他就是个虚伪的大骗子。好像他就不能直截了当地说出，“把手从我的战利品上拿开！”去他的！那样倒还像条汉子！让他那高傲的灵魂见鬼去吧！他把我抓到那儿——但是他却没有足够的胆量把我干掉。他不配！就那么把我放了，好像我都不值得他踢一脚似的！……’白朗拼命地挣扎着要喘口气……‘骗局……把我放了……所以最终还是我把他干掉了……’他又喘不上气来……‘我料到会死在这事上，但是现在我死得很安逸。你……你听好了……我不知道你的名字——我会给你五英镑，如果——如果我有的话——为了知道那消息——否则我就不叫白朗……’他咧着嘴狞笑……‘白朗绅士。’

“他气喘吁吁地说了这些话，他那张被病容所毁的棕色长脸上，一双蜡黄的眼睛紧紧地盯着我；他猛地一甩左臂；椒盐色的乱蓬蓬的长胡须几乎垂到大腿处；腿上盖着一条又脏又破的毯子。我是通过那个爱管闲事的旅馆老板斯考伯格在曼谷找到他的，那老板亲切地为我指了路。看来，一个游手好闲、醉生梦死、虚度光阴的流浪汉——一个白种人男子和一暹罗女子生活在当地——觉得能为大名鼎鼎的白朗绅士最后几天日子里提供住所，是一种莫大的荣耀。当他在那破破烂烂的茅屋里同我说话，可以说是在为他生命的每一分钟挣扎的时候，那个暹罗女子光着粗粗的腿，板着一张粗糙呆板的脸，坐在一个黑暗的角落里面无表情地嚼着槟榔。她时不时地站起来，把一只鸡从门口吆喝走。她走路时，整个茅屋都在震动。一个长相丑陋的黄皮肤小孩，赤着身子，大腹便便，活像个小邪神，站在长榻前，嘴里含着手指，出神地、深深地打量着那个垂死的人。

“他狂热地说着；但是一个字还没说完，就好像有一只无形的手掐住了他的喉咙，他用带着怀疑和悲愤的表情默默地看着我。他似乎很害怕我因等得不耐烦而一走了之，丢下他和他那还没有讲出来的故事，没让他的得意之情尽情地表达出来。我确信他当天夜里就死了，但那时我已经没什么需要从他那里了解的了。

“关于白朗的事，就暂且讲述到这儿吧。

“在这之前八个月，我来到沙马拉，像往常一样去看望史泰。在与房屋紧邻的花园一侧的走廊上，一个马来人羞涩地向我打招呼，我记得曾在巴多森的吉姆家见到过他，他和其他布基斯男子一起，经常晚上到吉姆家中，滔滔不绝地谈论着他们打仗的往事，商讨国是。吉姆曾特别提到过他，说他是个值得尊敬的小商人，他拥有一艘走外海的本地小船，当初‘攻打寨子时是最勇敢的人之一’。看到他我并不感到很惊讶，因为任何一个敢冒险远行到沙马拉的巴多森商人，都会很自然地找到史泰家。我回敬了他一声问候，就走开了。在史泰的房门口，我遇见了另一个马来人，并认出他就是唐比丹。

“我立刻问他在那儿干什么；我忽然想到可能是吉姆来拜访了。我承认，想到这点时，我感到很高兴和兴奋。唐比丹看上去好像不知道该如何回答。‘吉姆爷在里面吗？’我不耐烦地问道。‘不在，’他含混地说，把头低下了一会儿，然后带着突然的急切说，‘他不愿意打。他不愿意打呀。’他重复了两遍。看着他似乎再也说不出什么别的来，我便把他推到一边，走了进去。

“身材很高，有些驼背的史泰独自站在房间中央一排排装有蝴蝶标本的箱子之间。‘啊！是你吗，我的朋友？’他悲伤地说，透过眼镜看过来。他身穿一件宽大的褐色羊驼呢大衣，没有扣扣子，一直垂到他的膝盖部，头上戴着一顶巴拿马草帽，苍白的脸颊上有深深的皱纹。‘现在出什么事啦？’我紧张地问，‘唐比丹在那里……’‘过来看看那姑娘吧。来看看那姑娘。她在这儿呢，’他不太热心地说道。我试图拦着他说下去，但他却温和、固执地不理会我急切的问题。‘她在这儿，她就在这儿，’他非常不安地重复道，‘他们是两天前来这里的。一个像我这样的老头子，又是个陌生人——sehen sie[①]——也无能为力……这边走……年轻人的心总不肯原谅。……’我看得出，他痛苦到了极点……‘他们身上有生命的力量，残酷的生命的力量……’他喃喃地说道，领着我参观房子；我跟着他，陷入了沮丧和愤怒的猜测中。在客厅门口，他挡住了我的路。‘他很爱她吧，’他疑惑地问道，我只是点了点头，感到非常失望，我都怕自己会说出什么来。‘非常可怕，’他低声说道，‘她听不懂我的话。我只是个奇怪的陌生老头。也许你……她认识你。跟她谈谈吧。我们不能就这样下去啊。告诉她原谅他吧。这是非常可怕的。’‘没问题，’我说，因为摸不着头脑而有些恼怒；‘可是你原谅他了吗？’他奇怪地看着我。‘你会听到的，’他一边说着，一边打开了房门，把将我推了进去。

“你知不知道，史泰的大房子和那两间巨大的接待室没有人住也不能住人，非常干净整洁，冷清，尽是亮闪闪的东西，看上去好像从来没被人的眼睛看到似的？即使在最炎热的天气，那里面也非常凉爽，走进这些房间，就好像走进一个被擦洗过的地下洞穴。我穿过一个房间，在另一个房间里，我看见那姑娘坐在一张大红木桌子的尽头，她的头靠在桌上，脸藏在胳膊里。打蜡的地板仿佛一层结了冰的水，模模糊糊地映出她的身影。藤帘子落了下来，透过窗外

---

① 德语：你瞧。

树叶造成的奇怪的朦胧绿荫，一阵强风吹来，把长长的窗幔门帘吹得摇摆不定。她白色的身形好像是雪做成的；一盏枝形大吊灯上悬挂的水晶像闪闪发光的冰柱一样在她头顶上方滴答作响。她抬头看着我走近。我感到一阵寒意，仿佛这些宽敞的房间是绝望的冷冰冰的寓所似的。

“我刚停下来，她就立刻认出了我，我低头看着她，只听她平静地说道‘他离开我了，你们总是为了自己的目的而离开我们。’她的脸紧绷着。生命中所有的热度似乎都隐匿在她胸膛中某个不可触及的点内。‘和他一起死是很容易的，’她继续说道，微微做了个疲倦的姿势，好像是放弃了那不可思议的东西。‘他不会的！那好像是一种盲目——而那时跟他说话的人是我；站在他眼前的人是我；他一直看着的也是我！啊！你狠心，奸诈，没有真心，没有同情心。你们为什么会这么邪恶？难道你们都疯了？’

“我抓起她的手，它没有反应，当我把它放下时，它便垂了下来，垂向地板。那种比眼泪、哭泣和责备令人感到更可怕的是冷漠，似乎时间和安慰都毫无作用。你觉得无论说什么，都不会到达那个载着寂静和令人麻木的痛苦的座位。

“史泰说过，‘你会听到的。’我的确听到了。我从头听到尾，惊讶而又敬畏地听着她那没任何变化的疲惫的音调。她无法领会她对我说的话的真正含义，她的怨恨使我充满了对她——也对他——的怜悯。她讲完以后，我脚底生根似的依然呆呆地站在那里。她倚着胳膊，瞪着眼睛凝视着，一阵阵风吹过，那些水晶在绿色的浓荫中不断地发出滴答响声。她继续喃喃地自言自语道：‘可他还在看着我！他能看见我的脸，听到我的声音，听到我的悲伤！当我习惯于坐在他的脚边，把脸贴在他的双膝上，他的手放在我的头上时，那残忍和疯狂的诅咒已经在他心中酝酿，他一直等待着那一天了。那一天来了！……在太阳落山之前，他就再也看不到我了——他变得又瞎又聋，毫无怜悯之心，和你们所有的人一样。他休想我会为他流一滴眼泪。永远不会，永远。一滴眼泪都没有。我不会流眼泪的！他离我而去，就好像我比让他死还糟糕似的。他逃走了，仿佛被他在睡梦中听到或看到的什么可恶的东西赶走似的……'

“她那坚定的眼神似乎要竭力追寻一个男人的身形，那男人是被一个梦中的力量硬从她怀中拽走的。她对我默默地鞠的一躬毫无反应。我也乐得迅速逃离。

“同一天下午，我又见到了她。离开她之后，我去找史泰，在屋里没找到他；我便走了出来，带着痛苦的思绪，走进了花园——史泰那著名的花园，在那里你可以找到生长在热带低地的每一种植物和树木。我沿着疏通过的河道一路走去，在树荫下的一条长凳上坐了许久，长凳附近有一个点缀风景的池塘，池塘中有几只剪了翅膀的水鸟正在里面愉快地嬉戏。我身后木麻黄树的树枝轻轻地、不停地摇晃着，使我想起故乡冷杉的飒飒而鸣。

“这凄凉而无休止的声响同我的沉思冥想很吻合。她曾说，他是被一个梦从她身边赶走的——没有人能回答她的问题——对这样的越轨行为似乎是无法宽恕的。然而，人类本身难道不是被它的伟大与权力的梦想所驱使，沿着极端残忍和过度虔诚的黑暗道路前进的吗？对真理的追求到底是什么呢？

“当我起身回到屋里时，我透过树叶的缝隙看到史泰那件土褐色的外套，很快，在小路的拐弯处，我碰到他和那姑娘在一起散步。

她的小手放在他的小臂上，在他那顶宽大、扁平的巴拿马草帽下，他俯首向她，头发灰白，像慈父一样，富有同情心和骑士风度。我站到了一边，但他们停了下来，面对着我。他的目光落在他脚下的地上；那姑娘挺直了身子，倚在他的手臂上，一双乌黑、清澈的眼睛越过我的肩膀一动不动地凝视远方。'Schercklich，'[①]他低声说道，'太可怕了！太可怕了！这可叫人怎么办呢？'他似乎想引起我的兴趣，但是她的年轻，还有悬在她头上的漫长岁月，对我来说更有吸引力；突然，当我意识到自己无话可说时，为了她的缘故，我仍在为他辩护。'你一定要原谅他，'我斩钉截铁地说道，我自己的声音在我听来显得很低沉，消失在一片毫无反应、充耳不闻的渺茫中。'我们都想被原谅，'过了一会儿，我补充说道。

"'我做了什么？'她问，只是嘴唇动了动。

"'你总是不信任他，'我说。

"'他和其他人一样，'她缓缓说道。

"'和其他人不一样，'我争辩道，但是她却不露声色地继续说——

"'他很虚伪。'史泰突然插嘴道。'不！不！不！我可怜的孩子！……'他轻轻地拍了拍她放在他袖子上的手，'不！不！不是虚伪！真的！真的！真的！'他想看看她那张冷酷的脸。'你不明白。啊呀！你为什么不明白呢？……可怕呀，'他对我说道。'总有一天她会明白的。'

"'你能解释吗？'我仔细地盯着他问。他们继续往前走。

"我看着他们。她的长袍拖在地上，乌黑的头发散乱地垂落着。

① 德语：真可怕。

她腰杆笔直、步态轻盈地走在那个高大男子的旁边，他那长而无形状的袍子从那有些佝偻的肩上垂下来，他的脚在缓缓地移动着。他们消失在那片杂树林（你可能还记得）边，那里一共生长着十六种不同的竹子，博学之人都能将其分辨出来。就我而言，我深深地被那片竹林的精致秀美所吸引，这些竹子有着尖尖的叶子和羽毛般的竹冠，轻盈、活泼、魅力无限，有如那无忧无虑、肆意挥洒的生活的声音一样清晰。我记得在那儿停留了许久，看着它，就好像一个人在听到一种安慰的低语时，徘徊不前一样。天空是珍珠般的灰色。那是在热带地区非常罕见的一种阴天，在这样的天气，人们的脑海中不免回忆起各种往事，想起别的海岸和其他的面孔。

“当天下午，我乘车返回城里，带着唐比丹和另外那个马来人，在那场灾难的迷惘、恐惧和忧郁中，他们乘坐马来人那艘走外海的小船得以逃生。这事的打击似乎改变了他们的天性。这使得她的热情化为石头般的冰冷，而粗暴、沉默寡言的唐比丹却几乎变成了个喋喋不休的人。他的粗暴也被克制成令人困惑的谦卑，好像他在一个非常重要的时刻看到了一种神奇的权力瞬间遭到了失败。那个布基斯商人是个腼腆、顾虑重重的人，话虽然不多，但讲得很清楚。两人很显然都被一种深深的难以表述的奇异感觉，被接触到一种不可思议的神秘感觉压倒了。”

下面是马洛的亲笔签名，信到此就结束。这位享有特权的读者把灯调亮了些，独自一人站在城里那片如波浪般起伏的屋顶之上，像个海上看守灯塔的人一样，他再次翻看那一页页纸上写的故事。

第三十八章

“正如我已经告诉过你们的，所有的故事都是从那个名叫白朗的男子开始的，”马洛开场白道，“你们一直以来在西太平洋中漂泊，肯定听说过他。他是澳大利亚沿海臭名昭著的恶棍——倒不是经常有人能在那儿看到他的身影，而是因为在那些讲述给到访客人的无法无天的故事里，他经常被人提起；这些流传于从约克角到伊甸湾的故事，即使是其中最平常、温和的部分，如果讲述得当，也能把人给吓死。他们从不会忘记让你知道，人们猜测他是一个男爵的儿子。不管怎样，他肯定在早期的淘金岁月中，从家乡的一艘船上逃走，几年之后，人们一谈到他便变色，他成为玻里内西亚这个或那群岛屿的恐怖制造者。他会绑架当地人，会把某个孤独的白人商人剥得只剩下贴身睡衣，当他洗劫了那个可怜鬼之后，有时他还要邀请那人到海滩上用短枪决斗——就这些事情而言，如果那个被抢的人没有被吓得半死的话，还算是挺公平的。白朗是个新兴起的海盗，但遗憾的是，跟那些比他更出名前辈榜样的下场一样；但是和他那些同时代的海盗兄弟却有所不同，像‘一流的海耶斯’或甜言蜜语的皮斯，抑或那个喷香水、蓄着长长的胡须、打扮得像个花花公子、被人称作‘肮脏的迪克’的那个恶棍等，他与上述人不同之处在于他那为非作歹的傲慢脾气，对人类，尤其是对他的受害者，怀有强烈的蔑视。其他人只是些庸俗而贪婪的野兽，但他似乎是受某种复杂的动机所驱使。他抢劫某个人，好像仅仅是为了表明他看不上那家伙，他会枪击或伤害任何一个安分无辜的陌生人，他用一种野蛮的、带有报复性的热情足以吓坏那些最鲁莽的亡命之徒。在他最辉煌的时候，他有一艘武装的三桅帆船，水手是由当地的卡纳卡人和逃亡的捕鲸人混合组成，他还向我夸耀说，他受到了由椰子商组成的一家非常令人尊敬的公司的暗中资助，我不知道这话有多少真实的成分。后来他跑掉了——据说是和一个传教士的老婆，一个来自克拉彭那边的非常年轻的女子，她在一度狂热的时候嫁给了那个脚踏实地的、温和的家伙，突然移居到美拉尼西亚之后，她便有些不知所措了。那是一个惨淡的故事。在他带她走的时候，她病了，最后就死在他的船上。据说——这是故事中最精彩的部分——他看着她的尸体，竟然爆发出一种忧郁和强烈的悲伤。不久之后，他的好运也离他而去。他在马莱塔岛附近的某处撞了礁石失去了船，销声匿迹了一段时间，就好像他和她一起沉没了似的。后来听说他在努库希瓦，他在那儿买了一条不再为政府服役的老旧的法国双桅船。他在购买那条船的时候有什么值得炫耀的开拓性想法，我不得而知，但显而易见的是，由于高级代表、领事、战舰和国际管制，南太平洋已经变得越来越烫手，很难容得下他们这类人了。显然，他一定是把他的活动地点转移到了更西边的地方，因为一年之后，他在马尼拉湾一桩既严重又滑稽的案件中的扮演了一个鲁莽得令人难以置信、却又并不是非常有利可图的角色，这桩案件的主角是一位侵吞公款的总督和一位畏罪潜逃的出纳；从那以后，他似乎一直在他那条破旧的双桅船上出没于菲律宾群岛周围，同厄运搏斗，直到最后，沿着他制定的航线，驾驶着船，驶进了吉姆的历史，成了黑暗势力的盲目帮凶。

“据讲述这故事的人说：当一艘西班牙巡逻船抓住他时，他只是在试图为那些乱党走私几条枪。如果真是这样的话，那我就不明白他在棉兰老岛南边的沿海做了什么。不过，我相信，他是在沿海敲诈当地的村庄。最重要的一点是，那艘船派了一个卫兵上船，命令他跟随着一起向桑波恩岬的方向行驶。在路上，由于某种原因，两艘船都不得不去拜访这些西班牙新殖地的一个——那是从来都不会得到什么结果的——那里不仅有一个文官负责岸上的事物，而且有一艘结实的可以沿海行驶的双桅船停在那小海湾里；这艘船无论在哪方面都比他自己的那艘强，白朗打定主意要偷走那艘船。

“他亲口对我说，他运气不佳。这二十年来，他一直以凶残好斗、咄咄逼人的鄙视态度来与这个世界搏斗，到头来，除了那一小袋银圆外，这个世界没给他任何物质上的好处。那袋银圆被他藏在船舱里面，‘连魔鬼都嗅不出它被藏在了哪里’。他的所有财产就这些——绝对仅此而已。他厌倦了自己的生活，也不害怕死亡。但是这个仅仅是为了一个虚妄的幻象，便以一种刻薄且嘲弄的轻狂态度，不惜把自己的生命当作赌注的人，却非常害怕被囚禁起来。只要一想到有被囚禁起来的可能，他便产生一种莫名的恐惧，全身出冷汗、瑟瑟发抖，就好像热血忽然变成了冰冷的水似的——除非一个迷信的人想到自己被幽灵附体时才会产生这种恐惧。因此，来到船上的那个文官，对这个俘虏进行了初步的调查，不辞辛劳地调查了一整天，直到天黑才上岸，裹着一件斗篷，小心翼翼地不让白朗那所有的家私在口袋里弄出响声来。后来，作为一个信守诺言的人，他设法（我相信就在第二天晚上）以某个紧急任务将政府那艘快艇派遣走了。因为快艇的船长不能宽恕一班俘虏来的水手，于是他在离开之前，为所欲为地拿走了白朗那艘双桅船上所有的帆篷，最后甚至连一块破布都不留，并且还很小心地将他的两条小船拖到几英里外的海滩上。

“但是在白朗的船员中，有一个所罗门群岛人，年轻的时候遭人绑架，对白朗非常忠心，也是那帮人中最厉害的人物。那家伙泅水到了那艘近海船——大约有五百码远——带着一条绞船索的末端，那条绞船索是为了这个目的把船上的所有索具解下来拼接而成的。水面很平静，海湾很黑暗，‘就像一条母牛的内脏’，白朗描述道。那所罗门群岛人用牙咬住绳子的一端，爬上了甲板。那艘船的船员都是塔格人，他们都上了岸，在当地的村落里狂欢。留下守船的两个人突然醒来，看见了那个魔鬼。他两眼闪闪发光，在甲板上像闪电一样迅速地跳跃着。他们双膝跪下，被吓得浑身瘫软，双手合十，喃喃地祈祷。那个所罗门岛人用一把他在甲板厨房里找到的长刀，并没打断他们的祈祷，杀了一个，紧接着又杀了另外一个；他用同一把刀耐心地锯着那条系着锚的棕绳，直到它突然在刀刃下啪的一声断开。然后，在海湾的一片寂静中，他小心翼翼地喊了一声，白朗的人在这期间一直暗中窥视着，并且满怀希望地竖起耳朵听着，这时开始轻轻地从他们那头拉那根绞船索。用了不到五分钟，这两条双桅船就并到了一起，轻微震动了一下，桅杆发出咯吱咯吱的响声。

“白朗那伙人带着他们的武器和大量的弹药迅速进行了转移。他们一共有十六个人：两个私奔的水兵，一个来自美国军舰上的瘦长的逃兵，两个质朴的金发斯堪的纳维亚人，一个混血儿，一个负责做饭的温文尔雅的中国人，其余的就是一些来自南洋群岛的毫无特点的土著人。他们都毫不在乎；白朗用自己的意志将这些人折服，对绞刑毫不在乎的白朗正在逃离一个西班牙监狱的幽灵。他没给他们充裕的时间把足够的给养搬到船上来；风平浪静，空气中饱含露水，当他们解开缆绳，迎着海边一阵微弱的轻风扬帆出海时，潮湿的帆布纹丝不动；他们那艘旧双桅船似乎轻轻脱离了那艘偷来的船，与那片黑色的海岸，一起悄悄溜进了黑夜。

“他们成功地逃离了。白朗详细地向我讲述了他们向加锡海峡逃跑的过程。那是一个悲惨而绝望的故事。在这一逃跑过程中，他们缺少食物和淡水；他们登上了几艘本地的船只，从每艘船上都捞到了一点儿。因为是偷来的船，白朗自然不敢驶入任何港口。他没钱买东西，没有证明文件给人看，也没有足以使人相信的谎言能使他再次脱身。一艘悬挂荷兰国旗的阿拉伯三桅帆船，一天夜里在停泊的时候突然受到袭击，被迫交出来一点儿肮脏的大米、一串香蕉和一桶淡水；接下来的三天，雾蒙蒙的东北风把这艘双桅船吹过了爪哇海。黄色浑浊的海浪浸透了这伙饥饿的歹徒。他们看见一些邮船在预定的航线上行驶；路过了一些供给充足的家乡船只，那些船边已经锈迹斑斑，正抛锚在浅海中，等待着天气的变化或潮流的转换；一艘白净而整洁的英国炮舰，带着两根细细的桅杆，有一天曾远远地驶过他们的船头；还有一次，一艘船桅粗笨的黑色荷兰小型快速炮舰隐约朝他们的方向逼近，在迷雾中行驶得十分缓慢。他们悄无声息地溜了过去，没有被发现，或者说是没有被理会：这帮面黄肌瘦、彻底被抛弃之人，就这样在饥饿、惶恐中度过。白朗的想法是逃往马达加斯加，这也并非完全是痴心虚妄，他想到了那儿，可以在大马达威把那艘双桅船卖掉，希望这没有什么问题，或者也许可以为它弄到一些伪造的文件。然而，在他还没能驶入穿越印度洋那漫长的航程之前，他的食物就不够了——也缺乏淡水。

“也许他曾听说过巴多森，也许他只是碰巧看见那地名的小小字母被写在航海图上——这地名很可能是某个稍微大一些的原始村落，位于某条河流的上游，远离人们常走的海路，也远离海底电缆的终点。他以前也做过那种事——用做生意的方式；现在，这种行为是绝对有必要的，是生死攸关的问题——或者更确切地说是自由的问题。出于自由的需要！他肯定会得到给养——阉牛、大米、马铃薯。那帮可怜的家伙一直在舔着嘴巴。也许能勒索到一船的土产？——谁知道呢？——或许还可以得到叮当响的真正钱币！有时候，你可以任意敲诈勒索这些酋长和村里的头人们。他告诉我，他宁愿烤他们的脚趾，也不愿被他们阻挠。我相信他的话。他的手下也相信他。他们没有大声欢呼，像群哑巴一样一声不响，但是却如狼似虎地做好了准备。

“天气倒是很帮他的忙。如果那几天风平浪静，便会给那艘船带来难以形容的恐惧，但是借助陆上和海上刮起的微风，在离开巽达海峡后不到一周，他们便在巴多克林河口抛锚停了下来，离那个渔村只有一支手枪的射程范围。

“他们一伙十四人都挤在双桅船的那条长舢板里（那舢板之前一直被用来载货），他们驾驶着长舢板沿河而上，同时留下两个人看守着双桅船，留下的食物足以使他们在十天内免于挨饿。潮流和风向都很帮忙，一天下午的早些时候，那条扬着破烂船帆的大白舢板迎着微微的海风渐渐驶入巴多森流域，十四个各式各样的稻草人般的水手驾驶着它，贪婪地盯着前方，手指拨弄着廉价步枪的枪栓。白朗料想到他们这次突如其来的出现，肯定会引起当地人的恐慌。他们趁着最后一次涨潮驶入渔村；酋长的寨子没有动静；河两岸的第一批房屋似乎没人居住。可以看见有几只独木舟在河面上疾驰着逃窜。见那地方如此辽阔，白朗感到很惊讶。渔村一片沉寂。风在房屋之间降低；他们撤了两把桨，把船逆水停下，打算趁当地居民们想进行抵抗之前，赶紧进入渔村并占据镇中心。

“然而，巴多克林渔村的负责人似乎已经及时发出了警报。当那艘长舢板驶到和清真寺（是都拉明建的一幢有山形墙的建筑，屋顶花饰是雕刻的珊瑚）并排的地方时，那里的空地上已经黑压压地挤满了人。一声呐喊过后，紧接着沿河到处敲响了锣声。从上面的某一点，发射了两枚小小的六磅重的黄铜炮弹，弹丸落到空荡荡的河面上，在阳光里激起一股股闪闪发光的水柱。在清真寺前，一群人叫嚷着放排枪，子弹横扫过河的激流；一阵不规则的、轰隆隆的连珠炮从两岸向舢板上打去，白朗的人则赶紧用狂乱而迅速的炮火回击。桨已经全部放在船里了。

“那条河已经涨满潮，涨潮和落潮变化得非常快，那艘舢板在河中流，几乎被烟雾所笼罩，开始船尾朝前倒行。两岸的烟雾也变浓了，化为一道平平的条纹，在那些屋顶的下面，好像你看见一条长长的云切断了山坡。一阵乱哄哄的呐喊声，响声震天的锣声，深沉的鼓声，愤怒的吼声，砰砰的排枪射击声，组成一片可怕的喧嚣声，在这片喧嚣声中，白朗显得狼狈却又异常镇定地坐在舵柄旁，对着那些竟敢选择自卫的人燃起满腔的憎恨和怒火。他手下有两个人受伤了，退路被几条小船在镇子下面切断，那几条小船刚从吞古·阿郎的寨子里驶出来。一共有六条，上面都载满了人。正当他这样被包围的时候，他看出了那条狭窄的小河的入口（就是吉姆在水浅时跳过去的那条）。当时水已漫到了河沿。他们驾着长舢板，驶进小河，上了岸，并且，长话短说吧，他们在距寨子大约九百码的一个小山丘上站稳了脚跟，事实上，他们正是从那里掌握了对寨子的主动权。小山丘的山坡光秃秃的，但是山顶上有几棵树。他们便把这几棵树砍倒做低矮的防护墙，在天黑前，他们已经基本上挖好了壕沟，筑起了简单的工事；与此同时，酋长的船仍在河里，保持着奇怪的中立。当夕阳西下时，河边和沿岸路上双排房屋之间燃起了许多火把，火光照出了屋顶、一丛丛细长的棕榈树和茂密的果树林的黑色轮廓。白朗下令将他所在位置周围的草烧掉；一圈低而稀薄的火焰，在缓缓升起的烟雾下，沿着小山坡迅速蜿蜒而下；到处都有干燥的灌木丛着了火，发出高而凶的吼声。这场大火为这一小伙人的步枪清理出一片毫无障碍的射击区，在森林的边缘和小河泥泞的岸边火才逐渐熄灭。在山丘和酋长的寨子之间的一块潮湿的洼地上长着一片茂密的丛林，大火燃烧到那里后停下了脚步，燃烧的竹子发出巨大的噼啪声和爆炸声。天色渐渐暗下来，软绵绵的天上布满了星星。暗下来的大地上，匍匐着的草堆中隐隐冒出缕缕烟，直到一阵微风吹来将这一切吹走。白朗期待着再次涨潮，一旦潮水涨到足以使那些切断他退路的战船进入小河，他便会发起攻击。无论如何，他深信对方会想方设法夺走他的长舢板，它就躺在山下，像一块又黑又高的木块在微微发亮的、湿漉漉的泥滩上。但是河中的船并没有采取任何行动。越过寨子和酋长的房子，白朗看见那些船映在水面的光。它们好像被停泊在河对岸。其他浮在水面的灯光正在水里移动，来回地从这边去到那边然后再返回来。在河的上游，一直远到河流拐弯处，仍有灯光在一动不动地闪烁着，照在房屋长长的墙壁上；在更远的地方，还有些灯光星星点点地散在内地。就他所能看到的范围内，在大火的照耀下，隐隐约约显现出房屋、屋顶和黑色的灰烬堆。那是个非常辽阔的地方。这十四名铤而走险的入侵者平趴在伐倒的树木后面，抬起下巴，俯看着那个镇子的骚动，那似乎向上游延伸了几英里，聚集了成千上万的愤怒的人们。他们彼此之间都没有说话。他们会时不时地听到一声响亮的喊叫，或者从很远的什么地方放出的一声枪响。但是在他们的周围，一切都是静止的、黑暗的、寂静的。他们似乎被遗忘了，仿佛这种使当地所有的人都保持着清醒的那种兴奋与他们毫无关系，仿佛他们已经死了似的。”

第三十九章

“那天夜晚所发生的事都非常重要，因为它们所造成的一种局面，在吉姆回来之前一直都没有改变。吉姆在内地待了一个多星期，最初的抵抗是由邓华力指挥的。那个勇敢而又聪明的年轻人（‘他知道如何用白人的方式打仗’）希望他能很快解决这个问题，但是他的人对他来说难以应付。他没有吉姆那样的种族威望和不可战胜的、超自然力量的名望。他不是永恒的真理和永无止境的、胜利的、看得见摸得着的化身。虽然被人爱戴、值得信赖、受人钦佩，但他仍然是‘他们’当中的一员，而吉姆则是‘我们’当中的一员。此外，那个白人本身就是一个非凡的英雄，是坚不可摧的，而邓华力是可以被杀死的。那些没有表达出来的思想支配了镇子上首领们的意见，他们一致主张在吉姆的城堡里集会，商讨这一紧急的变故，好像希望在这个缺席的白人的住处便能找到智慧和勇气似的。迄今为止，白朗那帮匪徒射击得非常准，或者说是非常幸运，造成6名守卫队员的伤亡。伤员们躺在走廊上，由妇女们照料着。在第一次警报拉响之后，镇子下面的妇女和儿童就被转移到了城堡里来。珍珠在那里指挥着，非常得力和振奋，受到吉姆‘自己人’的服从，他们从寨子下面的小村落里走出来，组成一个守备的队伍。难民拥挤在她周围；在整个事件中，直到最后那灾难性的结局，她都表现出一种非凡的勇敢和热情。邓华力第一次得到危险的警报时，便立刻去找她了，因为你一定知道，吉姆是巴多森唯一一个拥有大量火药的人。吉姆一直通过书信与史泰保持着密切的联系，史泰已经从荷兰政府获得一项特别的授权，可以向巴多森出口 500 桶火药。弹药库是一个用粗木搭的简易的小屋，整个用土盖住。吉姆不在的时候，那姑娘拿着钥匙。当晚十一点，在吉姆餐厅里举行的会议上，她支持了邓华力关于立即采取积极有力行动的建议。我听说，在长桌的最前面，她站在吉姆那空荡荡的座椅旁边，发表了一篇激昂的、充满激情的演说，当时赢得了聚在那里的头领们的低声赞许。年迈的都拉明已经有一年多没出过自家的门了，这次也费了好大劲儿被人挪到了那里。他当然是那里的首领了。议事会议的气氛很紧张，老人的话起着决定性的作用；但是在我看来，他很清楚他儿子炽热的勇气，所以才不敢说出那决定性的话。拖延时间的意见占据了上风。一个叫哈基－萨曼的人滔滔不绝地指出，‘这些残暴凶狠的人不管怎样都是在自寻死路。他们在那山上会因没吃没喝的而饿死，或者会因试图夺回他们的小船而被河对岸的伏兵射杀，抑或是他们突围到森林里，然后一个接一个孤独地死在那里。’他认为，通过采取适当的策略，不用冒着生命危险去战斗，就可以消灭这些心怀叵测的陌生人，他的这番话很有分量，尤其是对巴多森镇里的人来说。使城镇里的人感到不安的是，酋长的船在关键时刻没有采取行动。代表酋长出席会议的是有些外交才能的卡西姆。他很少说话，面带微笑地倾听着大家的意见，非常友好却又令人难以捉摸。开会的时候，几乎每隔几分钟就会有信差来报告入侵者的动静。荒诞而夸张的谣言四起：在河口有一艘大船，船上有大炮，人也变得越来越多了——有些是白人，其他的人都是黑皮肤，一副嗜血的模样。他们正乘着更多的船只前来，想消灭这里所有的生灵。一种近乎难以理解的危险感影响着普通百姓。有一次，院子里的女人们惊恐万分，尖声叫喊着；就像是没头苍蝇似的乱撞；孩子们哭喊着——哈基·萨曼走出来安慰并令他们安静了下来。接着，城堡里的一个哨兵向河上移动的物体开枪，差点打死了一个村民，当时这个村民正划着一条独木舟把他家的女人、家中最好的家具和十二只家禽送过来。这引起更大的混乱。与此同时，在吉姆家中，当着那个女孩的面，讨论仍在继续进行。都拉明脸色发青，沉重地坐着，依次看着那些发言者，像一头公牛似的缓慢地呼吸着。直到卡西姆宣布，要召回酋长的船只前，因为需要这些人来保卫他主人的寨子，都拉明一直没说话。邓华力当着他父亲的面不愿发表任何意见，尽管那姑娘以吉姆的名义恳请他说出自己的意见。她急于立刻将这些入侵者赶出去，所以主动把吉姆的亲兵交由他指挥。他看了都拉明一两眼后，只是摇了摇头。最后，散会的时候，他们决定应当坚守最靠近小河的那几所房子，以便获得对敌船的控制权。对那条船本身，他们并没有打算进行公开的干预，这样一来，如果山上的那伙强盗被诱惑上了船，如果指挥得当，肯定能开枪打死他们中的大多数人。为了切断那些侥幸逃脱人的逃路，也为了阻止他们有更多的人上来，都拉明命令邓华力，带领一批全副武装的布吉斯人顺流而下到巴多森下面十英里的河里的某个地方，在那儿的岸上扎营，并用独木舟来阻断水流。我一点儿都不相信都拉明会害怕有新势力的到来。我的观点是，他之所以这样做完全是为了防止儿子受到任何伤害。为了防止敌方冲入镇子，白天将会在左岸的街道尽头修筑街垒。这位老首领宣布他打算亲自在那儿指挥。在那个姑娘的监督下，立即分发了火药、子弹和雷管。还派了好几个信使分头去找吉姆，因为没人知道吉姆的确切去向。这些人黎明时便出发了，但是在这之前卡西姆已经设法与被围困的白朗取得了联系。

“那位娴熟的外交家，酋长的心腹，在离开城堡回他主人那里去的时候，发现柯内里悄无声息地在院子里的人群中潜行，于是便把他带上了自己的船。卡西姆有自己的一个小计划，想让他当翻译。就这样，早晨的时候，白朗正为他那万分危急的处境而发愁的时候，从杂草丛生的山坳里传来一个友善、颤抖、紧张的声音——是用英语说的——在保证他人身安全的前提下，他请求过去，说是有一项非常重要的事情商量。白朗真是喜出望外。只要有人和他对话，他就不再是被人追猎的野兽了。这些友善的声音立刻消除了因紧张、警惕带来的巨大压力，就像许多盲人不知道致命的打击将会从何处飞来一样。他假装出一副极不情愿的样子。那个声音自称‘自己是个白人——一个可怜的、破了产的老人，已经在这里生活了许多年’。一团湿漉漉、冷飕飕的雾气笼罩在山坡上，他们相互喊话了几个回合之后，白朗喊道：‘那就上来吧，但是注意，只能你一个人上来！’事实上——他告诉我，一想起他孤立无援的处境，他就愤怒得扭曲起身子——这倒毫无区别。他们只能看到眼前几码远的地方，即使再有什么阴谋诡计，也不会使他们的处境比现在更糟糕了。过了一会儿，柯内里穿着只有在周末才穿的礼服——一身肮脏的破衣烂裤，光着脚，头上戴着一顶边儿都破了的软草帽，渐渐能隐隐约约地看到了，他忐忑不安地走到防御工事跟前，犹豫不前，停下来窥探和倾听。‘过来！我保证你的安全，’白朗喊道，白朗手下的人都紧盯着柯内里。他们生还的所有希望突然都集中在那个潦倒的、卑鄙的新来者身上，他在深深的沉默中，笨拙地爬过一棵伐倒的树干，颤抖着，用他那尖酸刻薄的、充满了狐疑的脸色，打量着这群满脸胡子拉碴、满心焦虑、毫无睡意的亡命之徒。

“和柯内里推心置腹地密谈了半小时，使得白朗对巴多森的内部详细情况已经有了全新的了解和认识。他立刻警觉起来。他们生还的可能性很大，有着巨大的可能性；但是在他讨论柯内里的建议之前，他要求送一些食物上来，以示诚意。柯内里离开了，慢吞吞地朝酋长营盘的这一面爬下山去，过了一会儿，吞古·阿朗手下的几个人上来了，运来了少量的大米、辣椒和干鱼。有这些东西总比什么都没有要强得多。随后，柯内里陪同着卡西姆一起返了回来，卡西姆一步一步地向前走着，露出一种高兴又十分信任的样子，穿着一双凉鞋，从头到脚都裹在深蓝色的布里。他小心翼翼地和白朗握了握手，三个人便凑到一起开始商量起来。白朗手下的人立刻恢复了信心，互相拍着彼此的脊背，一边向他们的首领投去会心的眼色，一边忙着准备做饭。

“卡西姆非常不喜欢都拉明和他的布吉斯人，但是他更厌恶现在的新秩序。他突然想到这些白人和酋长的追随者联手，可以在吉姆回来之前，向布吉斯人发起进攻并打败他们。然后，他推断，随之而来的肯定是镇里的人大举叛逃，那个保护穷人的白人的统治也就结束了。之后，便可以对付这些新盟友了。他们不会有朋友的。这家伙完全能够看出他们性格之间的不同，他见过不少的白人，因此知道这些新来的人都是些被驱逐的流氓，没有了祖国的人。白朗保持着一种严厉而且琢磨不透的态度。他第一次听到柯内里请求上来的声音时，那只不过给他带来了一个可以逃跑的希望。不到一个钟头，他的脑子里又冒出了别的念头。在极端需求的驱使下，他是来到这里偷吃的，可能还要偷几吨橡胶或树脂，也许再偷点儿钱，却发现自己陷入了致命的危险之中。此时，在卡西姆提出这些建议之后，他又开始想要偷整个国家。很显然，有个胆大包天的家伙，仅凭一己之力就完成了这样的事。虽然不能干得很完美。也许他们可以一起干——把所有的一切都榨干，然后悄悄地离开这里。在和卡西姆谈判的过程中，他意识到人家以为他在河口外面有一艘大船，上面载满了许多人呢。卡西姆恳切地请求他，把这艘装备有许多枪炮的大船连同上面众多的人员立刻开到这边来，以便帮酋长的忙。白朗表示很乐意这样做，在此基础上，双方互不信任地进行了谈判。整个上午，这位彬彬有礼、行动积极活跃的卡西姆三次下山去和酋长商讨，然后又急急忙忙大步流星地返回到山上来。白朗在讨价还价的时候，想起他那艘破烂的双桅船，狞笑着感到了一种快意，那艘船上除了一堆垃圾什么都没有，但却被当成了一艘武装的兵舰，一个中国人和一个以前在列武卡港口码头做苦力的跛脚汉，竟然代表着他的全部人员。下午，他得到了更多的食物，对方还允诺给他一些钱，此外，还给了他们一些席子用来做庇护所。他们躺下来，鼾声大作，不再受灼热阳光的曝晒；但是白朗却毫无遮挡地坐在一棵被伐倒的树干上，尽情地欣赏着镇子和那条河的景色。那里值得抢的东西非常多。柯内里在那营地里已经混得非常熟了，就好像待在自己家一样，他在白朗胳膊肘旁边说着，指点着那些地方，给出他的一些建议，讲述着他心目中的吉姆的性格，并用他自己的方式评论最近这三年来的事。白朗表面上显得无动于衷，目光落在别的地方，实际上，他在全神贯注地听着每一个字，他不是很清楚吉姆到底是个怎样的人。‘他叫什么名字？吉姆！吉姆！这对一个人的名字来说，可还不全啊。’‘他们称他吉姆图安，’柯内里轻蔑地说道，‘就和你们可能会称他吉姆爷一样。’‘他是什么人？他来自哪里？’白朗问道。‘他是个什么样的人？他是一个英国人吗？’‘是的，是的，他是个英国人。我也是英国人。出生在马六甲。他是个傻瓜。你所需要做的，就去干掉他，然后你就成了这里的大王了。这里所有的一切都属于他，’柯内里解释说。‘我觉得，在不久之后，他可能就要被迫同人分享了，’白朗稍微提高了声音说道。‘不，不。我觉得抓住一切机会干掉他则更为妥当，然后你就可以在这里为所欲为了，’柯内里恳切地坚持道。‘我已经在这里生活了很多年，我现在是以一个朋友的身份在给你建议。’

“在这样的交谈中，白朗贪婪地看着巴多森的美丽景色，心里则暗下决心一定要将这里变为自己的猎物。白朗就这样度过了大半个下午，他的部下则一直在休息。就在那天，邓华力率领的独木舟群从离小河最远处的河岸下面一条接一条地偷偷驶去，然后沿河而下，封锁河口，挡住了他的退路。白朗对此毫无察觉，卡西姆在太阳落山前一个钟头，爬上山来，小心翼翼地故意不让他知道这个消息。他想让那白人的船顺河而上，他担心这个消息会令白朗沮丧。他非常急切地要白朗‘下令’，同时还主动提出派一个可靠的信差，为了更加保密（如他所解释的），这个信差可以通过陆路到达河口，将‘命令’传达到船上。经过一番深思熟虑后，白朗认为这是最好的方法，他从袖珍笔记本上撕下一张纸，在上面仅仅写道，‘我们正在顺利进行。谋划大事。扣下此人。’卡西姆选来跑这趟差的是那个有些愚蠢的小伙子，那个小伙子忠实地执行了这一任务，得到的回报却是被船上那个从前做苦力的和那个中国人猛地推了一把，头先朝下，栽进那艘双桅船的空船舱里，他们赶紧盖上了舱盖。那个小伙子后来怎样了，白朗没说。”

第四十章

“白朗的目的是通过和卡西姆进行外交上的周旋，为自己争取拖延的时间。如果要做一笔真正的交易，他不禁暗想，应该去和那个白人打交道。他无法想象，这样一个家伙（他一定非常聪明，毕竟他能让当地人如此听命于他）会拒绝他的帮助，那会帮他消除缓慢的、谨慎的、冒险的欺骗勾当，这是一个赤手空拳的男子所能做的唯一可行的勾当。他，白朗，愿意为他提供这种力量。没有人会对此犹豫。一切都有个清晰明了的认识。他们当然会分享啦。一想到那儿竟有个城堡——已经是他的囊中之物了——一座真正的城堡，还有大炮（这是他从柯内里那里得知的）他就兴奋不已。只要让他进去一次，他就……他会提出适当的条件。当然也不会太低下。看来，那个人也不傻。他们会像兄弟般地合作，直到……直到时机成熟，他们吵上一架，一枪便能了结所有的问题。怀着抢劫者的极度焦躁和不耐烦的心态，他希望现在就能跟那人交谈。这片土地似乎已经归他所有了，可以任由他宰割、压榨，然后将其抛弃。与此同时，他不得不继续愚弄卡西姆，首先是为了得到食物，其次是为了有个内线。但是，最为重要的是每天都能从他那里得到一些食物。此外，他并不反对为了酋长而开战，给那些曾经用射击来迎接他的人一个深刻的教训。他内心充满了战斗的欲望。

“很抱歉，我不能用白朗的原话把这段故事讲给你听，当然，这个故事我主要都是从白朗那儿听来的。那个被死神掐住喉咙的人，用他断断续续且狂妄的语言把他所有的思想毫无保留地展现在我面前，从他的言语中不难看出他那赤裸裸的残忍之心，言语中都是对他的过去有一种奇怪的报复态度，对他反抗全人类的意志的正当性有一种盲目的信仰，这种情绪足以诱使一群流浪刺客的首领骄傲地宣称自己为上帝之鞭。作为这样一种性格的基础，这种天生麻木的残暴无疑是因失败、不幸和近来的穷困潦倒导致的，以及因他发现自己所处的绝境而激发得更加强烈；但是这一切之中最引人注目的是，在他谋划联盟的诡计时，已经暗中确定了那个白人的命运；在他用一种傲慢的、随意的方式同卡西姆勾结的时候，人们不难看出他的真正意图，他几乎是不由自主地刻意破坏那座曾公然反抗过他的丛林小镇，他想要看到那里到处是尸体，到处被烈烈火焰所包围和吞没。听着他那无情的、气喘吁吁的声音，我可以想象得到，他当时一定居高临下地站在山上看着那座镇子，想象着那里到处是奸杀掳掠的景象。最靠近小河的部分几乎是荒芜一片，但其实每一幢房子里都藏着几个全副武装的人在戒备着。在那一片荒芜的土地上，散布着一片片低矮浓密的灌木丛、坑洼、成堆的垃圾，中间还有人踩出来的小路。在路的那一头，突然，一个孤零零的、远远看上去很小的人影晃晃悠悠地走了出来，漫步到废弃街道的入口，街道两旁一直到街道尽头，建筑物都是紧紧关闭的，黑漆漆的，毫无生气。

也许是个逃到河对岸的居民，又返回来取什么日常用品。很显然，他自以为很安全，因为离河对岸那座山很远。在街道的拐角处，有一个仓促搭建起来的轻型木寨,里面挤满了他的朋友。他悠闲地走着。白朗看见他后，立刻把那个美国逃兵叫到他身边来，他担负着某种副指挥的作用。这个瘦长个子、动作灵活的家伙向前走了过来，板着脸，懒洋洋地拖着他的步枪。当他明白自己要做什么时，脸上顿时露出一种杀气腾腾而又自负的微笑，露出了他的牙齿，使他那蜡黄得像皮革一样的脸上出现了两道深深的褶皱。他为自己是一名神枪手而自豪。他单膝跪地，从一棵被伐倒了的树的未修剪的枝丫处将枪稳稳托住，瞄准，开枪，然后立刻站起来看。远处的那个人循着枪响的方向转过头来，又向前走了一步，似乎犹豫了一下，然后突然双手双膝着地，倒了下去。随着来复枪那声尖利枪响而来的是一片寂静，那位神枪手目不转睛地盯着猎物，猜想着，'他的朋友们再也不用担心这家伙的健康了'。他看到那家伙的四肢在他的身子下边快速地动着，竭力想手脚并用地跑掉。在那空荡荡的地方，响起了一阵惊慌和惊讶的喊叫声。那人脸朝下平躺在地上，一动也不动。'这是让他们看看我们的厉害，'白朗对我说，'让他们陷入突然可能死亡的恐惧中。这正是我们想要的。他们是二百人来对付我们一人，这足以令他们好好考虑一晚上了。在此之前，他们中没人能想到枪可以打这么远。那个酋长的乞丐偷偷溜下山去，眼睛好像都要突出来了似的。'

"他在向我讲述这些的时候，勉强举起一只颤抖的手，擦去他青紫的嘴唇上薄薄的唾沫。'二百比一。二百比一呀……引起恐惧……恐惧，恐惧，我告诉你……'他自己的眼睛都快从眼窝里瞪了出来。

他往后一靠，用骨瘦如柴的手指在空中抓着，又坐了起来，弯着身子，毛发凌乱，斜着眼睛盯着我，非常像民间传说中的人面兽，在可怕的痛苦中张着大嘴，像这样的一阵发作之后，他才慢慢讲出话来。有些情景，令人永远也忘不了。

"再者呢，是为了吸引敌人的火力，试探出那些可能沿着河流隐藏在灌木丛中的人的位置。白朗命令那个所罗门岛人下山到船上拿一把桨过来，就好像你让一条西班牙猎犬在水里去捞一根棍子似的。但是这招失败了，那个家伙回来的时候，一路没有任何地方朝他开枪。'那里没有人，'他们中有几个人发表意见道。'这不正常啊！'那个美国佬说道。那时，卡西姆已经走了，给人留下了非常深刻的印象，他显得很高兴，同时也感到很不安。他一边在执行他那曲线政策，一边派人给邓华力送信，警告他要当心白人的那艘大船，他已经得到情报，那艘船将要溯河而上了。他极力贬低那艘船的实力，反复劝说邓华力要阻止这艘船的驶入。这种两面派的做法倒是很符合他的目的，那就是分散布吉斯人的兵力，并通过打仗来削弱他们。另一方面，他在那天给镇里聚集的布吉斯人首领传了话，并向他们保证说，他正在想办法诱使入侵者撤离；他在给城堡的信中则恳求为酋长的人提供火药。吞古·阿郎会客大厅里的枪架上，有二十多支生锈的老式毛瑟枪，已经有好长时间没有补充弹药了。山上的匪徒与酋长的公开往来令所有的人都感到不安。已经开始有人说，是时候选择支持哪一方了。很快就会有大量的流血事件发生，之后许多人会大难临头。原来每个人都相信的未来的安全，井然有序、平静生活的社会组织，由吉姆亲手建起的大厅，好像在那一晚要变成充满血腥味的废墟似的。较为贫穷的人已经前往丛林中安身或者是逃到河流上游去了。许多上层社会的人认为有必要去奉承酋长。酋长的小伙子们则粗鲁地推搡着他们。老吞古·阿郎因为害怕而变得优柔寡断、毫无主见，看上去就像丢了魂儿一样，他不是保持阴沉的沉默，就是怒骂他们竟然敢空手而来：他们离开的时候都被吓坏了；只有老都拉明把他的同胞们团结在一起，坚持按照自己的策略行事。他高高地坐在临时搭建的寨子后面的一把大椅子上，用一种低沉的、雷鸣般的声音发号施令，面对满天飞的谣言他像个聋子一样，无动于衷。

“暮色降临，首先隐匿了死者的尸体，死者一直平躺在那里，两手伸开，好像被钉在了地上似的。然后，旋转的夜球平稳地滚过巴多森，停了下来，把无数世界的光芒洒向大地。在镇子的裸露部分，大火沿着那唯一的一条街道再次熊熊燃烧起来，那熊熊燃烧的大火映出正在掉落下来的屋顶，夹杂着灰墙的碎片在混乱中成了杂乱的一堆，东一处，西一处，一座座茅草屋在一组高桩的竖直黑色条纹上闪闪发光；所有这些住宅的线条，在摇曳不定的火焰中显露出来，似乎在曲曲折折地沿着河流向上游移动着，深入到陆地腹心的黑暗地方。在如此寂静的环境中，连绵不断的火光在无声无息中闪烁着，而这寂静则一直延伸到山脚下的黑暗中；但是在河对岸，除了城堡前的河边有一堆孤零零的篝火之外，其余的地方一片漆黑，空气中散发着一种越来越强的震颤声，那可能是无数只脚踏在地上发出来的震动，也可能是许多人发出的嗡嗡声，又可能是遥远处一个巨大瀑布的流淌。白朗向我坦白，就在那时，他转过身来，背对着他的手下，坐在那里注视着这一切的时候，尽管他蔑视一切，尽管他有着无情的自信，但是他还是产生了一种感觉，感到他最终把脑袋撞在了一堵石墙上。如果当时他的船漂浮在水面上，他相信自己肯定会试图偷偷跑掉，冒着长时间顺着河长驱直下和可能在海上饿死的危险。他能否成功逃走，这很值得怀疑。然而，他并没有去尝试。又过了一会儿，他又有了一个新念头，想直接冲进镇子里，但是他很清楚地意识到，到头来，在这条灯火通明的街道上，他们会像狗一样被人从屋子里射杀。他们的人数比是二百比一——他想，与此同时，他的手下正围着那两堆还在冒烟的余烬，一边吃着最后几把香蕉，一边烤着几块山药，他们之所以有这些食物，还得感谢卡西姆的外交呢。柯内里闷闷不乐地坐在他们中间打着瞌睡。

“这时，其中一个白人想起船上还剩下一些烟草，而且受所罗门岛人安然无恙先例的鼓舞，便自告奋勇说去取那烟草。众人听见这话，之前的沮丧之情顿时一扫而空。当他向白朗申请时，白朗轻蔑地说，‘去吧，滚去吧。’他觉得在这漆黑的夜晚，从这里到小河那边去不会有什么危险。那人迈腿跨过树干，随后便消失在夜色中。过了一会儿，便听到他爬上船，然后又爬出来的声音。‘我拿到了，’他高声喊道。紧接着，那山脚下闪过一道光，传来一声枪响。‘我被打中了，’那人叫道。‘小心，小心！我被人打中了，’顷刻间，所有的步枪都朝着那座山开火了。那座山冈就像座小火山似的，对着夜空喷着火和噪声，当白朗和那个美国佬大声呵斥咒骂、拳打脚踢地制止了众人惊慌失措的射击时，从小河边传来一声低沉的、疲倦的呻吟，接着是一声悲叹，那令人心碎的悲伤就像是某种毒药，把血管里的血变得冰凉。这时，从小河那边的什么地方传来一个很响亮的声音，说着一些很清晰但他们根本无法听懂的话。‘谁也不许开枪，’白朗喊道。‘那是什么意思？’……‘山上的人听见了吗？你们听见了吗？你们听见了吗？’那声音重复了三遍。柯内里把意思翻译了一下，然后又催促他们进行答复。‘说吧，’白朗叫道，‘我们听见了。’接着，那个声音，用传令官那种洪亮、得意的声调大声说起来，在模模糊糊的荒地边缘来回移动，他说住在巴多森的布吉斯人和山上的白人们以及和白人一起的同伙们，他们之间是没有任何信义，没有怜悯，没有言语，也没有和平的。一片丛林发出瑟瑟响动；突然又响起了一阵枪声。‘别傻啦，’那个美国佬自言自语地说道，他气恼地把枪托往地上一戳。柯内里又开始翻译了。山下那个受伤的人又喊了两声：‘把我抬上去！把我抬上去！’然后又继续呻吟着抱怨起来。他当时越过斜坡上烧黑了的土地，接着又爬进了船里，所以当时他已经足够安全了。他似乎是在找到烟草后，高兴得有些忘乎所以了，从船里跳出来的时候越了位——就是这么回事。那艘白色的小船高高地躺在干燥处，把他凸显了出来；那个地方的小河只有七码宽，刚好有个人埋伏在对岸的灌木丛里。

“他是通达诺的布吉斯人，最近才来到巴多森的，是下午被打死的那个人的亲戚。那著名的远距离射击确实吓坏了那些目击者。那个人是在绝对安全的情况下被打倒的，他的朋友们目睹了全过程，他在倒地的时候嘴唇上还带着微笑，他们似乎从这一行为中看到了一种恶意，而这激起了他们强烈的愤慨。他的那位亲戚名叫西拉帕，当时他正和都拉明一起待在几英尺外的寨子里。了解那帮家伙的人必须承认，他们非常勇敢。那个家伙自告奋勇，在黑暗中独自一人去传递口信，这显示出他非同寻常的勇气。他爬行着穿过那片开阔地带，他的路线向左边偏了，发现自己在那条船的正对面。白朗的那个人大声喊叫的时候，他被吓了一跳。他选了个有利的位置，坐了起来，把枪放在肩膀上，等到那个人跳出来，完全将身子暴露在他的视野中时，他便扣动了扳机，将三颗边缘不整齐的子弹近距离地直接射入那个可怜家伙的腹部。接着，他脸朝下，平趴在地上，假装自己已经死了，与此同时，一阵冰雹似的铅弹嗖嗖地射在靠近他右手边的灌木丛里；之后，他便高声说完了他要说的话，一直把身子蜷缩一团隐蔽地躲藏着。等到他说完最后一句话后，他便侧身一跳，在地上躺了一会儿，然后安然无恙地返回了家。他那天晚上的壮举为自己赢得了巨大名望，他的孩子们自然不会心甘情愿地让他这一名望消失。

“山上那伙孤立无助的匪徒，低着头眼睁睁地看着那两堆余烬熄灭了。他们非常沮丧地坐在地上，嘴唇紧闭，眼睛低垂，听着山下面他们那位同伴的动静。他是一个非常强壮的汉子，死得很痛苦，呻吟声时高时低的，有时候声音低得就好像用一种奇怪的语调向你低声诉说着痛苦。有时候他会痛苦地尖叫起来，然后又安静一会儿，没过多长时间就又能听到他发出一连串很难听懂的抱怨。总之，他没有片刻的消停。

“看到那个美国佬低声咒骂着准备下山去帮助受伤的同伴，白朗无动于衷地说道，‘那有什么用呢？’‘你说得没错。’那个逃兵赞同地说道，极不情愿地停了下来。‘这里受伤的人得不到任何鼓励呀。而且他的呻吟吵闹声会使其他的人为自己今后的情形感到担忧啊。船长。’‘水！’那个受伤的人用异常清晰有力的声音叫喊道，然后声音又渐渐低了下去，最后变成了无力的呻吟。‘啊哟，水呀。给点水就好了，”另一个人耐着性子顺从地自言自语嘟囔道。“再等一会儿，水会越来越多的。正在涨潮呢。”

“最后，终于涨潮了，那痛苦的泣诉和叫喊也随之很快沉默了。

天快亮的时候，白朗面对着巴多森坐在那里，用手托着下巴，就像一个人呆呆地注视着一座无法攀登的山坡，这时，他听到从远处城中某个地方传来一发六磅重铜炮弹的短促的轰鸣。‘这是怎么回事？’他急忙问身边的柯内里。柯内里仔细地听了听。低沉的呼啸声从城市的上空沿着河流传来；紧接着，一面大鼓开始咚咚地响了起来，其他鼓则应和着，很有节奏，隆隆作响。如星星般小而散乱的灯光开始在一部分黑暗的城中闪烁，而被火把照亮的另一半城市则响起低沉而持久的嗡嗡声。‘他已经回来了，’柯内里说。‘什么？已经？你确定吗？’白朗问道。‘是的！是的！非常确定。你听听那喧闹声。’‘他们为何那么吵闹？’白朗追问道。‘因为高兴呗，’柯内里嗤之以鼻地说道，‘他可是一个伟大的人物，不过，那也一样，他知道的并不会比一个孩子多多少，所以他们才闹腾得那么厉害，以此来取悦他，因为他们实在想不出更好的办法了。’‘你看，’白朗说，‘我们怎么能接近他呢？’‘他会亲自来找你的，’柯内里说。‘你这是什么意思？难道他敢像散步一样来这儿不成？’柯内里在黑暗中使劲地点了点头。‘是的。他会直接过来和你谈谈的。他就像个傻瓜。你会看到他是一个多么愚蠢的人。’白朗非常怀疑他说的话。‘你等着看吧；你等着看吧，’柯内里重复说道。‘他一点儿也不害怕——他什么都不怕。他会来命令你离开他的子民。谁都不可以招惹他的子民。他就像个小孩子。他会直接来找你的。’唉！他太了解吉姆了——那个‘卑鄙的小人’，白朗向我提到他的时候这么说他的。‘是的，一定是这样，’他非常热情地继续说道，‘然后，船长，你就叫那个大高个儿朝他开枪。只要你杀了他，你就可以把这里所有的人都吓倒，然后你想怎么对付他们就怎么对付他们——想拿什么就拿什么——想什么时候走就什么时候走。哈！哈！哈！很好……’他几乎是急不可待地开始手舞足蹈起来；白朗转过头去看他的时候，看到他的手下在毫无怜悯之心的晨曦映照下，全身被露水浸透，坐在营地冰冷的灰烬和垃圾之间，憔悴，瑟缩，衣衫褴褛。

第四十一章

“直到最后一刻，天突然在他们面前变亮了，西边河岸的火光亮而明晰；于是白朗看到在两排新建的房屋中间，一群五颜六色的人群，一堆一动不动地围着一个身穿西服、头戴钢盔、全身雪白的男子。‘快看！快看！那就是他。’柯内里兴奋地说。白朗的人全都跳了起来，挤在他身后，睁大毫无光泽的眼睛远远地看着。那是群色彩鲜艳、脸膛黝黑的人，他们和中间那个白色人影一起正在观察那个小山丘。白朗看见一些裸露的手臂举起来遮着眼睛，还有一些棕色的手臂在指指点点。他应该做些什么呢？他环顾四周，四周的森林像墙壁一般将他们团团围住，这是一场不平等的竞争。他又看了看自己的部下。一种轻蔑、厌倦、对活下去的渴望，想再争取一次机会的愿望——为了另一个坟墓的愿望——在他的胸中挣扎。从那人形呈现出来的轮廓来看，他觉得对面那个被这片土地上所有势力支持的白人，正用望远镜观察他的阵地。白朗跃上圆木，举起手臂，手掌朝外。那群五颜六色的人紧紧围着那个白人，退了两次，白人才摆脱他们，独自一个人慢慢地向这边走来。白朗一直站在圆木上，直到吉姆在荆棘丛中若隐若现，渐渐走近那条小河；随后，白朗跳了下来，走下山去，迎接河对岸的他。

“他们见面的地方，我想离吉姆一生中第二次拼命一跳的地方不远，也许就在那个相同的地方——那一跳使他跳进了巴多森的生活，跳进了人们的信赖、爱戴和友谊之中。他们隔着小河互相对峙着，互相观望，用坚定的目光试图在开口说话之前了解对方的心理。他们的目光中肯定都散发着敌对的情绪；我知道白朗第一眼看见吉姆时，就非常恨他。不管他曾经怀有怎样的希望，也都立刻破灭了。这不是他所期望见到的那个人。他痛恨他这样——他穿着方格法兰绒衬衫，袖子从肘部剪掉，留着灰白色的胡子，凹陷的面颊被太阳晒得黢黑——他在心里诅咒对手的年轻和自信，诅咒他清澈的眼睛和泰然自若的镇定。那家伙看上去比他强多了！他看上去不像是一个愿意为别人提供帮助的人。他拥有一切有利的条件——财产、安全和权势；他那方处在压倒性优势的地位！他不饥饿，内心也不绝望，而且他似乎一点儿也不害怕。就连吉姆的衣着都非常整洁，从白色的钢盔到帆布裹腿，再到擦得锃亮的皮鞋，在白朗那双阴郁、恼怒的眼中，似乎这形成了他被人谴责和蔑视生涯的一部分。

“‘你是谁？’吉姆终于用他平常的声音问道。‘我叫白朗，’那个男子大声地回答，‘白朗船长。你叫什么？’吉姆停顿了一下，好像没听见似的，继续平静地问道：‘你为什么要到这儿来？’‘你想知道？’白朗尖刻地说，‘这很容易回答。是饥饿。那么，你为什么到这里？’

“‘这话令那家伙激动起来，’白朗说，向我讲述两人之间这次奇怪谈话的开场，他们虽然只被一条小河的泥泞的河床隔开，但却是站在包括所有人类全体的人生观的两个极端，‘这话令那家伙激动起来，他的脸涨得通红。太了不起了，问都问不得，我想。我告诉他，如果他把我看作一个可以随意任由别人摆布的死人，那他的处境实际上也比我好不了多少。我派了一个人在山上,他一直用枪瞄准着他，只要我给一个手势，他的命就没了。其实这也没什么值得大惊小怪的。他是自愿来的。“让我们达成一致。”我说，“咱们都是死人，让我们在这个基础上平等地谈谈。在死神面前我们都是平等的，”我说。我承认，在那里，我就像只被夹子夹住了的老鼠，但我们都是被逼得走投无路了，即使是只被夹住的老鼠，也能咬他一口呢。他一下子就抓住了我。“如果你不走到夹子旁边，那么老鼠到死都不会咬到你。”我告诉他，这种游戏对他当地的土著朋友来说，已经够好的了，但是我觉得他太白了，即使是对只老鼠也不会这样。是的，我本来是想和他谈谈的。不过，不是为了乞求他饶我一命。我的同伴们——好吧——他们的秉性，不管怎么说，都和他是一样的人。我们对他的指望，无非是以魔鬼的名义来出来理论。“天哪，”我说，他就像根木桩子似的傻傻的、一动不动地站在那里，“你总不会想每天到这儿来，用望远镜数一数我们还有多少人能站起来战斗吧。来吧。要么现在就带着你那伙牛鬼蛇神过来，要么让我们离开，到辽阔的大海上饿死，看在上帝的分上！虽然你说这里的人是你的子民，你是他们中的一员，但是你曾经也是个白人。是不是？为此，你究竟得到了什么？你到底在这儿发现了什么，这么宝贵啊？也许你不希望我们到这儿来——是不是啊？你们是二百个人对我们一个人。你不想让我们到这片开阔的土地。啊！我可以向你们保证，我们会在你们动手之前，先给你们做些示范看看。你说我攻击那些安分守己的人民是懦夫行径。他们安分守己关我什么事，我正是因为安分守己，才导致都快被饿死了？但我不是懦夫。你最好也不是。带着他们来打吧，我向魔鬼发誓，我们会想方设法地把你们城中一半安分守己的人送上天！让他们和我一起烟消云散！”’

“当他向我讲述这些的时候，样子可怕极了！这个受尽折磨，骨瘦如柴的人，他的身子缩成一团，脸放在膝盖上，躺在那个破旧茅屋里的一张凄惨的床上，一副恶狠狠地、得意扬扬的神气抬头看着我。

“‘我就是那么对他说的——我知道该怎么说，’他又开口说道，起初说得有气无力，但是到后面越说越起劲，速度变化之快令人难以置信，说到激烈之处，他毫无隐晦地表达出自己的轻蔑。‘我们不会像一群活着的骷髅一样走到森林里去游荡，如果那样的话，我们会一个接一个地倒下，在我们还没有断气之前，便任由蚂蚁在我们身上横行。噢，不！……“你根本不配拥有比这个更好的命运，”他说。“那你配有什么呢？”我冲着他大声叫道，“我发现你是藏匿在这儿，还满嘴都是你的责任啦，无辜的生命啦，你的鬼职责啦，你配什么？你对我的了解比我对你的了解又能多多少呢？我到这里来是为了找食物。你听见了没有？——就是为了找填饱肚子的食物。而你到这里来的目的是什么？你到这儿来的时候，要的是什么？我们并不要求你做任何事，只想和你们打一仗，要不你们就让开路，让我们哪里来的回哪里去……”“我现在就和你一决雌雄吧，”他扯着小胡子说道。“我情愿让你开枪打我，欢迎啊，”我说。“这地方对我来说，和别的地方一样，都是能超生的好地方！我对我那该死的厄运感到厌倦。但是这也太容易了。我和我的手下在同一条船上——天啊，我可不是那种为了自己的利益而把他们置于危难中而不顾的人，”我说道。他站在那里想了一会儿，然后想知道我究竟干了什么（“在那外面，”他说，头往河流下游的方向示意了下），被人追成了这样。“我们见面，难道仅仅是为了把各自的故事讲给对方听吗？”我问他。“那就你先说吧。不说？好吧，我肯定也不想听。那你就藏到自己心里吧。我知道你不见得比我强。我是过来人——你也是，别看你说话的口气，好像你是那种应该长有翅膀的人中的一员，来去自由，不必接触这尘世的污浊似的。好吧——尘世是污浊的。我可没有翅膀。我到这儿来，是因为我一生中曾经害怕过一次。想知道我害怕什么吗？害怕进监狱。那令我感到害怕，你也许体验过那种感觉吧——如果这对你有好处的话。我不会询问是什么把你吓得跑到这人间地狱来的，你似乎在这儿捞到了不少好东西。那是你的运气，这是我的命——请你痛快地赏我一枪吧，要么就一脚把我踢开，让我自己去海上饿死……”'

“他那虚弱的身体因得意而一直在颤抖，那得意的神情是如此的强烈、如此的坚定、如此的恶毒，似乎把在茅屋中等待着他的死神都赶跑了。他那疯狂自爱的活尸体从褴褛的衣衫和穷困潦倒中升起，就像从坟墓的阴森恐怖中升起来一样。已经很难得知他当时对吉姆撒了多少谎，现在又对我说了多少谎——他一直以来对自己又说了多少谎。虚荣心总要在我们的记忆中耍弄些花招，每种感情的真实都需要某种借口来让其生存下去。他以一个乞丐的姿态站在另一个世界的门口，他已经狠狠地抽过这个世界的耳光，向它吐过唾沫，从他为非作歹行为的骨子里把无限的轻蔑和反抗强加于它。他已经征服过他们所有的人——男人、女人、野蛮人、商人、匪徒、传教士——还有吉姆，那个面部胖乎乎的家伙。我并不嫉妒他在死神面前说话仍这么得意扬扬，这就像是他死后的幻觉，觉得已经把全世界都踩在了他的脚下。当他以那种卑鄙的、令人厌恶的痛苦向我吹嘘的时候，我不禁想起那次和他那滑稽可笑的谈话，他说那是最辉煌的时代，当时已经过去有一年多的时间，人们经常一连好几天看到白朗先生的船漂浮在一个小岛附近，岛上的绿树林映衬着大海和天空的蔚蓝，在白色的海滩上点缀着一个黑点似的教堂；岸上的白朗绅士正在对一个浪漫的姑娘施展他的魔力，那姑娘待在美拉尼西亚太难受了，她寄希望于丈夫的非凡转变。人们不止一次听到那可怜的汉子表达出这个意愿，使'白朗船长过上更好的生活'……'将白朗先生引入光荣的正途'——就像一个斜眼的流浪汉曾说过的那样："这都是让他们那些高高在上的人看看，一个西太平洋的商船船长是什么样子的。'也正是这个男人，带着一个垂死的女人私奔了，对着她的尸体洒下了眼泪。'他的行为就像一个大孩子，'他当时的副手不厌其烦地向人讲述，'我真不知道这当中发生了有什么趣事，即使让那个病怏怏的南洋群岛土著人把我踢死，我也不知道。唉，先生们！当他把她带到船上时，她已经病人膏肓，都认不出他来了；她就那么躺在他的床铺上，用可怕的目光一直盯着横梁，然后她就死了。我猜她得的可能是一种该死的热病吧……'我回想起这些故事的时候，他一边用只乌青色的手去擦他那乱成一团的胡子，一边从他那张咯吱作响的病榻上告诉我，他是怎样和那个糊涂的、纯洁的、不可招惹的家伙周旋的。他承认那家伙是吓不倒的，但是有一个办法可以将其制服，"宽如大道的办法，只需要你走进去，他便能撼动他那不值两便士的灵魂，使得他的灵魂出窍，上下颠倒，——天啊！'"

第四十二章

"我猜他至多也就是看了看那条笔直的道路罢了。他似乎对所看见的景象迷惑不解，因为他在叙述的过程中不止一次地停顿下来，惊叫道'他差点儿从我手里溜走了。我不能把他弄清楚。他是谁呢？'他狂怒地瞪了我之后，就会兴高采烈、冷嘲热讽地继续讲下去。我现在看来，这两个人隔着那条小河的对话，仿佛是最为不共戴天的决斗，至于结局只有冷眼旁观的命运之神才知道。不，他并没有把吉姆的灵魂搅得翻天覆地，不过，假如那个完全超出了他能力范围的灵魂没有充分体会到那场战斗的苦楚的话，那我就大错特错了。这些人是他已经放弃了的那个世界派来追寻他藏身之所的探子——这些白人从'外面的那个世界'来，他不认为自己能够在那外面的世界生活得很好。这就是他要面对的一切——威胁、震惊、他的工作所面临的危险。我猜，在吉姆偶尔说出的寥寥数语里，流露出的这种悲伤的，一半愤懑、一半无奈的心情，使得白朗在解读他的性格时才会感到如此困惑。一些伟人之所以伟大，很大程度上在于他们能猜透人的心思，在于他们善于利用的那些被他利用之人为我所用的能力。而白朗好像真的很伟大，他具有一种邪恶的天赋，能准确找出受害者身上最优秀和最脆弱的地方来。他向我承认，吉姆不是那种靠奴颜婢膝就能打动的人，因此他刻意把自己表现成一个面对不幸、责难和灾祸都毫不屈服的铮铮铁骨的汉子。他指出，走私几条枪也不是什么大罪。至于到巴多森来，谁有权利说他不是来乞讨的？这里恶魔们什么都没有问，便从河两岸用枪射击他们。他这样说真是厚颜无耻到了极致，因为真实的情况是：幸亏邓华力采取了强有力行动，才避免了最大的灾难；因为白朗清楚地告诉过我，他一看到那地方的大小，便立刻暗下决心，一旦站稳了脚跟，他就立刻四处放火，先把眼前的一切活物都杀光，以此来恐吓当地人，令他们心生恐惧。由于实力的对比是如此悬殊，这是他仅有的一次机会，也是他能达到目的的唯一办法——他一边剧烈地咳嗽，一边辩解道。但是他没有把这些告诉吉姆。至于他们所经历的苦难和饥饿，这些都是非常真实的；只要看看他那伙人就够了。他打了个刺耳的呼哨，让他的人全都亮了相，在圆木上站成一排，一览无遗，好让吉姆能看清他们。至于杀了那个人吗，事情已经发生了——是的，也不能挽回了——这一切难道不是这场血淋淋的战争造成的困境吗？而且那个家伙被干净利落地打死了，子弹从他的胸膛穿过，不像他的手下——现在还躺在河中的那个可怜鬼。他们不得不听着他痛苦地叫喊了六个小时才死掉，他的内脏都被不规则的弹丸撕裂了。不管怎么说，这也算是一命抵一命了吧……他说这些话的时候，神色厌倦，并表示这一切都因厄运所致，所以他们才会不计任何后果的鲁莽行事，因为他们对自己要跑到哪里都已经不在乎了。他用一种粗鲁绝望的语气，坦率地质问吉姆，他自己——一直在现在——是不是根本不明白当‘一个人已经走投无路，想救自己一命的时候，那他就不在乎别人会怎么样了——无论别人是三个人也好，三十个人也好，还是三百个人也好’——就好像有个魔鬼在他耳边低语建议。‘我令他有些畏缩了，’白朗向我吹嘘道。‘他很快就不再向我那么义愤填膺了。他只是站在那里，不知道该说些什么，像要打雷似的那么阴沉沉地看着——不是看着我——而是一直看着地上。’他问吉姆，难道他这一辈子就没什么能记起来的亏心事，为何对一个试图利用各种机会赶紧逃出地狱的人，提出如此苛刻的要求——等等，说一些诸如此类的话。在这番粗鲁的谈话中，有一种微妙的关于他们共同血液的脉络，揣测他们之间有着共同的经历；尤为令人作呕的是，暗示他们有着共同的愧疚，有着不能为外人道的秘密心事，而这心事就像一条纽带一样，将他们的思想和心灵连在一起。

“最后，白朗全身伸展着躺在地上，通过眼角注视着吉姆。吉姆站在小河另一边思考着，用柳条抽打着自己的腿。眼前的房子一片寂静，仿佛一场瘟疫把屋内所有的生命都带走了；但是里面有许多看不见的眼睛注视着那两个隔河相对的人，注视着那条搁浅了的白色小船，注视着那个半身陷入泥沼的尸体。在河上，独木舟又开始移动起来，因为自从那个白人老爷回来之后，巴多森又恢复了它对于人世社会稳定的信心。河的右岸，房屋的平台，岸边停泊的木筏，甚至是浴室的茅屋顶上，都已经挤满了人：他们都离得非常远，远到没人能听得见他们的动静，远到人们都看不见他们的踪迹。他们眉头紧皱，眼睛紧紧盯着酋长寨子后面的那座小山岗。在那宽阔而不规则的森林环带中，有两处被河水闪耀的光泽所分割，环带之内一片寂静。‘你会答应离开这个海岸，对吗？’吉姆问道。白朗举起手来，又放下，似乎是要放弃一切似的——接受不可避免的结果。‘交出你们的武器？’吉姆继续问道。白朗坐起身来，怒视着河对面。‘交出我们的武器！除非你们能从我们僵硬的手里夺过去，我绝对不会交出武器。你以为我被吓疯了吗？噢，不！除了船上还有几杆后膛枪外，我在这个世上所拥有的就只有这点武器和一些烂衣服了；我还指望着在马达加斯加卖掉这些东西呢，如果我能走那么远的话——一路上都要向别的船只乞讨。’

“吉姆对此什么也没说。最后，他扔掉手中的柳条，自言自语似的说，‘我不知道我是否有这个权力。’……‘你不知道！你刚才还让我交出武器呢！那也很好，’白朗叫道。‘如果他们对你说一套，对我却做出另一套。’他很明显的平静了下来。‘我敢断定说你一定有这个权力，否则我们的这番谈话还有什么意义呢？’他继续地说道。‘你到这儿来干什么？为了打发时间吗？’

“‘很好，’吉姆沉默了许久，突然抬起头来说道，‘你们要么老老实实地离开这里，要么痛痛快快地和我们打一仗。’说完，便转身离开了。

“白朗立刻站了起来，直到他看见吉姆消失在第一排房屋中间，他才上了山。他再也没有看到过吉姆。在返回的路上，他遇见柯内里正没精打采地走下来，耷拉着脑袋，头缩在两个肩膀之间。他在白朗面前停下了脚步。‘你为什么不杀了他？’他用一种酸刻、不满的声音问道。‘因为我还有比那更好的办法，’白朗觉得很搞笑，微笑着说道。‘绝不会有！绝不会有！’柯内里歇斯底里地抗议道，‘不会的。我已经在这里居住了很多年。’白朗好奇地抬头看了看他。对于那地方的生活情况而言，武装反抗他的有很多派系；那是他永远也不会发现的事物。柯内里垂头丧气地朝河边走过去。他现在要离开他的新朋友们；他内心非常恼火，固执地接受了这发展得越来越令人失望的事件，这似乎使他那张小而蜡黄老脸更加紧地缩在一起；当他往山下走的时候，还不时地斜着眼睛，东瞅瞅西看看，好像始终没有放弃他固有的想法。

“从那以后，事态毫无阻碍地很快发展起来，从人们的内心深处流泻而出，就好像是从黑暗的源头流出来的溪水一样。我们看到的吉姆混迹于他们中间，这些主要是通过唐比丹的所见转达给我们的。那姑娘的眼睛也注视着他，但是她的生活与吉姆的生活纠缠在一起：里面有她的热情，她的惊奇，她的愤怒，尤为重要的是，还有她的恐惧和她绝不宽恕的爱情。至于那个忠心耿耿的仆人，和其他的人一样也不明白，他所有的唯有忠心。对主子的忠心和信仰变得如此强烈，以至于连惊愕都被克制住了，化为一种对一次神秘的失败的悲哀接受。他的眼睛只盯着一个人看，在所有的迷惑困扰中，他仍然保持着对他的守护、服从、关切的神态。

“他的主人和那些白人谈完话后回来了，慢慢地向街上的寨子走去。看到他回来，大家都很高兴，因为他走后，每个人都害怕，不仅害怕他会被杀死，也害怕之后会发生别的什么意外。吉姆走进其中的一幢房子，老都拉明就在那儿休息，他和这位布吉斯人首领单独在一起待了很长一段时间。毫无疑问，当时他在和老都拉明讨论接下来要采取的行动，但是他们商谈的时候没有其他人在场。当时只有唐比丹尽可能靠近门口，他听见他的主人说：‘是的。我会让所有人知道这就是我的愿望；但是在我向所有人公开之前我必须跟你说，而且只能跟你说了，都拉明啊；因为你知道我的心，而我也知道你的心和你心里最大的愿望。而且你也很清楚，我除了为人民的利益着想外，没有其别的想法。’然后，他的主人就掀开门帘走了出去，而他，唐比丹瞥了里面的都拉明一眼，只见他坐在椅子里，两只手放在膝盖上，眼睛看着两脚之间。之后，他跟着他的主人来到了城堡，布吉斯人和巴多森居民的领头人物都已被召集到那里进行商讨。唐比丹倒很希望能打上一仗。“不就是夺下另一个山头吗，这有什么大不了的呢？’他遗憾地感叹道。然而，镇子里的很多人却希望那帮贪婪的陌生人，看见这么多勇士在为作战而准备的场景，最后会知难而退，选择主动离开。如果他们走了，那将是件好事。因为黎明之前城堡里发出的隆隆炮声和击打大鼓的声响，使得所有的人都知道吉姆回来了：笼罩着巴多森的恐惧被打破了，就像是冲上岩石的浪潮一样陆续消退了，留下那沸腾的泡沫——激动、好奇和无尽的猜测。多半的人是为了安全起见，搬离了他们原有的家，住在河左岸的街上，他们都拥挤在城堡的周围，时刻关注着被他们抛弃的、受到威胁的河岸上的住宅是否突然燃起大火。人们都非常渴望看到事情尽快得以解决。通过珍珠的照料，食物已经分发到了难民手中。没有人知道他们的白人要干什么。一些人议论说，这次的情况比对薛力夫·阿利的那次战争还要糟糕。当时，很多人并不在乎；但是现在，每个人都会受到些损失。独木舟在镇子的两部分之间来来往往地穿梭着，人们饶有兴趣地关注着。两艘布吉斯人的战船抛锚停泊在河流中间，防守着河面，每艘船的船头都飘着一缕青烟；船上的人正在做午饭，当时吉姆在会见了白朗和都拉明之后，横渡到河对岸，从城堡的水门进入。城堡里面的人都围在他的周围，以至于他几乎无法回家。他们在这之前都没有看见他，因为他夜晚才回到那里，只跟那姑娘说了几句话，她是专门为了这件事才来到码头的，他上了岸之后，便立刻去对岸和那些首领和战士们会合去了。人们在他身后大声地问候着。一位老太太发疯似的挤到前面，用责备的口气叮嘱道：要吉姆照顾好她那跟随着都拉明的两个儿子，不要让他们在那伙强盗处受到伤害。这也引起人们的一阵哄笑。几个旁观者试图把她拉开，但是她挣扎着继续叫喊道：'放开我。你们这是干什么呀，穆斯林们？这样笑可不体面啊。难道他们不是残忍的、嗜血成性且只想杀人的强盗吗？''随她去吧，'吉姆说。随着一阵寂静的突然降临，吉姆方才缓缓地说，'大家都将是安全的。'在那一大片叹息声和表示满意的窃窃私语声还没有消失前，他便已经走进了家门。

"毫无疑问，他已经下定决心，想让白朗不受到任何阻碍地返回海上去。他的命运遭到反叛，逼着他采取一种不由自主的政策。他第一次不顾别人的反对，明确肯定了自己的意愿。'大家谈得很多，起初我的主人一直沉默不语，'唐比丹说。'天色暗了下来，我在长桌上点燃了蜡烛。首领们分别坐在两边，夫人则一直站在我主人的右手边。'

"当他开始发言的时候，遇到了异乎寻常的困难，但是这些困难似乎只会更加坚定了他的决心。那些白人现在正在山上等着他的回话。他们的首领用本民族的语言跟他说话，把许多用其他任何语言难以解释的事情都说清楚了。他们之间多多少少都有些过节，苦难已经让他们不能理性地去分辨是非了。是的，已经失去了不少生命，但是为什么还要牺牲更多的生命呢？他对他的听众——那些聚在一起的民众的首领说，他们的幸福就是他的幸福，他们的损失就是他的损失，他们的悲伤就是他的悲伤。他环顾四周，看了看一张张严肃、凝神倾听的面孔，让他们回想一下，他们曾经是如何并肩战斗和工作的。他们知道他的勇气……这时，一阵嗡嗡议论声打断了他的话……而且他从来没有欺骗过他们。他们已经居住在一起很多年了。他一直深深地爱着这片土地和居住在这里的人民。假如让这些留着胡子的白人撤走，对当地的这些民众造成任何伤害的话，他准备以自己的生命作为补偿。他们都是作恶的人，但他们的命运也都很不幸。他曾给过他们恶意的建议吗？他的话曾给人民带来过苦难吗？他问道。他相信，最好是放这些白人和他们的追随者们一条生路。这倒是一个小小的恩典。'我，你们已经考验过了，一直以来都是真诚的人，现在请求你们让他们走吧。'他转过头来，看着都拉明。这个老人一动不动。'那么，'吉姆说，'请邓华力，你的儿子，我的朋友，进来吧，因为这件事我将不再担任指挥了。'"

第四十三章

“在他椅子后面的唐比丹宛如晴天听到霹雳一般。这次的声明引起了巨大的轰动。‘放他们走吧，因为据我了解，这是最好的办法，而我也从来没有欺骗过你们，’吉姆坚持道。现场陷入了短暂的沉默。在院子的黑暗中，可以听到许多人在低声耳语和你推我搡的轻微的喧闹声。都拉明抬起他沉重的脑袋，说人心难测无异于用手摸天，但他最终还是同意了。其他人也依次发表了自己的意见。‘这是最好的办法’，‘放他们走吧’，等等。但他们大多数人只是简单地说，他们‘相信吉姆爷’。

“在这种对吉姆的想法表示赞同的简单形式中，包含着局势转变的关键所在；他们的信条，是他的真理；而且是对那种忠诚的见证，这忠诚使他相信自己完全可以同那些从不落伍的、完美无瑕的人相媲美。史泰的话，‘浪漫！——浪漫啊！’似乎在那些遥远的地方回荡，那些地方现在绝不会放弃他，把他让给一个对他的缺点和美德都无动于衷的世界，让给那在极度悲伤和永远分离的困惑中，拒绝为他流下同情泪水的炽热而缠绵的爱情。从他在最近三年的生活中，仅仅凭借着真诚竟战胜了人们的愚昧无知、恐惧和愤怒的那一刻起，他在我眼里就已不再是我最后一次看见他时的那个样子了——一个白色的斑点，捕捉了阴沉的海岸和暗淡的海面上所遗留下的所有朦胧的光——却在他灵魂的孤寂中变得更大、更可怜，那种孤寂，即使对最爱他的她来说，也是一个残酷而不可解的谜团。

“很显然，他并不怀疑白朗；不过，也没有任何理由怀疑那个故事：他那种粗鲁的坦率，那种刚毅的真诚接受他行为的善恶及其相应的后果，似乎都证实了他所言非虚。但是吉姆不知道，那个人狂妄自大到近乎不可思议的地步：当他的意志遭到抵制和挫败时，他就会像个受挫的独裁者那样怀着满腔的怒火和复仇的欲望变得疯狂起来。但是，虽然吉姆不怀疑白朗，但他内心里显然也很担心，担心可能会发生什么误会，最终导致一些冲突和流血。正是因为这个原因，那些马来头领们刚走，他就立刻要珍珠给他弄点吃的，因为他要离开城堡，到镇子里去指挥。她劝说他休息一下，不要太累了，阻止他过去时，他说，如果出了什么事，他永远都不会原谅自己。‘我要对这片土地上的每一条生命负责，’他说。起初，他有些心绪不宁；她用双手亲自服侍他，从唐比丹手里接过盘子和碟子（是史泰送他的餐具）。过了一会儿，他觉得放松了一些；对她说，她得在城堡里再坐镇指挥一夜。‘我们可没有时间睡觉了，老姑娘，’他说，‘我们的人还处在危险中呢。’后来他又开玩笑地说道，她是他们当中最出色的男子汉。‘如果你和邓华力按照你们的意愿行事的话，那些可怜鬼恐怕今天就已经死了。’‘他们很坏吗？’她靠在他的椅子上问道。‘人有的时候会做坏事，但是和其他人比起来，他们也没坏到哪儿去，’他犹豫了一下，说道。

“唐比丹跟着他的主人来到了城堡外的码头上。那天晚上很晴朗，但是没有月亮，河的中间一片漆黑，而河两岸下面的河水中映照出许多火光，‘就像是斋月的夜晚一样，’唐比丹说道。战船在黑暗的河道中静静地漂移着，有的战船抛了锚，静静地浮在水面，泛起阵阵涟漪。那天夜里，对唐比丹来说，在独木舟里他划了太久的桨，跟在主人的后面走了太多的路：他们迈着沉重的脚步，蹒跚着走过街道，那儿正燃烧着火堆，等他们走到小镇的郊区，那儿有一小队人正守卫着他们的地盘。吉姆爷对他们下了命令，大家都服从了。最后，他们来到酋长的寨子，那天晚上，吉姆手下的一小队人把守在那里。老酋长那天一大早就带着他的大部分女人逃走了，逃到他在一条支流上靠近一个丛林村寨的一所小房子里。卡西姆留了下来，参加了议事会议，他用殷勤活跃的神态对前一天的外交活动进行辩解。大家对他的反应相当冷淡，但他却勉强保持着微笑和安详的警觉，并且在吉姆郑重地告诉他，他建议当晚由他自己的人驻守那寨子的时候，卡西姆还装出一副非常高兴的样子。等到散会之后，人们听到他在外面搭讪着一个个正要离开的首领们，用洪亮而感激的声调说道：酋长虽然现在不在，但是酋长的财产却得到保护了。

“大约十来个吉姆的人排队走了进来。那寨子控制着小河的河口，吉姆打算一直待在那儿，直到白朗带人从下面经过。在栅栏墙外的一片杂草丛生的平地上，点起了一小堆火，唐比丹给他的主人放了一张小折凳。吉姆叫他尽量去睡一觉。唐比丹便拿了张席子在离这儿不远的地方躺下休息；但是他睡不着，尽管他知道在黎明到来之前，他还得走一段很重要的路程。他的主人低着头，双手交叉着放在背后，在火堆前踱来踱去。他满脸愁容。每当他的主人走近他时，唐比丹就假装出睡着的样子，他不愿意让主人知道他是被人看护着的。最后，他的主人停下了脚步，静静地站立着，看着躺在那里的他，温柔地说，‘到点啦。’

“唐比丹立刻爬了起来，做好准备。他的任务是沿着河流，到下游去，比白朗的船提前一个多小时到达那里，最后，确保能正式地告诉邓华力，允许那帮白人不受任何骚扰地通过。吉姆不放心把这任务交给其他任何人。出发之前，唐比丹向他的主人索要一样信物，这更像是一种形式（因为他与吉姆的关系及其在吉姆身边的地位，早已人尽皆知）。‘因为老爷，’他说，‘这口信非常重要，而我传达的话，都是你确实说过的话。’他的主人先把手伸进一个口袋里，然后又伸进另一个口袋，最后从食指上取下他经常佩戴着的史泰送给他的那枚银戒指，把它给了唐比丹。当唐比丹离开去执行任务时，白朗在山冈上的营地一片漆黑，仅从那些白人砍下的一棵树的枝干缺口处透出一丝微光。

“傍晚的早些时候，白朗收到了吉姆的一张折好的纸，上面写道，‘放你一条生路。趁着早上涨潮，你的船可以行驶的时候，立刻动身离开吧。让你的人小心点儿。河流两岸的丛林中和河口的寨子里都是全副武装的人。你不会有机会的，不过我不相信你想流血。’白朗读完后，将信撕得粉碎，然后转过身来，对带信来的柯内里，嘲弄地说道，‘再见了，我杰出的朋友。’那天下午，柯内里一直在城堡里，在吉姆的房子周围鬼鬼祟祟地活动。吉姆挑选他来送这个字条，因为他会说英语，白朗也认识他，而且他不太可能被其中某个人因太紧张而误开枪将他打死，如果派一个马来人在暮色中走进白朗的营地，也许就不会这么幸运了。

“柯内里送完信后并没有立刻离开。白朗坐了起来，面对着一小堆火；其他所有的人都躺在地上。‘我可以告诉你一些你想知道的事，’柯内里愠怒地嘟囔着说。白朗没搭理他。‘你没有杀了他，’他继续说道，‘你又得到了什么呢？你本来可以把布吉斯人的家中洗劫一空，或许还可以从酋长那儿得到一大笔钱，而现在你却什么都没得到。’‘你最好给我从这儿滚蛋，’白朗咆哮道，甚至连看都没看他一眼。但是柯内里却在他身边坐了下来，在他的耳朵小声地说着，说得很快，还时不时地碰了碰他的胳膊肘。他所说的，起初令白朗坐了起来，还骂了一句。他只不过告诉他，邓华力的武装队伍在河的下游。起初，白朗感到自己完全被出卖和背叛了，但是经过片刻的思考之后，他确信，并没有什么蓄谋的诡计。他什么也没说，过了一会儿，柯内里用一种完全是漠不关心的口气说，这条河还有一个出口，他对那条路非常熟悉。‘知道一下也好，’白朗说道，同时竖起了耳朵；柯内里便开始说起镇里的情况，并把会上谈论的那些话全都复述了一遍，在白朗的耳边低声地说着，就好像你在一群酣睡的人中间说话，却不愿吵醒他们似的。‘他以为他已经令我变得完全没有危害了，是吧？’白朗低声问道……‘是的。他就是个傻瓜。一个小孩子。他到这儿抢劫了我，’柯内里继续低声说道，‘他让这里的民众都相信他。但是如果发生了什么事，人们就不再相信他了，他还会去哪里呢？在河流下游等着你的那个布吉斯人邓华力，船长，就是你刚来的时候，把你赶到这山上来的那个人。’白朗若无其事地说，避开他也一样，柯内里用同样超然的态度和口吻说，他熟悉一条回水道，水道的宽度足以容得下白朗的船驶过邓华力的营地。‘你必须悄悄地，’他好像事后想起来什么似的说，‘因为我们经过的一个地方非常靠近他的营地。他们在岸边扎的营，把船也拖到了岸上。’‘哦，我们知道如何像老鼠一样安静；不用担心这个，’白朗说。柯内里和他商定好，如果他带领白朗驶出去的话，就要把他的独木舟拖上。‘我得快点返回来，’他解释道。

“黎明前的两个小时，从最边远的瞭望哨传话到寨子里说，那伙白人强盗已经下山上了他们自己的船。在很短的时间内，从巴多森的一端到另一端，所有的武装人员都处于戒备状态，然而河两岸仍然很安静，要不是正在燃烧的火突然爆出模糊的闪光，整个镇子可能和太平时期一样沉睡了。浓雾低低地笼罩在水面上，形成了一种虚幻的灰色光芒，什么也看不见。当白朗的长船滑出小溪，驶向河道的时候，吉姆正站在酋长寨子前的低地上——就是他第一次在巴多森登陆的地方。一个影子隐约出现了，在灰暗中孤零零地移动着，体积很大，却又一直若隐若现，很难用眼睛看清。从那影子里传出一阵低低的谈话声。舵柄旁的白朗听到吉姆镇静地说：‘走你的阳关大道吧。在雾还没散尽时，你最好还顺着潮流走吧；不过，雾很快就会散了。’‘是的，很快我们就可以看清楚了，’白朗回答道。

“三四十个男子手持上了膛的火枪，屏住呼吸，站在寨子外面。他们当中有我在史泰的走廊上看到的那条普劳船的船主，他告诉，那艘船紧临着那片突出的低地掠过，在那一刻似乎变大了，像座山似的悬临在上面。‘如果你觉得在外面等上一天值得的话，’吉姆喊道，‘我会设法送给你一些东西——一头阉牛、一些山芋，凡是我能搞到的。’那影子在继续移动。‘好的。那就这么办吧，’一个声音说道，在雾中虚无而又沉闷。许多人在竖着耳朵倾听着，但没有一个人听得懂那话是什么意思；随后白朗就和他的那帮人乘船沿着潮流漂走了，悄无声息地渐渐消失了。

“隐没在雾中的白朗就这样溜出了巴多森河的弯道，他和柯内里并肩坐在那条长船的船尾上。‘也许你会得到一头小阉牛，’柯内里说。‘哦，是的。阉牛，山芋，如果他这么说了，你就会得到的。他总是言而有信。他偷走了我的一切。我猜你喜欢小阉牛胜过喜欢洗劫很多人家的住宅吧。’‘我劝你最好还是管住自己的嘴巴，否则这里可能会有人把你扔到这该死的雾里，’白朗说道。船好像静止不动了；周围什么都看不见，甚至连旁边的河面都看不清，只有水雾在上升，凝结之后滴落到他们的胡须和脸上。奇怪的是，白朗告诉我。他们每个人都觉得自己仿佛是独自在一条船上漂流，被一种几乎觉察不到的东西追逐着，仿佛有许多幽灵在叹息和喃喃低语。‘你要把我扔出去，你？但是我得知道我现在在哪儿，’柯内里愤愤不平地喃喃道。‘我在这里居住了好多年。’‘那也没锻炼到能把这样的雾看穿的程度，’白朗说，懒洋洋地往后靠在那没用了的舵柄上，来回地摆动着他的胳膊。‘是啊。还没有达到那个程度，’柯内里咆哮着说道。‘那倒是很有用的，’白朗评论道。‘照这样说来，我是不是得相信你蒙着眼睛也能找到你所说的那条回水道？’柯内里哼了一声。沉默了一会儿之后问道：‘你是不是累得划不动了？’‘不是，天哪！’白朗突然大吼道。‘把你那儿的桨拿出来吧。’雾中响起敲击的巨响，过了一会儿，那响声平静了下来，化为看不见的大长桨摩擦桨座发出的有节奏的声响。除此之外，一切都没有任何变化，如果不是桨叶轻微的击水声，白朗说，那简直就像是在云中驾驶着一辆热气球。从那以后，柯内里没再开口说话，除非抱怨着让人把他的独木舟中的水舀出去，那条独木舟就拖在长船的后边。雾渐渐变白了，前面也逐渐变得明亮起来。白朗向左边看到一片黑暗，仿佛他一直在注视着即将离去的黑夜的背影。突然，他头顶上出现一根覆满树叶的大树枝，大树枝的旁边有许多细树枝，这些细枝条的末端一动不动地滴着水，柔软地垂曲着。柯内里什么也没有说，从他手里接过了舵柄。”

第四十四章

“我想他们不会再在一起说话了。小船驶进一条狭窄的水道，用桨叶抵住正在坍塌的河岸，然后继续前进；夜色深沉，仿佛有一对巨大的黑色翅膀在薄雾之上展开，使充满夜色的雾气蔓延至树梢上。头顶上的树枝透过阴沉沉的雾，洒下雨点般大的露珠。柯内里喃喃地嘀咕了一声，白朗便命令他的部下装好子弹。‘在我们被干掉之前，我要给你们一个报复他们的机会，你们这帮可怜鬼，’白朗对他的同伙说道。‘小心，别白白浪费了这次机会——你们这帮狗儿。’低沉的咆哮算是对那番话的回应。柯内里则对他独木舟的安全表现出极度的担忧。

“与此同时，唐比丹已经到达了他的目的地。大雾使他耽搁了会儿，但是他紧靠着南岸，不停地划桨前行。天逐渐亮起来了，就像磨光的玻璃球发出的一道亮光。河流两边的岸上各有一片暗斑，人们可以在这片暗斑中看到一些模糊的柱状树影和高高在上纵横交错的树枝的影子。水面上的雾气仍然很浓，但仍有人在密切监视着，因为当唐比丹走近营地的时候，白茫茫的雾气中冒出两个黑色的人影，还有人向他怒声呵斥着。他回答后，一条独木舟很快便靠上前来，他和划船的人互相通报了些消息。一切都很顺利。麻烦事已经过去了。接着，独木舟里的人松开了抓着他小船舷边的手，很快便从他的视线中消失不见了。他继续向前划行，直到他听到水面上传来幽静的声音，雾气在不断地旋动中逐渐消散，他看到一片沙地上有许多小火堆的火光，火光映照着高大而稀疏的树木和灌木丛。那儿有一个岗哨，因此他又被盘问了一次。他大声地报出自己的姓名，划了最后两下桨，将他的独木舟停到沙滩上。那是个很大的营地。人们三五成群地蜷缩在那里，带着清晨未完全消散的睡意小声地交谈着，一缕缕细细的青烟缓缓地盘绕在白雾气上袅袅升起。地上搭起了一些小草棚，那都是为了首领们搭建的。步枪都集中堆放在了一起，形成了一座座小小的金字塔，而长矛则一根根地单独插在火堆旁的沙地里。

"唐比丹装出很神气的样子，要求把他带到邓华力那里。在一个木支架搭建、凉席覆顶的凉棚下，他发现他的白人老爷的朋友正躺在一张竹榻上。邓华力已经醒了，在睡觉的地方，有一堆明亮的火在烧着，他的睡榻宛如一个粗糙的神龛。都拉明的这个独生子和蔼可亲地回答了他的问候。唐比丹先把那枚戒指信物递给他，这枚戒指信物确保送信之人所说的话是真实的。邓华力用胳膊肘撑着身子，让他全部说出要传递的消息。开场白是一句官方的套话，'都是好消息，'唐比丹传达了吉姆的原话。在所有首领们的一致同意下，那些白人将被允许沿河而下，离开这里。在回答了一两个问题之后，唐比丹又报告了上次会议的全过程。邓华力从头至尾都在全神贯注地听着，手里玩弄着那枚戒指，最后把它戴在右手的食指上。在唐比丹把需要讲的话都说完了之后，邓华力便让他先下去吃点东西，好好休息一下。接着，他便立刻下达了下午返回的命令。之后，邓华力又躺了下来，眼睛睁得大大的，他的贴身随从们正在火堆旁为他准备饭菜，唐比丹也坐在火边，和那些凑上来想了解镇里最新消息的人闲聊。太阳渐渐蚕食了雾气。他们对一段主河道的河面进行了密切的监视，因为他们估计那伙白人的船只随时都可能出现在那里。

“就是在那个时候，白朗实施了他对这个世界的报复。在经过二十年的目无王法、鲁莽地恃强凌弱之后，这个世界仍旧拒绝给他作为一个普通强盗应有的成功与荣耀。他这种行径非常的冷血、残暴，可是这使他在临终前得到了安慰，就好像是回忆起一件不屈不挠的抗争行动。他偷偷地让他的人待在小岛的另一侧，和布吉斯人的营地遥遥相对，然后率领他们直接横穿过去。经过一阵短暂的、悄然无声的扭打，在登陆的时候，柯内里试图溜走，但是迫于压力，只好改变初衷，同意带路，给他们指了条草最稀疏的路。白朗把他两只瘦骨嶙峋的手握了个大拳头放在他背后，时不时地猛地用力推他朝前走。柯内里像条鱼似的沉默不语，卑鄙而忠实地向着他的目的前进——他已经能隐隐约约地看到他的目的就要实现了。在这片森林的边缘，白朗的人在四下散开隐蔽着、等待着。营地从头到尾就这么一目了然地呈现在他们面前，而且营地里没有一个人发现他们。他们甚至连做梦都不会有人想到，这些白人竟然会知道在这个岛的后面有条狭窄的水道。当他断定最好的时机到来的时候，白朗便大喊道，‘让他们尝尝我们的厉害吧，’十四杆枪齐声发射，发出一声巨响。

“唐比丹告诉我，人们当时都非常惊讶，在第一排枪声过后，除了被打死的、打伤的，好长一段时间内，剩余的那些人都一动不动。接着，一个人尖叫起来，在那声尖叫之后，所有人的嗓子里都发出一阵惊骇和恐惧的叫声。内心盲目的恐慌驱使这些人乱哄哄地沿着河岸跑来跑去，其场面就像一群害怕水的牛群一样乱窜。当时，有几个人跳进了河里，但大多数人都是在打了最后一排枪之后才跳的。白朗手下的人朝这群人一共放了三次枪，白朗是唯一一个露面的人，他大声地呵斥着，'瞄低点！瞄低点！'

"唐比丹说，就他而言，第一排枪声响起时，他就明白发生了什么事。他虽然没有中弹，但还是像死了一样倒在地上，眼睛却一直是睁开的。听到第一阵枪响，躺在卧榻上的邓华力立刻跳了起来，跑到了开阔的河岸上，这时第二次射击开始，他被一颗子弹打中了前额。唐比丹看见他张开双臂，然后倒了下去。然后，他说，一种巨大的恐惧向他袭来——在那之前，他没有感到这种恐惧。那些白人和他们来的时候一样，都离开了——根本没露面。

"于是，白朗算是和厄运清了账。请注意，即使在这种可怕的突然爆发的事件中，他的内心也有一种作为伸张正义的优越感——一种抽象的性质——包含在他普通的外表之下的内心的欲望。这不是一场庸俗而奸诈的屠杀；这是一个教训，一个应得的报应——一种对我们本性中某些模糊而可怕的属性的展示。我害怕这种属性距离我们猜想的表层并不是很远。

"后来，那些白人都离开了，唐比丹什么都没看见，他们就好像突然从人们的眼前完全消失了；那艘双桅船连同偷来的赃物一同消失了。但是，有个故事是这样的：一个月后，有一艘货轮在印度洋上捡到了一条白色的长船。船上有两个活骷髅，他们全身泛黄，目光呆滞，说话的声音非常小，他们承认了第三者在这艘船上的权威，而这个第三者自报姓名叫白朗。他报告说，他的双桅船载了一船爪哇糖向南驶去，在行驶途中，船破了一个大洞，并在他脚下的位置沉没。船上本来有六个人，他和另外两个同伴是这艘船上的幸存者。那两个人后来死在搭救他们的那艘货轮上。白朗则一直活到我见过他之后，我可以证明，他至死没改变其本性。

“然而，他们在离开的时候，似乎忘记了解下柯内里的独木舟。从他们打枪开始，白朗就让柯内里离开了，还踢了他一脚作为临别的祝福。唐比丹从死人堆里爬起来之后，看见那个耶稣徒正在岸边的尸体和即将熄灭的火堆之间跑来跑去。他发出低沉的叫喊。突然，他冲到水里，拼命地想把一条布吉斯人的船拉到水里。‘后来，直到他看见我，’唐比丹继续叙述道，‘他一直站在那儿看着那条沉重的独木舟，挠挠头。’‘他后来怎么样了？’我问道。唐比丹狠狠地瞪了我一眼，用右手做了一个富有深意的手势。‘我打了两枪，爷，’他说。‘当他看见我走近他的时候，就突然猛地倒在地上，大声喊叫着，又踢又踹。他就像只受惊的母鸡那样尖叫着，直到他感到我刺过去的刀尖；然后他便一动不动地躺在那里瞪着我，他的生命从他的眼睛里也消散了。’

“这件事办妥之后，唐比丹没有耽搁。他明白要在第一时间把这可怕的消息带到城堡去的重要性。当然，邓华力的队伍中还有许多幸存者；但是他们在极度的恐慌中，一些人游过了河，还有一些人躲进了丛林。事实上，他们还不知道是谁在偷袭——是否有更多的白人强盗来了，他们是否已经完全占领了这个地方。他们把自己想象成巨大阴谋的受害者，最后肯定只有死路一条。据说有几个小团伙直到三天以后才返回去。然而，有几个人试图立刻返回巴多森，那天早上，在河中巡逻的其中一条独木舟，正好目睹了袭击发生的那一刻。的确，刚开始时，那条船上的人跳了下去，向河对岸游去，但是之后他们又返回到了船上，满怀恐惧地向上游驶去。唐比丹比这些人提前了一个钟头返回镇里。”

第四十五章

“当唐比丹发疯似的划着桨，进入镇里一带的河面时，那些女人们都聚集在房屋前的平台上，探头张望，期待着看邓华力的船队胜利归来。镇里呈现出一片节日的气氛；到处都能看到手里拿着长矛或枪的人在河岸边来回走动着，或在站岗。中国人的店铺早已开门营业了；但是市场上空无一人，在城堡角落处仍立着一个哨兵，那个哨兵认出他是唐比丹，便叫喊着让城堡里面的人开门。大门很快便打开了。唐比丹跳上岸，飞快地跑了进去。他遇到的第一个人是从屋里走下来的那个姑娘。

“唐比丹方寸大乱，气喘吁吁，嘴唇颤抖，眼神显得有些疯狂，在她面前站了好一会儿，好像突然被施了魔法似的。然后他急促地叫道：‘他们打死了邓华力和许多人。’她拍了拍手，她的第一句话是：‘快关上门。’城堡里的人大多已经返回他们自己的家中，但是唐比丹急忙催促几个仍留在里面值班的人去关门。当其他人在跑来跑去的时候，那个姑娘就站在院子当中。‘都拉明，’当唐比丹从她身边走过的时候，她绝望地哭喊道。当他再次经过的时候，看出了她的担心，便迅速回答道，‘是的。但是巴多森的火药全在我们手里呢。’她抓住他的胳膊，指了指屋子，颤抖着低声说道，‘叫他出来吧。’

“唐比丹急忙跑上了台阶。他的主人正在睡觉。‘是我，唐比丹，’他在门口大声喊道，‘带来十万火急的消息。’他看见吉姆在枕头上翻了个身，睁开了眼睛，他便立刻爆发了。‘爷，今天真是个邪恶的日子，一个可诅咒的日子。’他的主人用胳膊肘撑起身子，认真地听着他讲述——就和邓华力之前听唐比丹报信时一样的姿势。然后唐比丹便开始讲所有的经过，试图把这个过程讲得有条有理，他称邓华力为‘小王爷’，说道：‘小王爷于是叫来他自己船上的水手头儿，说，“给唐比丹弄点儿吃的吧。”’——这时，他的主人已经把脚放在了地上，用一种极其不安的表情看着他，想说些什么，但话仿佛卡在了他的嗓子眼儿里。

“‘说吧，’吉姆说。‘他死了吗？’‘愿您长命百岁，’唐比丹哭喊道。‘那是最残酷的背叛行为。他刚听到枪声就跑了出去，被击中倒了下去’……他的主人走到窗前，用拳打在百叶窗上。房间里变亮了；然后他用坚定而急切的声音说道：命令立刻集合船队去追踪敌人，先去找这个人，再派个人——去送信；他边说着边在床上坐了下来，急忙弯腰系上鞋带，然后突然抬起头来。‘你为什么还站在这儿？’他满脸通红地问道。‘别浪费时间。’唐比丹仍旧没有动。‘请原谅我吧，爷，但是……但是，’他开始结巴起来。‘什么？’他的主人大声地喊道，样子看起来很可怕，他向前倾着身子，双手紧紧地抓住床沿。‘您的仆人现在出去到那些人中间是不安全的，’唐比丹犹豫了一会儿，说道。

“于是，吉姆明白了。他从前，因为一些小事，一时冲动地那么一跳，他便从一个世界隐退了，而现在的处境，也是他亲手造成的，他头顶的天要塌下来了。现在，让他的仆人到他的人们中间去，都无法保证其安全！我相信，就在那一刻，他决定用他所能想到的唯一方式来反抗这场灾难；但是我所知道的是，他一言不发地从房间走了出来，坐在长桌前，因为他习惯于坐在那张桌子上去管理他那个世界的事务，每天宣布蕴藏在他心中的真理。黑暗势力真不应该两次剥夺走他的和平。他像个石人似的坐在那儿。唐比丹毕恭毕敬地暗示他要做好防卫。他所爱的姑娘走进来和他说话，但他只做了个手势，她被他那乞求她别出声的动作吓住了。她走了出去，来到走廊，坐在门槛上，好像要用她的身体保护他不受外面的伤害。

“他的脑海中掠过什么念头——什么回忆？谁知道呢？一切都结束了，他又未能忠于职守，现在再一次失去了所有人对他的信任。我相信，就是在那个时候，他想要写点什么——给某个人——但是后来又放弃了。内心的孤独正把他团团围住。人们曾经因为信任他而把自己的生命托付给他——仅仅是因为那份信任；正如他所说的，永远都不会让这里的人来理解他。在外面的那些人没有听到他的任何动静。后来，快到傍晚的时候，他走到门口，把唐比丹叫了过来。‘怎么了？’他问。‘有很多人在哭泣。也有很多人很气愤，’唐比丹说道。吉姆抬头看着他。‘你都知道？’他喃喃地说道。‘是的，老爷，’唐比丹说道。‘您的奴才确实知道，大门都关上了。我们必须打了。’‘打！为什么？’他问。‘为了我们能活命。’‘我已经没有活路了，’他说。唐比丹听到从门口传来的那个姑娘的哭声。‘谁知道呢？’唐比丹说道。‘凭着我们的胆识和机智，我们也许可以逃得出去，现在人们的心里也非常恐惧。’他走了出去，模模糊糊地想到小船和渺茫的大海，把吉姆和那个姑娘留在了一起。

“我不忍心把她讲述给我的话在这里——记录下来，她一个人在那儿待了一个小时，或者更久，她为了保住自己所拥有的幸福，竟然在那里和他发生了争执。他是否抱有希望——他期望些什么，他有过什么幻想——都没办法说清楚了。他不屈不挠，始终不肯做出改变，他的孤独感随着他的固执越来越强烈，他的精神似乎超越了他生命的废墟。她对着他的耳朵，大声哭喊道：‘打！’她无法理解。现在没有什么可打的。他准备用另一种方式来证明他的力量，征服那悲惨的命运本身。他走到院子里，她跟在他身后，披头散发，面色凄惨，气喘吁吁，踉踉跄跄地跟了出来，靠在门边。‘打开大门，’他命令道。后来，他转过身子，对里面的那些人说，他们可以离开这里回到自己家中去了。‘可以在家待多久呢，老爷？’其中一位仆人胆怯地问道。‘待一辈子，’他用一种忧郁的声调说道。

“就像打开了悲痛之城，从里面吹出的一阵狂风一样，迸发出一阵阵哭声和哀鸣，掠过河面，接着，这个城镇则笼罩在寂静中。但是私下流传的谣言却在满天飞，让人内心充满惊恐和可怕的怀疑。那帮强盗带领着更多的人，乘着大船又返回来了，在这块土地上，无论是谁，都不会有藏身之所了。仿佛发生地震时，一种毫无安全的感觉弥漫在人们的脑海中。他们小声地诉说着各自的疑虑，互相看着对方，仿佛某种可怕的厄运就要降临。

“当邓华力的尸体被抬进都拉明的营地时，太阳正朝森林方向下沉。四个人把他的尸体抬了进来，尸体上盖着一块很讲究的白布。那是那位老母亲派人送出去的，在大门口迎接她儿子的归来。他们把他放在都拉明的脚旁，老人一动不动地坐了很长时间，双手放在膝盖上，低头看着。棕榈树的叶子在轻轻摇曳，果树的树叶在他头顶摇动着。当老首领终于抬起头睁开眼睛的时候，他的手下都全副武装地站在那里。他的目光缓缓地扫过人群，好像在寻找一张没到场的面孔。他的下巴又一次垂到胸前。许多人的窃窃私语声和树叶轻微的沙沙声混杂在一起。

“把唐比丹和那个姑娘带到沙马拉的那个马来人也在场。‘他看上去并不像很多人那么生气，’他对我说，但对‘人的命运的突变，就好像蓄着雷霆的密布乌云一样悬挂在人们的头顶’感到敬畏和震惊。他告诉我，当盖着邓华力尸体的白布在都拉明示意下被掀开的时候，这位人们常常称他为‘白人老爷的朋友’的人就毫无遮掩地静静躺在那里，没什么变化，眼皮微微张开，仿佛要醒来似的。都拉明又向前探了探身子，好像是在寻找掉在地上的东西。他的眼睛一直在仔细地看着这具尸体，从脚看到头，可能是在寻找那个伤口吧。那个伤口在前额上，很小；大家都没有说话，这时在旁边站着的一个人弯下腰来，从那冰冷僵硬的手上取下一枚银戒指。他默默地把它捧到都拉明的面前。一看到那个熟悉的信物，人群中就响起一阵惊慌和恐惧的低语声。老首领盯着它，突然，发出一声凶猛的叫喊声，一声痛苦和愤怒的咆哮，就好像受伤的公牛发出的吼叫那样浑然有力，他虽然什么都没有说，但是他内心的愤怒和悲哀可以清楚地感受得到，这在人们的心中引起了强烈的恐惧。在这之后的一段时间，现场非常寂静，尸体被四名男子搬到了一旁。他们把尸体放到一棵树下，在那一瞬间，随着一声长长的尖叫，那户人家所有的女人开始一起恸哭；她们用尖声的哭声来表达对死者的哀悼；太阳正在落山，在一片哀鸣声中，两个老人用高亢的歌声吟诵着《古兰经》。

“大约就在这时，吉姆正倚在一个炮架上，看着那条河，转过身来背对着房子；那个姑娘站在门口，气喘吁吁的，好像一直在跑着，现在跑不动了似的站在那里，看着院子那头的他。唐比丹站在离主人不远的地方，耐心地等待着接下来可能会发生的事情。突然，似乎陷入静思中的吉姆转过身来对他说，‘是时候该结束这一切了！’

“老爷？”唐比丹说完，便快速地走上前去。他不知道他的主人是什么意思，但吉姆一动，那个姑娘也跟着动了起来，她走到空荡荡的院子里，就好像看不见家里的其他任何人一样。她稍微有些踉踉跄跄地走着，大约走了一半的路程，她就开始喊吉姆，他正心平气和地凝望着那条河。他转过身来，背靠着炮身。‘你会打吗？’她哭着大喊道。‘没什么可打的，’他说；‘并没有什么损失。’说着，他朝着她走近了一步。‘那会逃走吗？’她又哭着叫道。‘没有地方可逃，’他说道，突然停下，她也静静地站住了，默不作声，用眼睛贪婪地看着他。‘那么你要去那儿？’她说得很慢。他低下了头。‘啊！’她惊叫道，用眼睛直直地盯着他，‘你是疯了还是太虚伪了。你还记不记得那天夜里，我乞求你离开我，你说你不能吗？你说那是不可能的！不可能的呀！你还记得你说过永远不会离开我吗？为什么？我没有求你答应我什么。你没等我请求就发誓了——你再想想看。’‘够了，可怜的姑娘，’他说，‘我不值得拥有。’

“唐比丹说，他们说话的时候，她会大声地、傻头傻脑地笑起来，就像是个受到上帝惩罚的人。他的主人把双手放到头上。他每天都穿得整整齐齐的，和平常的着装一样，只是今天没有戴帽子。她突然停止了大笑。‘最后再问你一次，’她威胁般地大叫道，‘你会自卫吗？’‘没有什么能伤到我，’他说，就好像是卓越的利己主义的最